INTRODUCTION À LA

PHOTOGRAPHIE NUMÉRIQUE

INTRODUCTION À LA

PHOTOGRAPHIE NUMÉRIQUE

TOM ANG

Un livre Dorling Kindersley
www.dk.com

Version originale parue en 2002 sous le titre
Digital Photography, an Introduction

Traduction : Christine Eberhart
et Dorothée Sittler
Réalisation : compo-méca

5757, RUE CYPIHOT
SAINT-LAURENT (QUÉBEC)
H4S 1R3

www.erpi.com/documentaire

Dépôt légal – Bibliothèque et Archives nationales du Québec, 2010
Dépôt légal – Bibliothèque et Archives Canada, 2010

ISBN 978-2-7613-3853-0
K 38530

Imprimé en Slovaquie

Édition vendue exclusivement au Canada

Sommaire

Chapitre 1
Les bases de la photographie

Chapitre 2
La boîte à idées

Chapitre 3
La retouche d'images

Chapitre 4
Le choix de la sortie

Chapitre 5
Guide d'achat

Introduction

Près de 160 ans après l'invention de la photographie, une révolution guettait. L'imagerie numérique menaçait les films, les laboratoires de développement et les compétences durement acquises dans le domaine de la prise de vue. En peu de temps, ce mouvement s'est développé avec l'arrivée de plus en plus d'appareils photo numériques, de scanners, de logiciels de retouche d'image et Internet, semblant tous destinés à laminer la photographie traditionnelle.

Les photographes ont observé la situation avec appréhension, mais cette menace s'est avérée bénéfique. Au lieu de s'opposer à la photographie traditionnelle, les technologies numériques ont en fait dynamisé toute la pratique de la photographie. Les techniques traditionnelles – l'utilisation d'appareils photo, d'objectifs et de chambres noires – ont pleinement conservé leur pertinence puisqu'une grande partie des avancées numériques se fondaient sur ces acquis (je ferai régulièrement référence aux techniques argentiques tout au long du livre). L'union de la photographie traditionnelle et du numérique s'est révélée incroyablement fertile, offrant de nouvelles opportunités de créativité et de plaisir.

Introduction à la photographie numérique célèbre l'arrivée à maturité de la photographie numérique devenue la force créative la plus importante et la plus largement disponible de ce siècle. Vous y trouverez toute la passion et l'enthousiasme que je porte à la photographie traditionnelle et à ses compétences subtiles qui permettent de créer des images percutantes et gratifiantes. Par la même occasion, j'espère partager avec vous ma frénésie et mon émerveillement pour la flexibilité, la puissance et les économies apportées par la

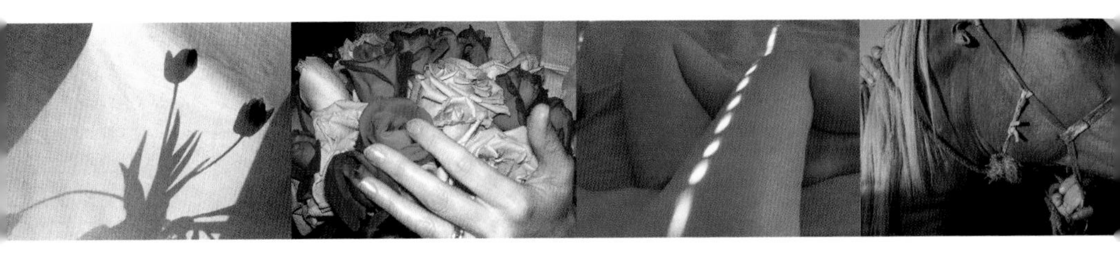

photographie numérique. En apprenant à exploiter cette puissance, vous découvrirez, si vous êtes déjà un passionné, que votre enthousiasme et votre énergie seront décuplés. Si vous n'êtes pas encore expérimenté, vous verrez que la photographie a le pouvoir sans pareil de vous révéler la richesse et la diversité de notre monde.

Ce livre fournit une grande quantité d'informations techniques et de conseils pratiques et vous révèle de nombreuses astuces. Il associe toutes les compétences professionnelles relatives à la prise de vue et un approfondissement des techniques de traitement d'image. L'objectif est de vous aider à améliorer, apprécier et comprendre le moyen de communication qu'est la photographie.

Des milliers de lecteurs ont déjà adopté *Introduction à la photographie numérique* comme guide pratique pour leurs photographies. Dans cette troisième édition, vous bénéficiez des toutes dernières informations et des dernières avancées dans le domaine. J'espère qu'il vous guidera dans votre recherche d'aventures visuelles, techniques et créatives, qui conduiront à votre propre découverte personnelle. Pour finir, j'espère que ce livre vous apportera la connaissance et l'inspiration pour surpasser son enseignement.

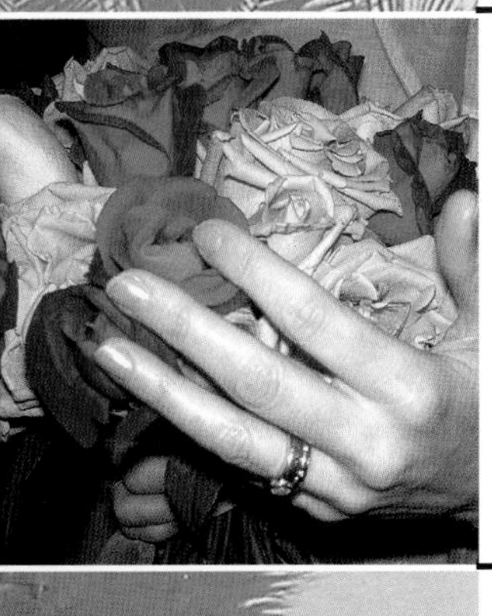

Les bases de la photographie

1

Le numérique

La photographie commence par la capture numérique d'une image. Vous allez essentiellement capturer ou « prendre » vos images avec votre appareil photo numérique. Mais vous pouvez aussi obtenir des images en les téléchargeant sur un site web ou en les transmettant sans fil depuis un téléphone portable. Vous pouvez transférer des images depuis un caméscope ou les copier à partir d'un CD, d'un DVD ou d'une mémoire flash.

Une image numérique ressemble à n'importe quel document, feuille de calcul ou autre fichier informatique. Vous pouvez la stocker sur votre disque dur ou sur tout autre support amovible, vous pouvez échanger le fichier entre des ordinateurs en réseau (sans fil ou par câble) ou l'envoyer à travers le monde grâce à Internet. Cependant, comme tout fichier informatique, l'image doit avoir un format reconnaissable par votre logiciel si vous souhaitez la retoucher, y associer du texte ou d'autres images, ou encore l'imprimer.

Le processus numérique

Une image numérique est polyvalente et flexible à l'extrême. Le niveau de contrôle sur son apparence,

Appareils photo numériques

Comme les appareils photo, de nombreux caméscopes et téléphones portables peuvent prendre des images que vous pourrez exploiter ou partager immédiatement.

Internet

Des millions d'images peuvent être téléchargées sur le Web. En général, elles sont même gratuites si elles ne sont pas destinées à un usage commercial.

Sujet

Support amovible

Vous pouvez également récupérer des images depuis des CD ou des DVD fournis avec des magazines ou par votre famille et vos amis.

Scanner

Un scanner vous permet de transformer en toute simplicité vos photographies existantes – tirages ou négatifs – en fichiers numériques.

Ordinateur

Les fichiers numériques peuvent être enregistrés sur votre ordinateur et si vous installez des logiciels de gestion et de retouche d'image, vous pouvez améliorer ces photos, combiner plusieurs images et les trier pour un usage ultérieur. Vous pouvez aussi les partager *via* des réseaux ou les envoyer partout dans le monde.

même avec un logiciel simple, est stupéfiant.

Contrairement aux formats des fichiers produits par d'autres applications, les formats de la plupart des fichiers d'image sont standard. Ils sont reconnus par une large gamme de logiciels, dont les programmes de graphisme ou de conception de page, la création de présentation et la conception web, et même les feuilles de calcul et les bases de données. L'image numérique en est d'autant plus polyvalente. Toutefois, les formats bruts (Raw) produits par les appareils photo peuvent être spécifiques à un fabricant et reconnus uniquement par un logiciel spécialisé de conversion Raw.

Partage *via* le Web

En découvrant les processus liés à l'image numérique, vous allez apprécier leur simplicité et leur commodité. Non seulement il est désormais très facile de prendre et manipuler des photos, mais il est également beaucoup plus simple de les partager : les logiciels modernes proposent une automatisation complète de la publication de vos images sous forme de galeries sur le Web.

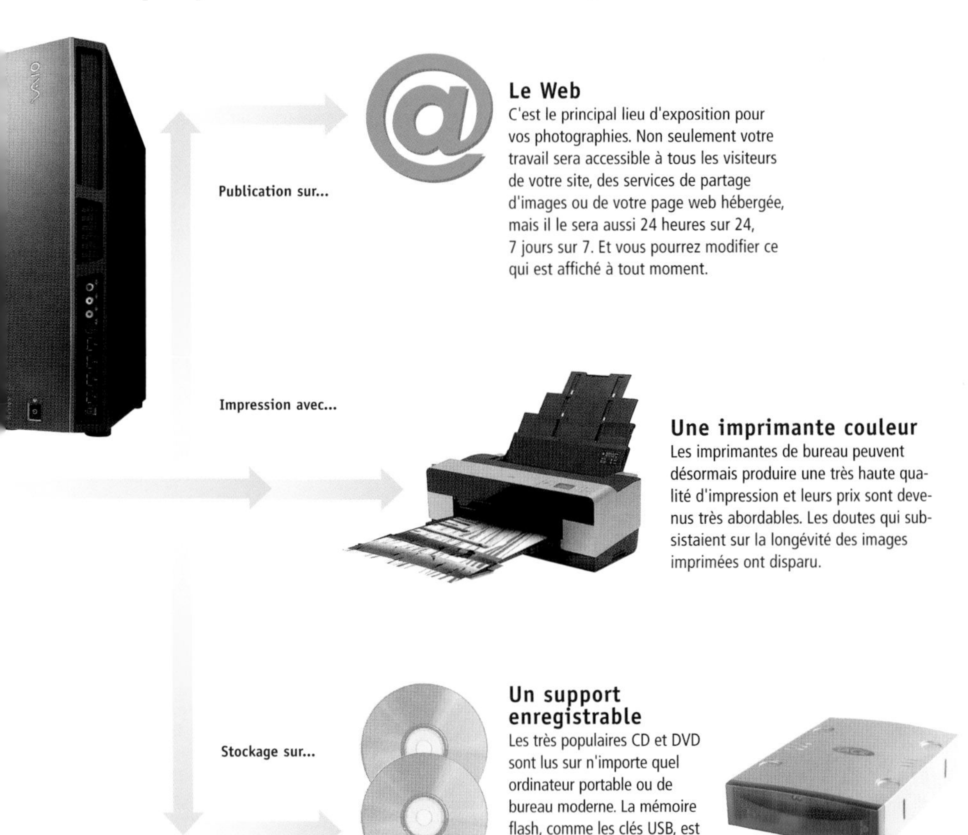

Le Web

C'est le principal lieu d'exposition pour vos photographies. Non seulement votre travail sera accessible à tous les visiteurs de votre site, des services de partage d'images ou de votre page web hébergée, mais il le sera aussi 24 heures sur 24, 7 jours sur 7. Et vous pourrez modifier ce qui est affiché à tout moment.

Une imprimante couleur

Les imprimantes de bureau peuvent désormais produire une très haute qualité d'impression et leurs prix sont devenus très abordables. Les doutes qui subsistaient sur la longévité des images imprimées ont disparu.

Un support enregistrable

Les très populaires CD et DVD sont lus sur n'importe quel ordinateur portable ou de bureau moderne. La mémoire flash, comme les clés USB, est très pratique pour un stockage temporaire. Enfin, les disques durs externes aux capacités importantes sont économiques.

Composition de l'image

De nombreux conseils sur la composition de l'image sont prescriptifs (« placez le sujet à l'intersection des tiers ») et posent des interdictions (« ne placez pas le sujet au centre »), comme si le respect de quelques règles pouvait garantir une composition satisfaisante. Il est préférable d'imaginer les règles comme un concentré d'idées sur la structure des images que les artistes ont trouvé utiles pour aboutir à des images plaisantes après des générations d'expérimentations, d'essais et de succès.

Une composition photographique est dite correcte si la disposition des éléments du sujet exprime quelque chose efficacement pour les observateurs de l'image. Souvent, le moyen le plus efficace de garantir une composition percutante est de rechercher les ingrédients essentiels d'une scène, puis d'adapter la position de l'appareil photo et les contrôles de l'exposition pour faire ressortir ces éléments. La composition ne concerne pas seulement le cadrage, elle comprend aussi le choix de la profondeur de champ et de la mise au point pour attirer l'attention des observateurs et de l'exposition pour modeler l'image avec la lumière et les ombres.

Si vous débutez en photographie, concentrez votre attention sur la structure générale de la scène plutôt que sur des détails très spécifiques. Ils n'ont généralement qu'une importance superficielle par rapport à la composition globale. Plissez les yeux ou fermez-les à moitié quand vous évaluez une scène ; les détails disparaissent pour révéler la structure essentielle.

Composition symétrique

On dit que les compositions symétriques sont synonymes de solidité, de stabilité et de force. Elles sont aussi efficaces pour organiser des images qui contiennent des détails élaborés. La simplicité est l'autre stratégie offerte par une présentation symétrique du sujet. Dans ce portrait d'un homme, il n'y avait aucun autre bon moyen d'enregistrer la scène. L'homme a été placé au centre parce que rien dans l'image ne justifiait un autre positionnement – il en est de même avec l'horizon central proche. La canne du sujet procure le contraste essentiel, évitant ainsi que l'image ne manque de naturel.

Composition radiale

Dans les compositions radiales, les éléments clés se dispersent à partir du milieu du cadre. Vous obtenez une certaine vitalité, même si les sujets sont statiques. Dans ce portrait de famille, pris au Mexique, la composition radiale est cohérente avec la tension provoquée par la présence d'un étranger (le photographe).

Composition en diagonale

Les lignes diagonales entraînent l'œil d'une partie de l'image vers une autre et transmettent bien plus d'énergie. Ici, c'est la courbure du tronc du palmier et le mouvement du garçon et de son chien qui encouragent le spectateur à analyser toute l'image, en étendant naturellement son regard du coin inférieur gauche en contre-jour vers le coin supérieur droit.

Chevauchement

Des éléments du sujet qui se chevauchent dans une photographie mettent en valeur une perspective et les contrastes du sujet. Dans un cas, la distance est indiquée simplement parce qu'un objet qui en chevauche un autre se trouve devant lui. Dans le second cas, le chevauchement oblige plusieurs éléments, dont on sait qu'ils sont séparés par une certaine distance, à être perçus ensemble. Des contrastes apparaissent alors au niveau de la forme, de la tonalité ou de la couleur. Cette dynamique est exploitée dans cette vue d'une table, renforcée par des zones de couleurs vives et contrastées.

La spirale d'or ou règle des tiers

Cette image, sur laquelle figure une spirale d'or (spirale basée sur le nombre d'or) et une grille divisant l'image en tiers, montre qu'en tant que photographes nous composons presque instinctivement pour respecter ces proportions harmonieuses – les proportions qui « semblent bonnes ».

Recadrage en hauteur

Le contraire d'une composition en forme de lettre (*à droite*) est un recadrage en hauteur et étroit, qui accentue un panorama vertical – une vue qui n'est possible qu'en levant la tête et en regardant vers le haut. Comme pour tous les recadrages basés sur un fort rapport d'aspect, il supprime utilement de nombreux détails indésirables sur les bords.

Composition en forme de lettre

Un cadrage large et étroit à la façon d'une lettre convient parfaitement à certains sujets, comme ces drapeaux au Bhoutan. Un tel cadrage concentre l'attention sur les couleurs et les détails, supprimant les éléments indésirables et visuellement non pertinents en haut et en bas de l'image.

Composition de l'image suite

Cadrage

Le cadre dans un cadre est un procédé souvent exploité en photographie. Il concentre non seulement l'attention de l'observateur sur le sujet, mais il fait souvent allusion au contexte plus large lié à la position du sujet. Les couleurs du cadre peuvent aussi donner des indices sur le point de réglage du photographe. Dans cette image, prise à Cannes, plusieurs cadres divisent l'image en compartiments, qui encadrent le chef d'un bistrot prenant une pause. Sans le personnage, l'image serait trop symétrique et monotone, mais sans le cadrage rythmique, le personnage serait statique.

Motifs géométriques

Des formes géométriques, comme des triangles et des rectangles, engendrent à eux seuls une composition photographique en raison de leur interaction avec le rectangle du cadre de l'image. Ici, à la Cité des arts et des sciences à Valence, en Espagne, les formes des petits rectangles et des triangles aigus sont en action. Dans certaines parties, ils fonctionnent harmonieusement (les espaces entre les poteaux) ; dans d'autres (les angles créés par les intersections diagonales), ils créent une tension dans la composition.

Symétrie

Le verre de cette fenêtre à Batsi, sur l'île Andros, en Grèce, agit comme un miroir de la scène de la plage, donnant automatiquement une certaine symétrie à l'image, mais il s'agit d'une symétrie partielle. Les différences subtiles ou non entre la réalité et le reflet donnent une énergie et une tension à l'image. Elles créent aussi un puzzle visuel, comme le soleil qui apparaît davantage dans le reflet, mais sans le ciel.

À TESTER

Partez à la recherche de motifs. Quand vous trouvez un exemple intéressant, prenez plusieurs clichés en changeant légèrement de position à chaque fois, puis examinez-les attentivement et vous verrez que le plus prometteur n'est pas toujours le meilleur. Souvent c'est parce que notre perception de la scène correspond à un vécu, alors que les photographes doivent respecter les proportions du format.

Éléments rythmiques

Ces colonnes régulières d'une cour à Sarzana, en Italie, organisent les groupes désordonnés de personnes. Ensemble, ils créent des lignes et des rectangles pour former des bandes irrégulières de lumière et d'obscurité. Celles-ci forment à leur tour le cadre rythmique pour les montagnes au loin qui contrastent avec les diagonales de la lumière du soleil qui s'infiltre entre les groupes de personnes.

Mise au point...

La profondeur de champ est l'espace devant et derrière le plan de la meilleure mise au point, dans lequel les objets apparaissent de façon nette (*voir ci-contre*). Même si elle est précise, cette définition n'indique pas comment la profondeur de champ peut vous aider à communiquer vos idées visuelles. Vous pouvez, par exemple, l'utiliser pour donner une illusion d'espace ou pour suggérer d'être dans l'action.

Varier la profondeur de champ

L'ouverture est le principal contrôle de la profondeur de champ : plus elle est petite (*f*/11 au lieu de *f*/8 par exemple), plus la profondeur de champ augmente. Cette augmentation est d'autant plus importante que la longueur focale de l'objectif est courte. Ainsi la profondeur de champ à *f*/11 avec un objectif 28 mm est plus importante qu'avec un objectif 300 mm. Elle augmente aussi quand le sujet s'éloigne de l'appareil photo. Par conséquent, à de faibles distances de mise au point, la profondeur de champ est très limitée.

Exploiter la profondeur de champ

Une grande profondeur de champ (petite ouverture, objectif grand-angle, mise au point distante ou combinaison de ces facteurs) est souvent utilisée pour :

- les paysages ;
- l'architecture, où les premiers plans des bâtiments sont importants ;
- les intérieurs.

Les petites ouvertures ont tendance à réduire le halo et à améliorer les performances de l'objectif.

Une petite profondeur de champ (résultant d'une grande ouverture, d'un téléobjectif, d'un gros plan ou d'une combinaison de ces facteurs) ne rend nette qu'une petite partie de l'image et est souvent utilisée pour :

- les portraits, afin d'attirer l'attention de l'observateur ;
- masquer les éléments inintéressants qui ne peuvent pas être supprimés de l'angle de champ de l'objectif ;
- isoler un sujet de l'encombrement visuel qui l'entoure.

Mise au point

La lumière réfléchie ou émise par chaque point d'un sujet irradie, et ces rayons capturés par l'objectif de l'appareil photo sont projetés sur le plan focal pour produire une image inversée. Cependant, le sujet est net seulement si ces rayons de lumière se croisent précisément sur le plan du film (possible en ajustant la mise au point de l'objectif). Sinon, les rayons sont enregistrés comme des points. Si l'image est reproduite dans une taille assez petite, les points sembleront nets, mais si l'image du sujet diverge davantage du plan du film, les points enregistrés par l'appareil photo deviendront de plus en plus grands, jusqu'à ce que l'image soit floue.

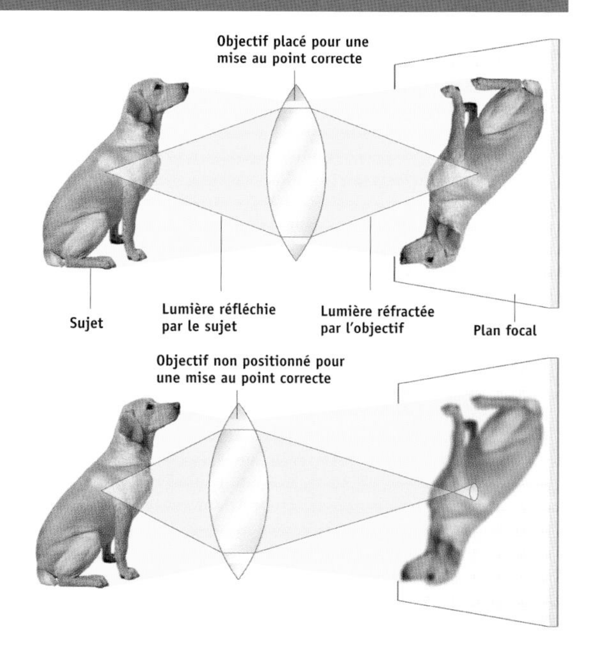

... et profondeur de champ

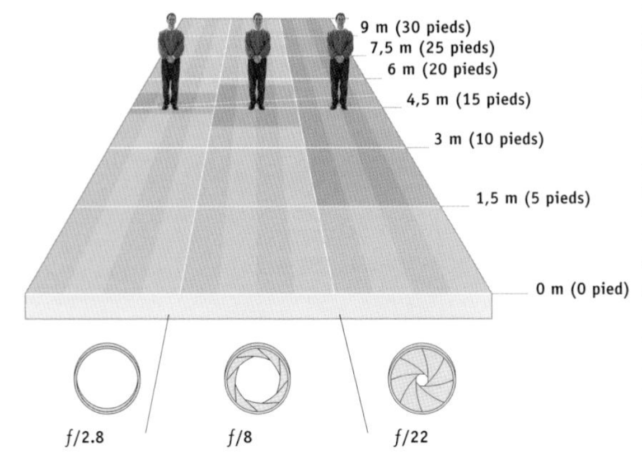

Effets de l'ouverture

On change l'ouverture de l'objectif pour ajuster l'exposition. Une ouverture plus petite limite le faisceau lumineux qui traverse l'objectif. Cependant, l'ouverture modifie aussi la profondeur de champ. Les plus petites ouvertures affinent le faisceau lumineux traversant l'objectif. Donc, même si la mise au point n'est pas parfaite, la lumière du sujet n'est pas diffusée comme elle le serait avec une plus grande ouverture. Ainsi, une plus grande partie de la scène dans l'angle de champ est nette. Ici, la focale et la distance de mise au point restent identiques, et une profondeur de champ à *f*/2.8 ne couvre que la profondeur d'une personne, alors qu'à *f*/8 elle augmente de 2 mètres. À *f*/22, la profondeur de champ s'étend de 1,5 mètre à l'infini.

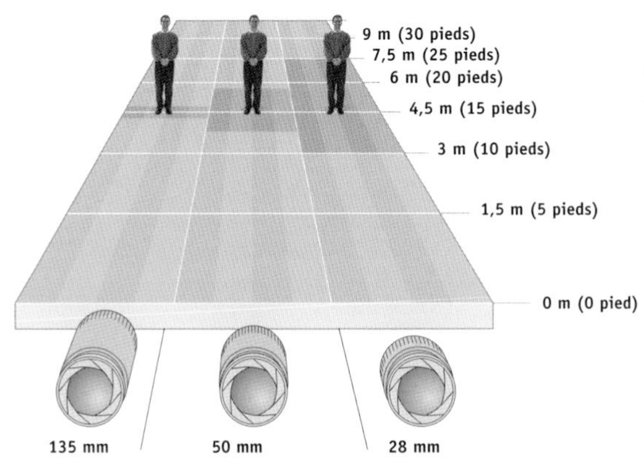

Effets de la focale de l'objectif

Les variations de la profondeur de champ résultant uniquement de la focale sont dues à un agrandissement de l'image. Alors que notre personnage est à une distance constante de l'appareil photo, une focale longue (135 mm) l'enregistrera à une taille plus grande qu'un objectif standard (50 mm), qui crée, à son tour, une image plus grande que le grand-angle (28 mm). À l'œil nu, le personnage a la même taille, mais au niveau du capteur ou du film, sa taille varie directement en fonction de la longueur focale. Au niveau des petits détails, il est plus difficile de savoir ce qui est net ou pas. Par conséquent, la profondeur de champ semble augmenter. Inversement, une focale plus longue agrandit l'image, ce qui agrandit les différences de mise au point et semble réduire la profondeur de champ.

9 m (30 pieds)
7,5 m (25 pieds)
6 m (20 pieds)
4,5 m (15 pieds)
3 m (10 pieds)
1,5 m (5 pieds)
0 m (0 pied)
1,5 m (5 pieds)
3 m (10 pieds)
4,5 m (15 pieds)

Effets de la distance de mise au point

Deux effets contribuent à la nette réduction de la profondeur de champ au fur et à mesure que vous vous rapprochez du sujet, même si la focale ou l'ouverture ne changent pas. Le principal effet est dû au grossissement accru de l'image. Alors qu'il semble plus grand dans le viseur, de petites différences au niveau de la profondeur du sujet ordonnent à l'objectif d'être mis au point à diverses distances du capteur ou du film. Notez que vous manipulez plus l'objectif pour la mise au point des gros plans. Une autre raison du changement de profondeur de champ est que la focale effective augmente quand l'objectif est réglé plus loin du plan focal – lors d'une mise au point sur des sujets proches.

Mise au point et profondeur de champ suite

Autofocus

Il existe deux méthodes d'autofocus. Dans les appareils photo compacts, un faisceau de lumière infrarouge (IR) analyse la scène quand vous appuyez pour la première fois sur le déclencheur. Les reflets IR les plus proches et les plus forts sont lus par un capteur, qui calcule la distance du sujet et règle l'appareil photo une fraction de seconde avant la prise de vue.

La deuxième méthode est « passive ». Une partie de la lumière du sujet est échantillonnée et divisée, et les parties de l'image coïncident (elles sont « en phase ») seulement quand l'objectif est mis au point. La propriété cruciale de ce système est la variation des différences de phase, selon que l'objectif est réglé devant ou derrière le plan de meilleure mise au point. Les capteurs de l'autofocus analysent le modèle et indiquent à l'objectif dans quelle direction se déplacer pour atteindre cette dernière.

Même s'ils sont sophistiqués, les systèmes d'autofocus peuvent se tromper. Tenez compte des circonstances suivantes :

- Le capteur d'autofocus principal se trouvant au centre du viseur, les sujets décentrés risquent de ne pas être mis au point correctement. Visez votre sujet, maintenez la mise au point en appuyant légèrement sur le déclencheur, puis revenez à la vue originale du viseur.
- Quand vous photographiez à travers une vitre ou prenez des objets proches de l'objectif, le capteur IR ou l'autofocus peuvent être induits en erreur.
- Des objets extrêmement clairs dans la zone de mise au point – comme des reflets sur du métal poli – peuvent surcharger le capteur et nuire à la précision.
- Pour des sujets en mouvement, faites une mise au point en définissant la distance manuellement, puis reculez ou avancez pour conserver cette mise au point.

Imiter la profondeur

Alors qu'un petit angle de champ engendre généralement une profondeur de champ réduite, vous pouvez simuler une zone plus généreuse de mise au point en recadrant une image grand-angle. Ici, une image 28 mm a été recadrée à partir d'une image prise avec un objectif 200 mm et la scène est nette du premier plan à l'arrière-plan.

Mise au point sélective

Une photo au téléobjectif prise avec une très grande ouverture rend la fille du premier plan floue. Le problème est que la couleur de l'arrière-plan fusionne avec celle du premier plan, et qu'elle complique la correction des couleurs. Il a été très difficile de faire une copie satisfaisante de la diapositive d'origine et la numérisation obtenue a exigé énormément de corrections.

• Dans le cas de sujets qui bougent très vite, il est préférable de mettre au point à une distance définie, puis d'attendre que le sujet atteigne ce point avant de prendre le cliché.

Distance hyperfocale

La distance hyperfocale est le paramètre qui fournit la profondeur de champ maximale pour une ouverture donnée. C'est l'éloignement du point net le plus proche quand l'objectif est réglé sur l'infini et c'est la distance la plus faible à laquelle un objet peut être mis au point alors que l'infini est net. Plus l'ouverture est grande, plus ce point est distant. Sur les appareils uniquement équipés d'un autofocus, vous ne pouvez pas régler la distance hyperfocale ; sur les autres, vous pouvez la définir et ne pas vous soucier de la clarté d'un sujet situé dans la plage de la mise au point nette.

Sujets décentrés
Quand les sujets sont décentrés, vous ne devez pas faire la mise au point au milieu du cadre. Ici, j'ai fait la mise au point sur les garçons, j'ai verrouillé le réglage puis j'ai recomposé le cliché. Même en cas de grande clarté et de mise au point à distance – 100 mm –, la profondeur de champ est limitée en raison de la très longue focale de l'objectif.

Ouverture correcte
Les images en plan moyen ou rapproché prises avec un téléobjectif auront une faible profondeur de champ à moins de définir une petite ouverture. Dans cette image, la scène aurait perdu de son charme si les éléments flous avaient dominé. La plus petite ouverture a été choisie pour atteindre la netteté maximum, et un trépied a permis de ne pas bouger pendant le temps de pose long.

Perception de la profondeur de champ

La netteté acceptable est variable selon le flou que l'observateur est prêt à accepter. Ceci dépend de la quantité de détails qu'il peut déceler dans l'image, qui dépend, à son tour, de la taille finale de l'image (telle qu'affichée sur un écran ou un tirage). Sur un petit tirage, une image peut afficher une grande profondeur de champ. Cependant, plus l'image est agrandie, plus le manque de netteté devient évident, ce qui fait apparaître la profondeur de champ de plus en plus réduite.

Composition et zooms

Les zooms vous permettent de changer le grossissement d'une image sans changer d'objectif. Ils sont conçus pour changer l'angle de champ tout en conservant la mise au point de l'image. Quand l'angle de champ est élargi (pour incorporer davantage le sujet), l'image doit être réduite pour remplir la zone du capteur ou du film. C'est l'effet de l'utilisation d'un objectif grand-angle ou d'un réglage grand-angle sur un zoom. Inversement, quand l'angle de champ est rétréci, l'image doit être agrandie à nouveau pour remplir la zone du capteur ou du film. C'est l'effet de l'utilisation d'un téléobjectif ou d'un réglage téléobjectif sur un zoom.

Travailler avec des zooms

Le meilleur moyen d'utiliser un zoom est de le régler à la longueur focale qui vous semblera produire l'effet recherché. Cette méthode de travail encourage à réfléchir à la scène bien avant de saisir l'appareil pour composer la photo. Elle permet également d'anticiper le processus de prise de vue, au lieu de faire des zooms avant et arrière sur une scène à la recherche du réglage approprié. D'une part c'est futile, et d'autre part cela vous fait perdre du temps et risque de vous faire rater certaines occasions photographiques.

Une approche professionnelle

De nombreux photographes professionnels utilisent des zooms presque comme s'il s'agissait d'objectifs à focale fixe, les laissant réglés à leur longueur focale favorite la plupart du temps. Le contrôle du zoom leur sert uniquement à ajuster plus précisément le cadrage. Il s'agit là de la meilleure utilisation des zooms – ajouter ou éliminer une petite partie d'une scène. Avec un objectif fixe, vous devez vous déplacer pour obtenir le même effet. Selon le type de sujet que vous essayez de photographier, vous pourriez laisser le zoom vers l'extrémité grand-angle ou téléobjectif de sa plage. Cependant, sur certains numériques, les zooms sont réglables par échelons, pas en continu, et ne peuvent donc pas être utilisés pour de petits ajustements.

80 mm

135 mm

200 mm

Zooms pour le cadrage

Les zooms trouvent toute leur utilité quand vous estimez qu'il est difficile ou que cela prend trop de temps de changer la position de l'appareil. Ils vous permettent en effet d'introduire une certaine variété dans des images qui seraient trop ressemblantes autrement. Pour cette grande performance en extérieur, une photo a été prise en 80 mm (*en haut*), une autre en 135 mm (*milieu*) et une autre en 200 mm (*ci-dessus*), alors que l'appareil était à peu près dans la même position.

Mouvement du zoom

La couleur et le mouvement semblent purement exploser de cette photographie d'une simple tulipe – un effet obtenu en réduisant la focale du zoom lors d'une exposition longue minutée manuellement. Et pour accentuer les contours flous de la fleur, la mise au point a été légèrement déréglée avant l'exposition.

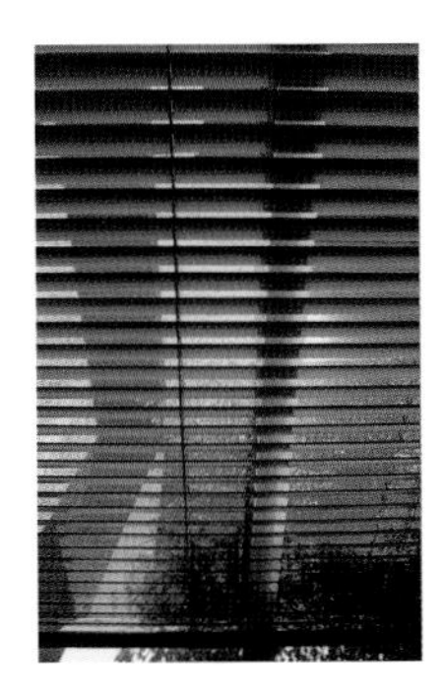

Zooms pour la composition

Faire un zoom de 80 mm (*ci-dessus à gauche*) à 200 mm (*ci-dessus à droite*) produit une image abstraite intrigante en créant des zones de lumière et d'ombre, colorées et non chromatisées. Mais, au fur et à mesure que la longueur focale augmente, la profondeur de champ diminue (*voir pages 18-21*), alors choisissez les ouvertures avec soin.

À SAVOIR

Distorsion. La majorité des zooms déforment l'image ; les lignes droites semblent incurvées. C'est notamment le cas avec des réglages grand-angle.
Tremblement de l'appareil photo. Pour les numériques avec des focales très longues – comme le 35 EFL en 350 mm – la qualité d'image peut baisser si l'appareil bouge pendant l'exposition. Assurez-vous de tenir fermement l'appareil photo et utilisez un temps de pose bref.
Vitesse de l'objectif. Si vous augmentez la longueur focale, l'ouverture maximale devient plus petite. Même en pleine lumière, il pourrait être impossible de définir des temps de pose courts.
Mouvement de l'objectif. Certains objectifs peuvent prendre quelques secondes pour faire un zoom au maximum ou se rétracter à leur réglage minimum. Ne soyez pas tenté d'accélérer cette opération en poussant ou tirant l'objectif.

Objectifs extrêmes

Les objectifs ultra-grand-angle étaient réservés aux reflex numériques. Aujourd'hui, les utilisateurs de compacts numériques bénéficient aussi de ces objectifs et de téléobjectifs extrêmement performants. Pour atteindre le niveau ultra grand-angle, avec un équivalent 35 mm de 21 mm ou inférieur, les compacts sont généralement équipés d'objectifs de conversion à monter sur l'objectif principal, souvent onéreux et encombrants. Il existe des compacts *super-zoom* équipés de téléobjectifs pouvant aller jusqu'au 300 mm. Sur certains compacts, vous pouvez monter des objectifs de *conversion télé*.

Problèmes d'horizon
À trop vouloir me dépêcher de prendre cette scène sur une plage de Zanzibar, je n'avais pas remarqué la légère inclinaison de l'appareil photo avec le réglage 17 mm de l'objectif, qui a créé un horizon bizarre. Loin d'être un désastre, l'image aurait cependant été meilleure si j'avais réfléchi un peu plus avant de la prendre.

Objectifs ultra-grand-angle

Les objectifs grand-angle avec un équivalent 35 mm d'environ 28 mm sont simples d'emploi, mais quand les focales sont réduites au-delà du 24 mm, il est préférable d'avoir quelques bases.

- Pour vous assurer que l'image est éclairée uniformément (les objectifs grand-angle projettent tous beaucoup plus de lumière au centre de l'image), réglez l'objectif deux ou trois valeurs sous l'ouverture maximum.
- N'utilisez jamais plusieurs filtres en même temps : assurez-vous aussi que les pare-soleil sont adaptés à l'objectif.
- Les objectifs ultra-grand-angle peuvent capter une source lumineuse vive, comme le soleil, dans la zone de l'image. Ces hautes lumières peuvent provoquer un halo (réflexions à l'intérieur du barillet de l'objectif). De plus petites ouvertures permettent de contrôler ce phénomène.
- Évitez d'avoir des formes très reconnaissables, comme un visage, sur les contours du cadre. Elles seront déformées si vous produisez une image de petite taille (*voir ci-dessous*).

« Distorsion » grand-angle
Un ultra-grand-angle permet d'englober la marchande et ses produits. Elle est très déformée puisqu'elle est projetée dans le coin du cadre, et il en est de même pour les tomates dans le coin inférieur droit. Toutefois, si vous faisiez une grande impression de cette image et que vous la regardiez de très près, la distorsion apparente disparaîtrait.

Téléobjectif long
Dans cette version de la scène présentée à droite, le zoom a été réglé à 400 mm avec un multiplicateur de focale de 1,4×, ce qui procure une longueur focale effective de 560 mm.

- Alignez très attentivement les objectifs ultra-grand-angle sur l'horizon ou sur tout autre élément dominant, vu que l'angle de champ large exagérera la moindre erreur d'alignement de l'image.
- Évitez de pointer l'objectif vers le haut ou le bas à moins de vouloir produire une distorsion.
- Évitez d'utiliser l'ouverture minimale. Vous avez rarement besoin de la profondeur de champ produite et la qualité de l'image peut se dégrader. Cependant, une petite ouverture peut améliorer la qualité de l'image pour des sujets très proches.

Zooms de grande amplitude

Les zooms qui offrent une vaste plage de focales, comme le 35 EFL de 28-300 mm ou 50-350 mm, sont séduisants en théorie, mais en pratique ils requièrent une manipulation spécifique.

- Les zooms avec une plage de focales étendue sont bien plus encombrants que leurs homologues à focale unique. Un objectif 28 mm utilisé dans la rue est discret, alors qu'un zoom 28-300 mm réglé à 28 mm ne l'est pas du tout.
- Le réglage grand-angle est susceptible de présenter une lumière fortement décroissante du centre vers les bords. Vous devez donc éviter les images qui exigent un éclairage uniforme.
- La distorsion de l'image est toujours le prix à payer pour les plages de focales étendues, évitez donc de photographier des bâtiments ou des éléments présentant des côtés bien définis et des lignes droites. Un réglage, généralement vers le milieu de la plage, minimise la distorsion mais sans la faire complètement disparaître.
- Avec des focales de plus en plus longues, l'ouverture maximale sera de plus en plus petite. Il sera donc plus difficile de régler des temps de pose courts, et vous aurez besoin d'éclairage.

Téléobjectif court
Cette image présente une plage de Zanzibar prise avec un téléobjectif réglé à 100 mm. À ce stade de grossissement, l'objectif présente la scène générale, mais vous ne voyez pas l'activité ni les détails des sujets *(comparez avec l'image ci-dessus)*.

Gros plans

Dans le passé, les véritables gros plans exigeaient un équipement spécialisé et des accessoires délicats. Cette situation a totalement changé avec l'arrivée des appareils photo numériques. Ces derniers travaillent à de faibles distances du sujet comme s'ils étaient conçus pour cela.

La capacité numérique à gérer des gros plans est due à deux facteurs. Premièrement, comme les puces de capteur sont petites, les objectifs des numériques ont forcément des focales courtes. Deuxièmement, les objectifs grand-angle exigent peu de mouvement de mise au point pour que les sujets proches soient nets. Enfin, pour les numériques équipés de zooms, il est relativement facile de concevoir des objectifs qui peuvent faire une mise au point rapprochée en déplaçant les groupes internes d'éléments de l'objectif.

En plus de la conception de l'objectif, un autre élément numérique est intéressant : l'écran LCD. Il offre un moyen fiable de cadrer très précisément des gros plans, sans le système de viseur complexe des reflex traditionnels.

Vous devrez parfois conserver une bonne distance entre vous et le sujet – une libellule agitée ou une ruche par exemple. Dans de tels cas, définissez d'abord la focale la plus longue de votre zoom avant de faire la mise au point. Un numérique de type reflex (à objectifs interchangeables) est idéal, vu le grossissement naturel obtenu grâce à la petite puce de capteur qui travaille en association avec les objectifs conçus pour des formats de film ordinaires.

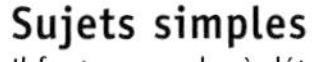

Sujets simples

Il faut apprendre à déterminer ce qu'il faut inclure ou pas dans une image. Elle a généralement plus d'impact quand elle est très simple sur le plan visuel, comme dans cet exemple, mais elle devient aussi souvent plus facile à exploiter à différentes fins, comme pour la composition. Le mouvement du sujet est toujours un problème pour les gros plans, notamment les plantes à l'extérieur même avec une brise légère. Si vous ne pouvez pas protéger la plante des courants d'air, choisissez un temps de pose le plus court possible, adapté à une exposition précise, pour geler les mouvements.

Éviter les hautes lumières

L'un des secrets d'un gros plan réussi consiste à éviter les hautes lumières indésirables qui s'immiscent dans l'image. Elles apparaissent habituellement sous la forme de points brillants flous insignifiants quand vous cadrez la photo, mais elles se révèlent plus voyantes et très gênantes dans l'image finale. Pour prendre ce cliché, je me suis déplacé lentement autour du sujet, en regardant en permanence l'écran LCD. J'ai appuyé sur le déclencheur quand la zone la plus claire était placée exactement à l'endroit voulu.

Gros plans à distance

Un téléobjectif capable d'une mise au point rapprochée permet de prendre de petits sujets nerveux, comme cette libellule, et d'obtenir une taille d'image exploitable. De plus, la profondeur de champ extrêmement faible avec un tel objectif rend flous même les éléments d'image proches. Le point brillant central est en réalité une fleur.

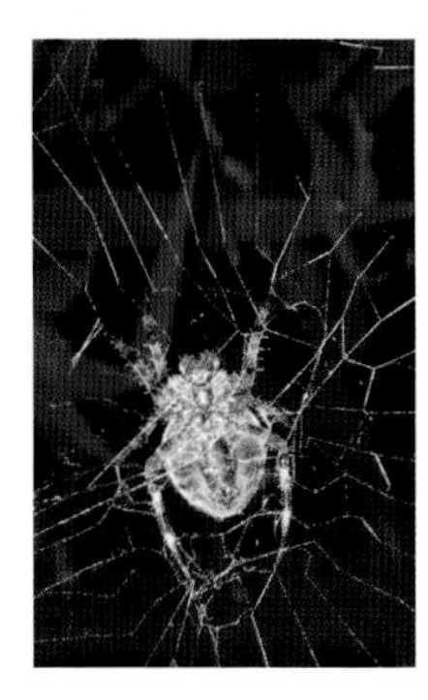

Distance de sécurité

Il était dangereux de s'approcher trop près de ce boa constricteur, un téléobjectif avec une mise au point rapprochée était donc le meilleur moyen d'obtenir un bon grossissement dans ce cas.

Gros plan normal

Avec des sujets statiques ou qui bougent lentement, un téléobjectif normal utilisé en mode macro est suffisant.

Profondeur de champ numérique

Plus vous vous approchez de votre sujet, plus la profondeur de champ diminue rapidement, à n'importe quelle ouverture (*voir pages 18–21*). D'autre part, la profondeur de champ augmente rapidement quand la longueur focale diminue. La question est donc de savoir si l'augmentation de la profondeur de champ avec les focales courtes typiques des numériques facilite la photographie en plan rapproché par rapport aux équipements argentiques. La réponse n'est pas immédiate. En effet, pour que le grand-angle le plus court produise un agrandissement donné, il doit s'approcher plus près du sujet qu'un téléobjectif, ce qui joue en défaveur de l'augmentation de la profondeur de champ. Un autre facteur déroutant est que les numériques, et leur matrice régulière de pixels relativement grands, ne peuvent pas être traités comme les appareils argentiques, dont les images sont basées sur une collection aléatoire de grains fins d'argent photosensible. De nombreux numériques n'offrent pas la possibilité de définir des ouvertures, et même si vous le pouviez, l'ouverture minimale serait assez grande – par exemple *f*/8. Néanmoins, en prenant tous ces facteurs en compte, l'équipement numérique offre souvent une plus grande profondeur de champ.

Conserver la mise au point
Les sujets en gros plan révèlent leurs formes graphiques, mais la profondeur de champ est très faible. Si vous décidez de l'augmenter, assurez-vous que ni l'appareil photo ni la plante ne bougent.

Influencer la perspective

Vous pouvez contrôler la perspective d'une photo en changeant la position de votre appareil. En effet, la perspective est la vue que vous avez du sujet depuis l'endroit où vous décidez de prendre le cliché. Cependant, elle n'est pas affectée par les changements de focales. C'est trompeur, mais la longueur focale détermine uniquement la « quantité de l'image » que vous enregistrez.

Les photographes professionnels connaissent la puissance de la perspective dans une image, et c'est l'une des choses les plus simples à contrôler. Quand vous observez des photographes, vous les voyez souvent se déplacer autour du sujet – se coucher parfois au sol ou grimper sur le poteau le pus proche, s'approcher très près, puis reculer à nouveau. En suivant cet exemple, votre travail pourrait être transformé si vous étiez plus mobile, observant le monde à travers l'appareil photo en changeant de position au lieu d'être statique.

Retenez qu'avec certains sujets – les natures mortes par exemple, les intérieurs ou les portraits – le moindre changement de perspective entre ce que vous voyez avec vos yeux et ce qui passe par l'objectif de l'appareil, juste un peu plus bas que vos yeux, peut faire une grande différence au niveau de la composition. Cette différence de perspective est bien plus prononcée si vous utilisez un appareil photo de studio ou un viseur indirect sur un appareil photo moyen format.

Exploiter efficacement les zooms

Une manière d'aborder les changements de perspective consiste à apprécier l'effet de la longueur focale sur votre photographie. Une focale courte

Vues alternatives

Cette image grand-angle (*ci-dessus à gauche*) est un cliché d'une plage à Andros, en Grèce. C'est une image simple d'un lieu, mais la scène manque d'interprétation ou d'inventivité. Une fois sur la plage, il est tentant de prendre une photographie large qui résume toute la scène. Toutefois, un point de vue réduit qui englobe un parasol procure un sentiment plus intime et intéressant. En utilisant le parasol pour équilibrer le grand rocher, l'image est presque complète. Attendre le bon moment – un enfant qui court vers le premier plan – donne vie à toute la perspective.

procure une perspective qui permet de se rapprocher du sujet, et qui enregistre davantage l'arrière-plan. Si vous reculez un peu, vous pourrez englober davantage la scène, mais alors la profondeur de champ généreuse d'un grand-angle aura tendance à relier des éléments distincts du sujet, vu qu'il y a peu, ou pas, de différences de netteté entre eux.

Un téléobjectif autorise une perspective plus distante. Vous pouvez regarder un visage de très près sans être proche. Ils ont tendance à rapprocher des objets disparates – dans une scène urbaine observée à distance, les bâtiments qui sont pourtant éloignés les uns des autres semblent être accolés. Toutefois, la faible profondeur de champ d'un téléobjectif utilisé près du sujet donne la juste distance aux objets en affichant certains d'entre eux nets et d'autres flous.

Effets de la perspective

Objectifs grand-angle

- Englobe davantage le premier plan ou l'arrière-plan.
- Exagère la taille des sujets proches en cas de gros plans.
- Accentue toute différence de distance ou de position entre des sujets.
- Donne une profondeur de champ apparente plus importante et relie le sujet à son arrière-plan.

Téléobjectifs

- Réduit les distances relatives.
- Agrandit le sujet principal.
- Réduit la profondeur de champ pour séparer le sujet de son arrière-plan.

Perspective au téléobjectif
Ici, on insiste sur la foule présente à ce festival au Tadjikistan (*ci-dessus*). Deux enfants qui se tiennent la main complètent la scène. La version au téléobjectif (*ci-dessus à droite*) se concentre sur la danseuse, mais exclut la foule qui observe la représentation traditionnelle.

À TESTER

Pour cet exercice, conservez la plus courte focale de votre zoom. Recherchez des images qui sont adaptées à cette longueur focale – ignorez les autres et ne soyez pas tenté de modifier le réglage du zoom. Vous connaîtrez mieux les capacités d'un grand-angle. Vous devrez peut-être vous approcher plus que d'habitude des sujets – y compris des gens. L'objectif vous oblige à vous approcher parce que vous ne pouvez pas utiliser le zoom pour le faire à votre place. Répétez cet exercice avec la plus longue focale de votre zoom.

Changer de points de vue

Recherchez toujours des points de vue qui donnent une nouvelle perspective à votre travail. N'ignorez pas les procédés simples, comme une prise de vue depuis le bas d'un bâtiment plutôt que du haut, ou en vous mettant à la place d'un enfant qui observe une scène dans la rue.

Le choix du point de vue transmet des messages subtils qui en disent autant sur vous que sur votre sujet. Prenez une photo de quelqu'un à distance, par exemple, et celle-ci signifiera que vous-même étiez à distance de cette personne. Des marchés animés sont des sujets photographiques populaires, mais à quoi ressemblent-ils du point de vue d'un marchand ? Si vous aimez le sport, prenez des photos en étant au cœur de l'action et pas sur les lignes de touche.

En pratique

Des points de vue plus élevés permettent de réduire le premier plan et d'augmenter la zone de l'arrière-plan enregistrée par un objectif. En position haute, une rue ou une rivière se trouvent à un angle moins aigu que lorsque vous vous situez à son niveau. Il suffit de réduire la profondeur de champ pour que la scène soit nette.

Si l'appareil photo est placé très bas, on a alors l'impression de voir les sujets à travers une masse d'herbe ou de jambes. Et si vous regardez vers le haut alors que vous êtes bas, vous voyez moins d'arrière-plan et plus de ciel, ce qui accentue la séparation du sujet avec ce qui l'entoure.

Moins pour dire plus
Sur des marchés ou des endroits du même genre, l'activité peut paraître écrasante – et il est souvent tentant d'essayer d'enregistrer toute la scène colorée et vivante. Toutefois, si vous regardez autour de vous, des détails peuvent être très expressifs. En Ouzbékistan, j'ai remarqué près d'un étal de fruits une femme qui n'avait rien d'autre à vendre que ces quelques pauvres tulipes.

Point de vue d'un enfant
En étant presque au niveau du sol, ces mouettes qui descendent en piqué semblent effrayantes et placent l'observateur au cœur de l'action. Dans le même temps, le fait de regarder vers le haut donne à l'observateur un sentiment de ciel ouvert – ce qui aurait été perdu si le regard avait été orienté vers le bas.

CONSEILS ET ASTUCES

- Dans certaines parties du monde, il est recommandé d'éviter d'attirer l'attention. Votre recherche d'un point de vue inhabituel risque de faire réagir la bureaucratie locale. Rien que le fait de grimper sur un mur peut vous attirer des ennuis là où les étrangers sont mal vus et où les photographes sont considérés comme suspects.
- En plus d'être impoli, il peut aussi être illégal d'entrer dans un bâtiment privé sans autorisation pour y prendre des photos. Vous serez surpris de voir à quel point les gens sont coopératifs si vous leur expliquez ce que vous faites et pourquoi, puis que vous leur demandez leur aide.
- Essayez d'être ouvert et chaleureux avec les personnes que vous rencontrez – un sourire ou un signe de remerciement sont souvent les moyens les plus simples et les moins chers d'obtenir l'aide d'étrangers.
- Préparez votre équipement avant de partir. Lorsque vous êtes en équilibre sur un mur, ce n'est pas le meilleur endroit pour changer des objectifs. Avec des appareils photo manuels, présélectionnez la bonne ouverture et le temps de pose pour que l'exposition soit à peu près bonne si vous prenez une photo à la hâte.

Changer de point de vue

Cette image traditionnelle de la Grande Mosquée de Cordoue, en Espagne (*ci-dessus*) est une bonne photo, mais ce n'est pas le produit d'une observation attentive. En regardant vers le bas tout en étant dans la même position, j'ai remarqué que la tour du bâtiment se reflétait dans une flaque d'eau. En rapprochant l'appareil photo de l'eau, j'ai pu révéler un point de vue beaucoup plus intéressant (*à droite*). C'est l'avantage d'un numérique équipé d'un écran LCD.

Dépannage Édifices penchés

Les bâtiments et autres éléments architecturaux sont toujours des sujets photographiques populaires, mais ils posent des problèmes ennuyeux de distorsion.

Problème

Des structures élancées, comme les bâtiments, voire même les personnes debout près de vous, semblent être en arrière sur le point de tomber.

Analyse

Vous obtenez cette distorsion si vous pointez l'appareil photo vers le haut pour prendre l'image. En fait, vous englobez trop le premier plan et pas assez la hauteur du sujet.

Solution

- Reculez et gardez l'appareil photo droit – le premier plan sera encore très dominant, mais vous pourrez recadrer l'image ultérieurement.
- Utilisez un grand-angle ou un zoom, mais n'oubliez pas de maintenir l'appareil photo droit – les objectifs grand-angle ont tendance à exagérer la distorsion de projection.
- Prenez quand même l'image et essayez de corriger la distorsion en la retouchant.
- Utilisez un objectif à décentrement ou un appareil photo avec mouvements. Cet équipement est spécialisé et onéreux, mais c'est la meilleure solution technique.
- Exagérez l'effet du penché ou de l'effondrement pour accentuer la hauteur et l'encombrement du sujet.

Problème...

Basculer l'appareil photo
Une image des flèches de Cambridge, en Angleterre, prise avec l'appareil penché vers le haut, donne l'impression que les bâtiments sont sur le point de s'effondrer.

...solution

Utiliser le premier plan
En choisissant la bonne position, vous pouvez conserver votre appareil droit et inclure des éléments du premier plan qui s'ajoutent à l'image.

Problème...

Perdre le premier plan
Pour enregistrer les drapeaux rouges qui contrastent sur le bleu du bâtiment, il n'y avait pas d'autres solutions que de pointer l'appareil photo vers le haut, ce qui a fait disparaître une grande partie du premier plan. Par conséquent, l'édifice le plus proche semble pencher vers l'arrière.

...solution

Autre vue
J'ai utilisé un objectif à décentrement, penché au maximum vers le haut, tout en gardant l'appareil photo droit. J'ai donc évité le problème des lignes verticales convergentes. Même si c'est la meilleure solution pour optimiser la qualité de l'image, cela exige un objectif professionnel coûteux.

Dépannage Distorsion des visages

Des visages déformés représentent un problème pour les portraits. Pour agrandir au maximum le visage, il est tentant de s'approcher trop près.

Problème

Les portraits pris trop près accentuent certaines parties du visage, comme le nez, les joues ou le front.

Analyse

Le problème vient de la distorsion de la perspective. Quand un tirage est observé de trop loin par rapport à l'agrandissement de l'impression, la perspective n'est pas correctement rendue (*voir aussi page 24*). Au moment où vous prenez la photographie, le nez du sujet semble correct, mais sur l'impression il semble disproportionnellement imposant.

Solution

- Utilisez un réglage téléobjectif – un 35 EFL en 80 mm au moins rend une bonne perspective pour un tirage de taille normale observé à une distance normale.
- Utilisez le réglage le plus long de votre zoom. C'est généralement un 35 EFL en 70 mm, ce qui est bien suffisant.
- Si vous devez travailler en plan rapproché, essayez de prendre un profil et non un visage de face.
- N'utilisez pas d'objectifs grand-angle près d'un visage.
- Ne remplissez pas le cadre avec un visage au moment de la prise de vue. Servez-vous plutôt du recadrage ultérieurement.
- Ne prévoyez pas de corriger les déformations des visages ultérieurement avec un logiciel de retouche d'image. Il est difficile d'obtenir des résultats convaincants.
- Si votre numérique est doté d'un objectif pivotant, il est amusant de vous inclure dans l'image en tenant l'appareil à bout de bras – mais votre visage sera déformé.
- Faites des tirages plus grands. Grâce aux imprimantes modernes à jet d'encre, il est facile de faire des images de taille A4 (largement plus grandes que le cliché photographique habituel) et, à des distances d'observation normales, elles sont moins sujettes à la distorsion de la perspective.

De face
Pour accentuer le caractère chaleureux de cet homme, nous avons enfreint plusieurs « règles » : un grand-angle a été utilisé en plan rapproché ; l'image a été prise en pointant vers le haut ; et le visage a été placé dans un coin, exagérant ainsi la distorsion déjà présente. Mais l'effet général est agréable.

De profil
Prendre des portraits de profil évite de nombreux problèmes liés à la déformation du visage pris de face. Assurez-vous de mettre au point sur l'œil (visible) – d'autres parties du visage peuvent être floues tout en restant acceptables pour l'observateur.

Composition des couleurs

Dans une photographie réussie, la couleur participe à la composition. Nous devons considérer les couleurs comme des entités distinctes, isolées de leur support. Nous devons aussi tenir compte des associations : des couleurs proches sur la roue des couleurs (voir ci-contre) créent un contraste et se mettent en valeur, alors que des couleurs adjacentes apportent davantage d'harmonie, regroupant des éléments initialement disparates au sein d'une composition.

Couleur et harmonie

Même s'il est difficile de généraliser les réactions subjectives à l'introduction de certaines couleurs, si vous englobez une combinaison de couleurs adjacentes dans une image, vous créez généralement un effet plus harmonieux. C'est notamment le cas si les couleurs sont presque équivalentes en termes de luminosité et de saturation.

Couleur et ambiance

Il y a beaucoup à dire pour apprendre à maîtriser une palette bien conçue et limitée de couleurs. Les photographes de paysage, à certaines périodes de l'année, par exemple, choisissent un point de vue qui crée un schéma de couleurs principalement composé de bruns et de rouges – les tonalités évocatrices de l'automne. Ils obtiennent ainsi une composition harmonieuse des couleurs, tout en soulignant l'ambiance et l'atmosphère associées à ce changement de saison.

Selon l'impact que veut donner le photographe à l'image, il va choisir une prise de vue avec des dominantes de couleurs, comme différentes nuances de vert, de bleu ou de pourpre dans un jardin.

Couleur monochromatique

Il existe un autre type d'harmonie créée quand les couleurs ont toutes une même tonalité. Les variations subtiles de tonalité peuvent transmettre un sentiment de calme et de tranquillité ou renforcer une scène dramatique. Des effets ton sur ton ou sépia (*voir pages 140-143*) sont fortement monochromatiques, comme le sont des images de la mer et du ciel qui contiennent différentes tonalités de bleu. C'est l'aspect monochrome des couchers de soleil qui les rend attractifs.

Paysage monochrome
Comme le peintre Paul Cézanne nous l'a appris, chaque couleur de l'arc-en-ciel peut se retrouver dans toute scène si vous l'observez assez attentivement, notamment les paysages. Toutefois, la dominante de jaunes et de bruns dans cette image encourage l'observateur à admirer l'effet et la forme des pentes sans être distrait par les contrastes de couleurs.

Contenu émotionnel

Même si les couleurs de cette photographie ont des tonalités très proches, l'image manque d'impact quand elle est affichée en noir et blanc. Le contenu émotionnel des rouges, des roses et des pourpres chauds est essentiel.

Bleu sur bleu

Même si les différents tons de bleu, qui sont mis en valeur par les rayons du soleil, sont les éléments essentiels de cette image, l'absence totale d'une quelconque forme de contraste (créé ici par la petite étiquette rouge et les tonalités de la main du sujet) aurait produit une image déséquilibrée et exagérée.

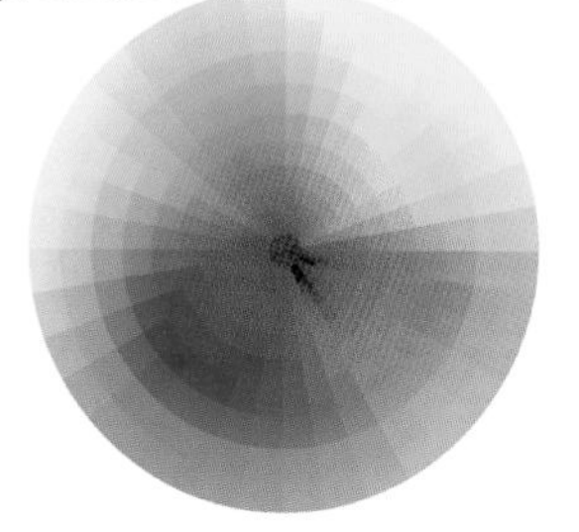

La roue des couleurs

La roue des couleurs affiche une combinaison de teintes et de saturation : les couleurs sont regroupées des plus saturées au centre (les plus intenses), jusqu'aux moins saturées (celles qui comportent plus de blanc) en périphérie. Elles sont organisées comme sur le spectre de couleurs, les complémentaires étant à l'opposé les unes des autres.

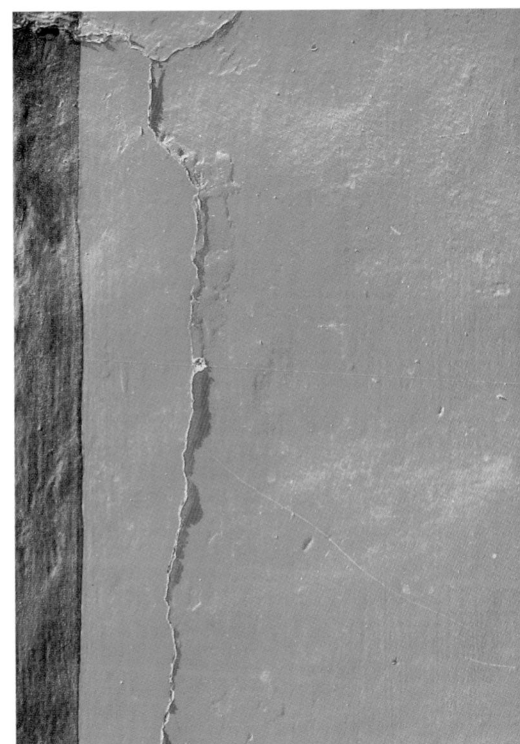

Rouge et pourpre

Quand j'ai remarqué pour la première fois ce mur peint, il semblait prometteur, mais il ne l'était pas avant d'être fortement éclairé par un rayon solaire oblique que l'image a réellement pu capturer – la dominante de rouge et la fissure fortement graphique étant tous deux des éléments visuels puissants. Un petit travail de traitement ultérieur a permis d'intensifier les couleurs et de renforcer les ombres.

Couleurs pastel

Considérer les pastels comme des versions délavées des couleurs est un tort. Ils sont effectivement plus pâles et moins saturés que leurs tonalités pures, mais ils font pleinement partie de la palette photographique.

Évoquer une ambiance

Dans l'image photographique, les pastels ont tendance à générer une sensation de calme et de douceur. Ils sont doux et raffinés, alors que les couleurs vives sont généralement plus agressives. Ils sont apaisants au lieu d'être revigorants, subtils au lieu d'être évidents. Les pastels appellent donc des réponses émotionnelles différentes. Par conséquent, ils sont souvent choisis comme thème principal de couleur dans les intérieurs des habitations, notamment dans un environnement qui doit être calme, relaxant ou apaisant.

Exposition appropriée

Dans les portraits, la précision de l'exposition des couleurs pastel est souvent cruciale pour le succès

Créer une harmonie
La lumière et les couleurs douces, associées aux courbes légères des assiettes et des verres, donnent à cette image une sensation de calme et de repos. D'autres couleurs que les pastels auraient perturbé la composition et l'ambiance de cette table. La scène a été exposée avec soin et une petite ouverture a été choisie pour produire la profondeur de champ maximale.

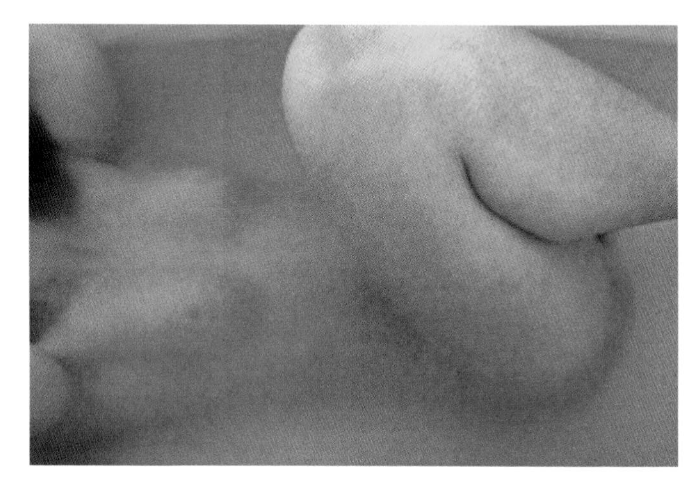

Tons chair
Les couleurs pastel illuminées par un éclairage doux sont le moyen le plus naturel d'exprimer la douceur et la vulnérabilité de ce nu. Dans cette image, l'eau a également adouci les détails du sujet, alors que la vue grand-angle a exagéré ses formes. Une légère baisse de la saturation des couleurs a été appliquée pour adoucir davantage l'image originale.

de l'image. De nombreux tons de la peau, par exemple, sont en fait des tonalités désaturées – les roses étant des versions pâles des rouges, et les tons des peaux orientales étant des versions atténuées de doré ou de brun-jaune.

Les images composées principalement de couleurs pastel sont souvent associées au concept high-key. Une mesure de l'exposition qui inclut des zones d'ombres sombres amènera l'appareil photo à vouloir enregistrer des détails foncés. Ceci a pour effet de surexposer toutes les parties plus claires de la scène, transformant les couleurs en tonalités pastel. Cette technique high-key engendre un effet plus évocateur et moins descriptif.

Cependant, si vous travaillez avec des fichiers numériques, vous pouvez atténuer les tonalités et adoucir les couleurs délibérément pour créer des pastels à partir de couleurs plus vives (*voir page 154*). Vous obtenez le même type d'effet en introduisant des couleurs pâles dans une image noir et blanc (*voir pages 152-153*).

Variété des couleurs
Une scène qui utilise des couleurs pastel ne doit pas contenir que des couleurs similaires. Dans cette image sélective d'une lande écossaise, on observe un spectre complet de couleurs différentes, mais la lumière douce les a atténuées au point de les marier afin de créer une composition harmonieuse.

Modération des couleurs
Il est fréquent de se sentir « écrasé » par des couleurs et une lumière vives. Mais il arrive parfois qu'une palette subtile de couleurs ait un meilleur effet – comme dans cette image quasi abstraite prise pendant la Semaine sainte à Mexico. Une interprétation trop forte des couleurs, possible avec une légère sous-exposition, aurait fait ressortir le noir des têtes non voilées. La légère surexposition appliquée ici a donné un effet pastel et révélé plus de détails dans les zones foncées.

Forts contrastes de couleurs

Il y a contraste de couleur quand les tonalités d'une image sont bien séparées les unes des autres sur le cercle chromatique (*voir page 37*). Il est vrai que des éléments d'image fortement colorés peuvent avoir un impact visuel, mais il est difficile d'en tirer de bonnes images. Il est souvent préférable de rechercher un schéma simple de couleurs dans une structure claire – trop d'éléments dans le sujet peuvent engendrer des images chaotiques et décousues.

Résultats numériques

Les appareils photo numériques modernes capturent des couleurs très vives qui semblent séduisantes sur l'écran de l'ordinateur. Le mode d'affichage des couleurs de l'écran les rend plus lumineuses et moins saturées que celles que le film peut produire. L'un des avantages de l'informatique est justement que la gamme de couleurs proposée par les films peut être améliorée. Vous pouvez ainsi créer, puis exploiter, une large gamme de couleurs vives.

Composition gênante
Vous pensez probablement qu'en combinant des couleurs vives avec un sujet inhabituel et attrayant vous allez obtenir une photographie percutante (*ci-dessus*). En réalité, cette image contient trop d'éléments pour être une bonne composition. La peinture en arrière-plan détourne l'attention du sujet principal (l'homme, un artiste de Nouvelle-Guinée), alors que le bord blanc à droite perturbe la composition. Il faut envisager un recadrage important pour concentrer l'attention uniquement sur le visage.

Éclairage pour les couleurs
Les couleurs incroyablement vives dans cette image, prise sur un littoral écossais isolé, sont dues à une prise de vue avec un ciel couvert qui procure une lumière brillante mais diffuse. La palette de rouges foncés et de bleus contrastants donne un bon résultat à l'écran, ainsi que sur le papier. En effet, la gamme particulière de couleurs de cette image ne pose aucun problème à l'impression. Une gamme contenant par exemple des pourpres clairs ou des bleu ciel n'aurait pas donné un résultat aussi bon.

Composition simple

Les couleurs vives sont séduisantes, mais elles sont généralement plus efficaces quand elles sont organisées d'après un certain type de modèle ou de séquence. Cette organisation impose une structure et suggère donc une signification ou un ordre au-delà de la seule présence de la couleur elle-même. Le principal problème rencontré en prenant cette photographie de parapluies aux couleurs vives était d'éviter les reflets de la vitrine devant eux.

Gamut de couleur

L'intensité des couleurs obtenues par ordinateur leur donne un véritable attrait, mais c'est dans cette force que le problème réside. Les couleurs vives vont concurrencer le texte ou entrer en conflit avec tout autre élément plus doux de l'image. De plus, n'oubliez pas que même si vous pouvez voir des couleurs vives et intenses à l'écran, comme les pourpres et le bleu ciel, vous ne pourrez probablement pas les reproduire sur le papier. C'est parce que le gamut de couleur (ou la plage de couleurs reproductibles) d'une impression est plus limité que celui d'un moniteur.

Ce diagramme est la méthode la plus courante de représentation d'une gamme de couleurs. Le triangle arrondi englobe toutes les couleurs perceptibles. Les zones qui y sont incluses (le gamut visuel) représentent les couleurs qui peuvent être reproduites précisément par des périphériques. Le triangle rouge englobe les couleurs (le gamut de couleur) d'un moniteur couleur typique RVB. Le quadrilatère montre les couleurs reproduites par le processus d'impression à quatre couleurs. Certaines couleurs imprimables ne peuvent pas être reproduites à l'écran, et *vice versa*.

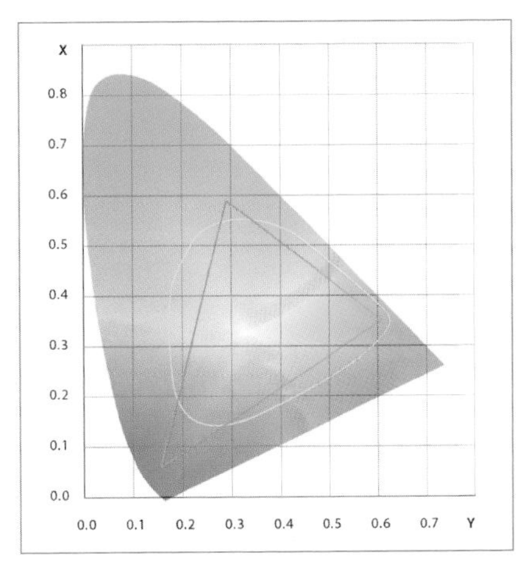

L'appel de la pluie

Les journées pluvieuses sont idéales : les tonalités sont plus saturées grâce aux faibles contrastes de lumière. Cependant, il faut aussi de bons contrastes de couleurs, comme ici, à Calcutta, en Inde.

Contrôle de l'exposition

On contrôle l'exposition en déterminant la quantité de lumière nécessaire au film ou au capteur pour obtenir les résultats escomptés. Contrairement à la photographie argentique, de nombreux numériques sont capables d'adapter la sensibilité pour conserver les réglages de l'appareil. Par exemple, en cas de faible lumière, la sensibilité du capteur augmente pour vous permettre de définir des temps de pose plus courts ou des ouvertures plus petites.

Il est important de contrôler précisément et minutieusement l'exposition, parce qu'elle vous assure d'obtenir le meilleur résultat en fonction du système utilisé, mais aussi parce qu'elle vous fait gagner du temps et des efforts en retouche d'image ultérieurement.

Systèmes de mesure

Pour déterminer l'exposition, l'appareil photo mesure la lumière réfléchie par une scène. Le système le plus simple mesure la lumière de tout l'angle de champ, la considérant comme égale. Ce système se retrouve dans certains posemètres externes et dans certains reflex plus anciens.

De nombreux appareils photo, y compris les numériques, utilisent un système de mesure centrale pondérée, où la lumière de tout l'angle de champ est enregistrée, mais celle de la partie centrale de l'image est prépondérante (souvent indiquée sur l'écran de mise au point). Il est également possible de ne prendre en compte que la lumière issue de la zone centrale. On évalue entre 25 % et moins de 5 % de cette zone. Pour un travail exigeant, cette zone sélective, ou mesure spot, est le système le plus précis.

Un système beaucoup plus évolué divise toute la zone de l'image en une mosaïque de zones, chacune étant évaluée séparément. Ce système, communément nommé mesure matricielle, indique des expositions extrêmement précises selon une vaste gamme de conditions d'éclairage inhabituelles ou exigeantes.

Aussi bons soient-ils, les systèmes de mesure de l'exposition des appareils photo modernes ne sont pas parfaits. Il peut arriver que vous deviez intervenir manuellement – généralement quand l'éclairage est plus intéressant ou plus complexe. C'est pourquoi il est si important de savoir ce qui constitue exactement une exposition optimale.

Plage dynamique optimisée

Chaque support photographique possède une plage dans laquelle il procure des enregistrements précis. Cette plage est représentée par une gamme de gris qui s'étend de chaque côté du ton moyen – allant des tons sombres avec des détails vers des tons clairs présentant une texture (du papier

Qu'est-ce qui est « correct » ?
À l'œil nu, cette scène était plus claire et moins colorée qu'ici. Une exposition techniquement correcte aurait produit une image plus claire – ce qui aurait fait perdre les couleurs intenses du coucher de soleil. Même si cela semble défier un système basique de mesure de l'exposition, en plaçant le soleil au centre du cadre, vous êtes sûr d'avoir une sous-exposition, qui donne une bien meilleure image dans cet exemple que l'exposition « correcte ».

Plage de luminance réduite

Les scènes dont la plage de luminance est réduite avec de grandes zones de tons réguliers, presque homogènes, ne présentent pas de véritables problèmes pour les systèmes de mesure de l'exposition. Vous devez cependant procéder avec soin pour obtenir les meilleurs résultats. L'original de cette image était correctement exposé, mais semblait trop clair parce que la scène a plus d'impact en étant plus sombre, presque en low-key. En assombrissant l'image, on a également augmenté la saturation des couleurs, ce qui a contribué à l'amélioration de l'image.

Plage de luminance importante

La plage de luminance de cette scène est importante – de l'éclat brillant du ciel aux ombres foncées au premier plan. Le contrôle de l'exposition doit donc être précis pour optimiser les capacités du film. Le meilleur système dans ce cas est la mesure spot, avec le capteur positionné sur une tonalité importante – ici, la zone d'herbe fortement illuminée à droite dans le cadre. Le mode matriciel de mesure pourrait produire le même résultat, mais si vous utilisez un appareil argentique, vous ne le saurez pas avant d'avoir développé le film.

composé de fibres). Si vous réglez votre exposition de façon à ce que la tonalité la plus importante de l'image se trouve au milieu de cette plage, le support d'enregistrement aura le maximum de chances de capturer une gamme complète de tons.

Le contrôle de l'exposition consiste donc à régler l'appareil photo de sorte que le ton moyen d'une image se trouve au centre de la plage d'enregistrement du capteur ou du film, afin d'exploiter au mieux la plage dynamique disponible.

La méthode la plus simple pour atteindre un contrôle de l'exposition très précis est d'utiliser un système de mesure spot pour obtenir la mesure d'un ton sélectionné avec soin dans une scène. Ce peut être le visage d'une personne ou, dans un paysage, la partie ensoleillée d'un versant.

Effets de la sensibilité

Les appareils photo utilisent divers systèmes de mesure de la lumière, et les représentations ci-contre illustrent deux des types les plus courants. Avec un système de mesure centrale pondérée, le posemètre balaye l'angle de champ, en privilégiant la lumière provenant du centre. Vous obtenez une exposition correcte dans la plupart des cas. Toutefois, l'optique d'un posemètre peut être réglée de sorte que toute sa sensibilité soit concentrée dans une petite zone au centre de l'angle de champ. En exploitant soigneusement la précision du contrôle de ce système, on obtient la meilleure fiabilité.

Systèmes de mesure

La mesure centrale pondérée (*ci-dessus à gauche*) prend en compte toute la scène, mais donne plus de poids, ou d'importance, à la lumière présente au centre de l'image. Une lumière vive sur les bords de l'image n'aura donc aucun effet sur la mesure. Un système de mesure spot (*ci-dessus à droite*) ne tient compte que d'une zone centrale clairement définie – généralement 2-3 % de l'ensemble de l'image.

Temps d'exposition

Le réglage de l'obturateur, qui détermine le temps d'exposition, fait partie des contrôles fondamentaux de l'exposition de l'appareil photo. Plus important encore, le temps d'exposition influe sur le degré de netteté ou de flou dans votre image.

Aspect flou

Quand un mouvement se produit pendant l'exposition, côté sujet ou côté appareil photo, les détails sont « étalés » ou étirés sur l'image, ce qui entraîne un aspect flou au niveau des traits du sujet. Si le flou n'est pas perceptible, l'image semble nette.

Avec un temps d'exposition court, les sujets n'ont pas le temps de beaucoup se déplacer sur la surface de capture, ce qui produit un flou non perceptible. La notion de « court » dépend de la vitesse, de la direction du mouvement et de la distance entre le sujet et le photographe. Par exemple, avec une vitesse de 1/250 s, vous capturez un cycliste qui se dirige vers vous, mais il faudra passer à 1/1000 s si le cycliste se déplace d'un bord de l'image à l'autre. À une distance de 100 mètres, un train qui se déplace à 160 km/h est capturé à 1/500 s mais à une distance de 1 kilomètre, 1/60 s seulement donnera une image nette.

Un flou délibéré peut produire au contraire des résultats intéressants. Lorsque vous photographiez une voiture ou un train en déplacement rapide, par exemple, même un temps d'exposition court n'évitera pas le flou du mouvement, surtout au niveau des objets de premier plan. Vous pouvez produire du flou dans n'importe quelle situation simplement en réglant un temps d'obturation long, au moins 1/8 s, puis en déplaçant délibérément l'appareil photo pendant l'exposition. Vous pouvez aussi essayer de flouter l'image en effectuant un zoom pendant une exposition longue.

Déplacer l'appareil
Le flou produit en photographiant depuis une voiture en mouvement étire et mélange la riche lumière du soir d'une façon très évocatrice et picturale grâce aux légères corrections du stabilisateur d'image de l'objectif. La scène semblait plus sombre que dans l'image obtenue parce que des mouvements pendant une exposition longue ont tendance à surexposer.

Les coureurs de Marathon

Les participants au Marathon de Paris sont photographiés nets avec un temps d'exposition de 1/180 s. Une exposition plus courte de 1/250 s ou moins serait normalement préférable mais la vue du dessus contribue à réduire l'effet de flou. Si les coureurs s'étaient dirigés vers l'appareil photo, 1/60 s aurait capturé une image nette à une distance moyenne telle que celle-ci.

Mouvement en basse lumière

Pour photographier un pianiste qui répète dans un studio peu éclairé, le temps d'exposition doit être court pour capturer les mouvements vifs mais c'est difficilement conciliable avec le manque de lumière. La solution consiste à augmenter la sensibilité, mais aussi à sous-exposer délibérément afin de créer une image en low key, ce qui permet de régler un temps d'exposition court.

Flashs externes

Tous les numériques, presque sans exception, sont équipés d'un flash électronique intégré. Le flash moderne est universel parce que fortement miniaturisé et « intelligent ». La plupart d'entre eux fournissent, par exemple, un éclairage précisément contrôlé par ordinateur adapté à la quantité de lumière disponible, ou ambiante, dans la scène.

Laisser faire le flash

Ce que vous gagnez en termes de commodité avec une source prête à l'emploi de lumière, vous le perdez en subtilité d'éclairage. Pour utiliser le flash, vous devez exploiter les modestes fonctions de contrôle proposées par votre appareil photo.

Testez d'abord le mode Synchro lente si votre appareil photo le propose. L'exposition ambiante sera relativement longue, pour que les zones au-delà de la portée du flash puissent être enregistrées, le flash illuminant le premier plan (*voir ci-dessous*). Ceci adoucit l'effet du flash, mais vous obtenez aussi des températures de couleur mixtes – la couleur froide du flash et la couleur souvent plus chaude de la lumière ambiante –, ce qui peut être accrocheur.

Essayez ensuite d'utiliser un réflecteur du côté sombre du sujet. S'il se trouve à un bon angle, il captera la lumière du flash et la diffusera vers les zones sombres. Tout objet de couleur claire peut être utilisé comme réflecteur. Les photographes professionnels aiment utiliser un réflecteur flexible rond qui peut être tordu à un tiers de sa taille totale. Il est très compact et léger, et présente deux surfaces différentes – une face dorée pour la lumière de couleur chaude et une face mate pour des effets de diffusion douce.

Enfin, testez un flash esclave. Ce sont des flashs équipés de capteurs qui se déclenchent en même temps que le flash principal (intégré ou raccordé directement à l'appareil photo). Si vous possédez un flash, l'ajouter comme unité asservie n'est pas onéreux. Toutefois, vous devez le tester avec votre appareil photo pour vérifier si la synchronisation est correcte.

Si vous utilisez plusieurs flashs, il faut tester différents niveaux de sortie pour déterminer la

Limites des flashs
Crépuscule à Istanbul, en Turquie, et musiciens traditionnels. L'exposition standard au flash utilisée pour cette image n'éclaire que les sujets du premier plan et l'affaiblissement rapide de la lumière, caractéristique des faibles sources lumineuses, se produit derrière le premier musicien. De plus, l'exposition de l'appareil photo n'est pas assez longue pour la faible lumière ambiante disponible à ce moment-là. Par conséquent, l'arrière-plan est totalement noir. L'effet obtenu est rarement attrayant et ne reflète pas une bonne technique photographique.

Technique efficace
Quand la lumière est faible, profitez au maximum de la lumière disponible au lieu de vous baser sur un flash électronique. Ici, l'exposition a été réglée pour le ciel : ceci exigeait une obturation de $\frac{1}{4}$ de seconde, ce qui a engendré les parties floues de l'image. Dans le même temps, le flash était suffisamment bref pour figer le soldat au premier plan, il est donc net. Exploiter toute la lumière ambiante évite de sous-exposer la partie distante de la scène – certaines couleurs peuvent même être perçues dans le bâtiment en arrière-plan. Comparez avec l'image complètement basée sur le flash (*à gauche*).

meilleure combinaison. Commencez par régler au minimum le flash esclave, en gardant à l'esprit qu'il doit réduire les ombres du sujet et non agir comme lumière principale. Certains modèles d'appareils photo sont conçus pour fonctionner avec plusieurs flashs.

Synchronisation du flash

L'impulsion lumineuse du flash électronique étant très brève, même comparée à la vitesse d'obturation la plus faible, il est crucial d'ouvrir au maximum l'obturateur quand le flash se déclenche. La totalité du film sera ainsi exposée à la lumière du flash réfléchie par le sujet. Il existe une limite au temps de pose le plus court qui synchronise avec le flash, connu sous le nom de « synchro X ». Cette vitesse se situe généralement entre 1/60 et 1/250 de seconde. Sur certains appareils plus récents, la synchro X correspond au temps de pose le plus court possible, qui peut être de 1/8 000 de seconde. Toutefois, vous devez utiliser dans ce cas des flashs dédiés à ce modèle d'appareil.

Exposition au flash

Toutes les expositions au flash consistent en deux processus distincts simultanés. Alors que l'obturateur est ouvert, ou que le capteur optique est réceptif, la lumière de toute la scène – la lumière ambiante – produit une exposition. Cette exposition ambiante prend la couleur de la lumière dominante, elle expose l'arrière-plan si c'est suffisant et est plus longue que celle du flash.

La deuxième exposition s'ajoute à l'exposition ambiante. L'éclair de lumière d'un flash est extrêmement bref, inférieur à 1/10 000 de seconde (même si les flashs de studio peuvent atteindre les 1/200 de seconde), et sa couleur est déterminée par les caractéristiques du tube-éclair (elle peut être filtrée pour des effets spéciaux).

Ces deux expositions doivent être équilibrées pour obtenir de bons résultats. Vous pouvez être créatif en choisissant par exemple l'exposition au flash qui fige le mouvement du sujet, alors que l'exposition ambiante plus longue produit des résultats flous.

Sans flash

Le soleil contrastant et vif qui pénètre à travers les grandes fenêtres derrière les sujets – une troupe de jeunes chanteuses habillées en costume traditionnel du Kirghizistan – produit un fort contre-jour. Sans flash, les ombres seraient très sombres, mais dans ce cas un mur derrière l'appareil photo a reflété la lumière provenant des fenêtres pour affaiblir un peu le contraste et conserver quelques détails du sujet.

Avec flash

Dans cette interprétation de la scène précédente (*à gauche*), le flash a été utilisé. Il y a donc assez de lumière pour remplir la majorité des ombres. Nous voyons donc clairement les costumes des femmes, mais il reste des ombres au sol. Il est important de régler l'appareil photo de sorte qu'il expose correctement l'arrière-plan.

Comme il était très clair ici, une vitesse d'obturation de 1/250 de seconde était nécessaire. L'ouverture dictée par le posemètre a été définie sur l'objectif et le flash a été réglé pour une sous-exposition de 1 1/3 diaphragmes. Vous êtes donc sûr que le premier plan a été exposé par le flash et par la lumière disponible de la fenêtre.

Dépannage Flash électronique

Les flashs électroniques modernes sont des sources lumineuses polyvalentes et pratiques, parfaits quand les conditions lumineuses sont faibles (et que le sujet est relativement proche) ou quand le contraste est fort et que vous voulez ajouter un peu de lumière dans les zones sombres. Toutefois, en raison de leur intensité et de leur portée limitée, il est difficile d'obtenir des effets naturels et une exposition correcte.

Problème

Voici les problèmes couramment rencontrés lors de l'utilisation de flashs électroniques : résultats surexposés (notamment le premier plan de l'image) et résultats sous-exposés (notamment l'arrière-plan de l'image). Une sous-exposition générale du sujet très distant est également très fréquente, tout comme l'inégalité de l'éclairage, les coins ou le premier plan étant moins clairs que le centre de l'image.

Analyse

Les flashs électroniques modernes possèdent leur propre capteur photosensible pour mesurer automatiquement la sortie du flash ou la quantité de lumière réfléchie par le sujet et atteignant le film ou le capteur. Ainsi, ils sont tout aussi enclins aux erreurs que n'importe quel posemètre. De plus, la lumière produite par un flash décroît très rapidement avec la distance (*voir ci-dessus à droite et page 48*).

Des images surexposées éclairées au flash sont généralement produites quand le flash est trop proche du sujet ou quand le sujet est seul dans un grand espace vide.

La sous-exposition au flash est générée quand le flash n'a pas assez de puissance pour couvrir correctement la distance entre le flash et le sujet. Par exemple, aucun petit flash ne peut éclairer un objet situé à plus de 10 m, et même des flashs puissants ne peuvent pas éclairer correctement un objet situé à plus de 30 m.

Vous obtenez un éclairage inégal quand le flash ne peut pas couvrir l'angle de vue de l'objectif – un problème récurrent avec des objectifs grand-angle. Un autre problème est celui de l'objectif monté ou de l'accessoire qui bloque la lumière d'un flash monté sur

Lumière décroissante
La lumière d'un flash monté sur l'appareil photo s'affaiblit, ou perd de son efficacité, très rapidement au fur et à mesure que la distance augmente. C'est évident dans ce gros plan d'une mariée tenant un bouquet de fleurs. Les mains du sujet et les roses les plus proches du flash sont bien éclairées, mais l'image devient visiblement plus sombre à l'arrière. C'est frappant si vous regardez le bas de la robe par exemple. Les effets de cette lumière décroissante peuvent être nettement minimisés en utilisant une source lumineuse qui couvre une grande zone – d'où l'effet très différent que vous obtenez avec un flash indirect (*ci-contre*).

Solution

Pour les gros plans, réduisez la puissance du flash si possible. Quand vous photographiez des sujets distants dans l'obscurité, des paysages par exemple ou la scène d'un concert, le flash est généralement inutile et il vaut mieux le désactiver. Il est préférable d'utiliser une longue exposition et de placer l'appareil photo sur un trépied ou quelque chose de stable, comme un mur. Avec les flashs externes – pas les unités intégrées – vous pouvez placer un diffuseur sur la vitre du flash pour diffuser la lumière

Flash indirect

Un flash direct utilisé à cette faible distance produirait un sujet éclairé durement et un arrière-plan sombre. Dans cette image, le flash a été dirigé vers le mur en face de l'enfant. Ainsi, le mur est devenu la source lumineuse en réfléchissant une grande partie de la lumière. La qualité de cette dernière s'en trouve adoucie, mais cela augmente aussi l'affaiblissement rapide de la lumière caractéristique d'une petite source lumineuse. Le flash indirect n'est possible que si vous utilisez un flash auxiliaire. Cependant, notez que l'arrière-plan est plus sombre – pour contourner ce problème, la lumière ambiante doit être suffisante pour compléter le flash et constituer une exposition globale correcte (*en haut à droite*).

Éclairage mixte

Voici le résultat d'un flash équilibré avec une exposition suffisante pour enregistrer la lumière ambiante en intérieur. L'éclairage est doux, mais l'équilibre chromatique est réchauffé par la lumière ambiante. De même, l'arrière-plan est suffisamment clair pour paraître naturel. Si l'exposition avait été augmentée pour l'arrière-plan, un mouvement du sujet aurait risqué de détériorer l'image.

Éclairage inégal

Les flashs intégrés produisent typiquement ce genre de résultat. L'éclairage est inégal, les formes éclairées semblent fades et toutes les surfaces brillantes ont des reflets. De plus, le flash a créé des ombres disgracieuses (notez l'ombre du pinceau à lèvres sur le cadre en bois en arrière-plan). Faites toujours attention aux surfaces planes derrière votre sujet quand vous utilisez un flash.

Contourner le problème

Le meilleur moyen d'obtenir des résultats fiables avec un flash est de tester différentes situations photographiques. Avec un numérique, vous pouvez régler différentes expositions dans diverses situations pour découvrir les effets du flash sans gaspiller de film. Certains flashs proposent une lampe pilote, qui émet un éclair bref pour visualiser l'effet de la lumière. C'est un aperçu utile, mais il peut consommer beaucoup d'énergie et gêner votre sujet

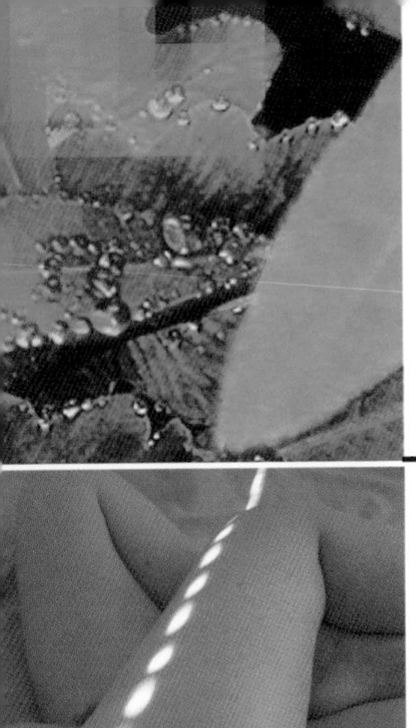

La boîte à idées

2

Démarrer des projets

Un projet vous permet de vous concentrer sur quelque chose, une chose sur laquelle cibler vos idées ou à partir de laquelle vous pouvez définir un objectif. En vous engageant dans un projet spécifique, vous vous fixez un but et vous développez vos compétences techniques et d'observation. De plus, un projet permet d'évaluer vos progrès en tant que photographe.

L'une des questions les plus fréquemment posées est comment trouver des idées de projets – et une erreur courante consiste à penser qu'il faut trouver des concepts d'intérêt général. En réalité, le sujet le plus banal conviendra très bien et sera tout aussi gratifiant et, surtout, il ne sera pas hors de portée.

Plan d'action

- Vos compétences de photographe pourraient être mises à la disposition d'une communauté locale. Au lieu de donner de l'argent, fournissez des photos – peut-être dans l'idée d'organiser une exposition pour réunir des fonds.
- Si vous essayez d'en faire trop et trop vite, vous risquez d'être déçu. Si vous décidez de numériser toutes les images de vos albums de famille, par exemple, n'imaginez pas le faire en un mois, fixez-vous un délai raisonnable.
- Vous devez être réaliste quant à l'argent investi dans un projet, mais le souci du coût risque de freiner votre enthousiasme, de tuer le côté amusant et de devenir la cause d'une perte d'argent.
- Pour concrétiser votre projet, vous devrez davantage faire appel à la coopération qu'à la coercition. Vous devez apprendre à travailler avec les particularités et le caractère du sujet que vous avez choisi. Les doutes et les inquiétudes sont très fréquents. Si vous vous sentez inhibé ou que vous avez peur d'avoir l'air idiot, ou si vous pensez que tout a déjà été fait, vous risquez de perdre votre motivation. Si vous êtes dans ce cas, souvenez-vous que vous prenez des photos pour vous, pour le plaisir. Tant que vous croyez que ça en vaut la peine, pourquoi vous soucier de ce que pensent les autres ?

Mettre en valeur le quotidien
C'est le genre de scène qui pourrait facilement passer inaperçue chez vous, à moins que votre concentration ne soit aiguisée par le projet que vous avez en tête. Cependant, si vous voyiez la même scène hors de votre environnement familier, vous estimeriez probablement que la lumière, l'équilibre des couleurs et le rythme des lignes verticales sont percutants.

Les ombres
La lumière vive qui crée des ombres bien marquées et les couleurs chaudes du sol composent une image abstraite. Pour m'assurer que la zone éclairée était bien exposée, j'ai pris une mesure spot de la zone claire au sol, en ignorant totalement les ombres.

Juxtaposition

Un monument dédié à trois membres d'un commando de guerre en Écosse fait face aux trois bancs installés pour que les visiteurs puissent s'asseoir et profiter de la vue. Une longue attente par un vent froid a été récompensée quand un rayon de soleil spectaculaire a percé le ciel nuageux.

Arrangements intérieurs

Le désordre d'un restaurant en construction a produit un ensemble de lignes et de tonalités qui a attiré mon regard. L'image a bénéficié d'un léger obscurcissement du côté gauche pour équilibrer la partie sombre en haut à droite de l'image.

À TESTER

Faites une liste des objets qui vous sont familiers. Ils peuvent être simples et ordinaires – des assiettes, des arrêts de buts, des vêtements qui sèchent ou des chaises. N'ayez aucun préjugé. Si une idée vous vient, il y a probablement une bonne raison. Choisissez un sujet et prenez quelques photos sur ce thème : à nouveau, n'ayez pas de préjugés sur les résultats, laissez le sujet vous guider. Soyez prêt à être surpris. Ne pensez pas à ce que les autres peuvent penser de ce que vous faites. Ne vous souciez pas de prendre de « bonnes » images. Réagissez simplement au sujet. Si ce n'est pas une idée visuelle évidente, vous devrez peut-être travailler davantage pour en faire une image. N'abandonnez pas le sujet juste parce qu'il ne semble pas prometteur à la base.

Images abstraites

La photographie a le pouvoir d'isoler un fragment d'une scène et de le transformer en art, ou de fixer une forme qui va momentanément prendre une signification très différente.

Gros plans et éclairage

L'approche la plus simple pour créer une œuvre abstraite est le gros plan, vu qu'il accentue le côté graphique et supprime le contexte. Pour y parvenir, prenez une photo de face du sujet. Vous éliminez ainsi toute distraction comme la réduction de l'espace ou les déformations dues à la distorsion de projection.

Les longues focales permettent de concentrer le champ visuel, mais attention à ne pas trop en supprimer. Prenez plusieurs photos avec diverses compositions et à des distances légèrement différentes, car les images destinées à l'écran ou à l'impression n'ont pas les mêmes exigences. Par exemple, des textures et des détails précis sont intéressants mais, si l'image doit être présentée en petite taille sur une page web, il est préférable d'opter pour un balayage large. Comme vous allez principalement photographier des sujets en deux dimensions, vous n'avez pas besoin d'une profondeur de champ importante (*voir pages 18-21*). Vos images seront plus facilement nettes.

Photo abstraite complexe

Les images abstraites n'ont pas besoin d'être simples du point de vue de l'exécution ou de la vision. Essayez de travailler avec des reflets et la mise au point différentielle (mettre au point à travers un objet sur quelque chose qui est plus loin). Ici, à Udaipur, en Inde, un mélange de miroirs, de verre coloré et de hautes lumières provenant des volets d'une fenêtre se superposent – et rendent l'observateur perplexe. Le contrôle de la profondeur de champ est essentiel. Si une trop grande partie de l'image est très nette, l'effet abstrait risque d'être perdu.

Photo abstraite trouvée

Ici (*ci-dessous*), la surface délabrée du toit d'une gare en activité a dû être vue par des milliers de banlieusards tous les jours, mais ils y ont rarement prêté attention. C'est peut-être une simple expression du processus de vieillissement, dont on ne peut que deviner les origines.

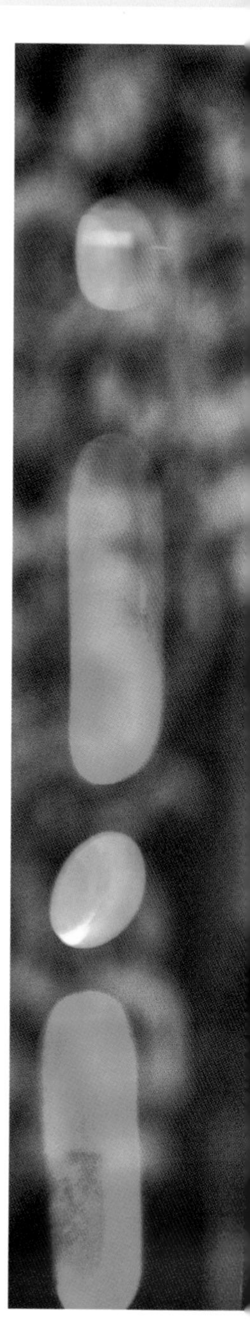

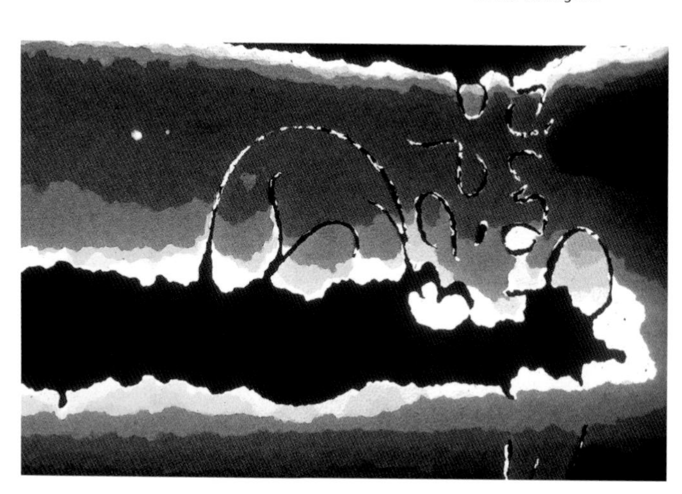

Écotourisme

Toutes les réserves animales, réserves naturelles et tous les parcs nationaux financés par des fonds publics accueillent chaleureusement le type d'activité qui sera susceptible de leur faire une publicité positive. Ainsi, en tant que photographe numérique, vous passez du stade d'observateur passif à celui de collaborateur actif.

Objectifs

Il est probable que vous n'ayez qu'un temps limité lors de votre visite, profitez-en donc au maximum. Déterminez d'abord quels sont les principaux attraits de l'endroit et comment vous pouvez les enregistrer au mieux. Après quelques recherches préalables vous connaîtrez les développements récents qui ont eu lieu, et déciderez de les inclure ou non sur votre liste de choses à voir. Ne négligez pas les gens qui travaillent ou vivent là-bas – ils peuvent constituer de très bons sujets.

La photographie numérique est souvent préférée à son homologue argentique en raison de sa polyvalence. Vous pouvez insérer des images numériques dans des messages électroniques ou des brochures quelques minutes seulement après la prise de vue ou les placer sur un site web. De plus, de nombreux numériques proposent d'inclure les commentaires de la personne photographiée.

Toutefois, un appareil photo 35 mm manuel peut surpasser le numérique dans certains lieux très lointains ou expérimentaux, grâce à sa robustesse et à ses besoins limités en batteries.

Scène spontanée
Les Himbas font très attention à leur apparence. Prise au milieu d'une conversation avec d'autres femmes de sa tribu, cette femme arrange vaguement sa coiffure très élaborée sans faire attention à l'appareil photo. Prise en plan rapproché, la très longue focale a rendu floue une grande partie de l'arrière-plan.

Œil extérieur

Une activité banale peut paraître exotique à un observateur extérieur. Pour ces femmes (*ci-dessus*), une longue marche est nécessaire pour aller puiser l'eau. Le jour où j'ai pris cette photo, un lion avait attaqué une vache près du village. Les femmes ont donc décidé qu'il était trop dangereux d'attendre et ont fait le voyage à la tombée de la nuit.

Cadrage soigné

La fraîcheur de l'aube est le meilleur moment pour traire les vaches. J'ai eu la chance de pouvoir combiner un portrait à un aspect de la vie quotidienne. Un objectif grand-angle a rassemblé les éléments du sujet, mais j'ai fait attention à ne pas placer le visage de la femme trop près du bord du cadre pour éviter toute distorsion.

Écotourisme suite

Cadrage rapproché
Au point d'eau, les filles du village ont pris un moment de détente et ont plaisanté. En cadrant l'image, j'ai supprimé la lumière blanche éblouissante du paysage désertique.

Contraste d'éclairage
De longues ombres dues aux collines distantes ont assombri le premier plan alors que l'arrière-plan présentait un orange flamboyant à cause du soleil.

Approche professionnelle

Même si vous prenez des photos pour le plaisir, une approche professionnelle vous permettra de ne pas négliger d'enregistrer certains aspects vitaux de votre visite et de ne pas manquer de pellicules ou de cartes mémoire.

- Souvenez-vous des éléments constitutifs d'une image. Le cheminement que vous avez parcouru place vos autres images dans leur contexte.
- Variez la perspective et les points de vue. Prenez des gros plans et des vues distantes ; des photos au grand-angle et au téléobjectif.
- Un choix d'images en mode portrait ou paysage procure une certaine flexibilité pour des documents publicitaires.
- Prenez des photos en nombre et en toutes conditions. Vous les retoucherez sur ordinateur au besoin si l'éclairage ou le temps étaient défavorables.
- Si votre numérique est capable d'enregistrer de petites séquences vidéo ou des voix, n'oubliez pas d'exploiter cette fonction.
- Prenez suffisamment de batteries et de cartes mémoire de rechange.

Gros plans

Les gros plans exigeaient un équipement spécial, mais les numériques ont révolutionné cette pratique. Non seulement vous pouvez mettre au point alors que l'objectif touche presque le sujet, mais l'utilisation des écrans LCD permet aux appareils les plus simples de faire des gros plans.

À savoir

Voici les principaux éléments techniques à prendre en compte quand vous faites des gros plans :

- La profondeur de champ est limitée (*voir page 18-21*) et il est impossible d'inclure la totalité d'un sujet dans la zone nette. Mettez donc au point sur la partie cruciale du sujet.
- Le mouvement du sujet ou de l'appareil est nettement amplifié en cas de gros plan. Vous devrez stabiliser l'appareil et calmer le sujet pour éviter des images floues. Le flash peut être utilisé pour figer la scène.
- Une distance raisonnable s'impose si vous photographiez des oiseaux ou des papillons par exemple, pour éviter de les déranger. Vous devez donc utiliser une focale longue – idéalement un 35 EFL de 180-200 mm.
- Si le flash automatique ne répond pas suffisamment vite à la lumière réfléchie par le sujet, il y a surexposition. Pour remédier à cela, réduisez l'exposition au flash, basculez le flash en mode manuel (*voir à droite*) ou couvrez-le avec un matériau translucide.

Le gros plan nécessite plus d'attention qu'un travail à des distances normales. Pour obtenir les meilleurs résultats, vous devez être capable de régler manuellement les ouvertures du numérique, et celui-ci doit proposer une mise au point rapprochée à l'extrémité de sa plage de longueurs focales. Ce sont généralement des reflex numériques de bonne qualité.

Exposition manuelle au flash

Utiliser le flash en mode manuel permet d'obtenir les résultats les plus fiables s'agissant des gros plans. Vous devez prendre quatre variables en compte : la puissance du flash, la distance de travail, la vitesse du film (ou la sensibilité du capteur), et l'ouverture effective à la distance de travail. Réglez manuellement le flash à une faible puissance – par exemple à 1/8 du maximum. Puis, mettez au point sur un sujet moyennement réfléchissant à une distance fixe de l'appareil photo – par exemple à 25 cm. Faites ensuite une série d'expositions, en changeant l'ouverture à chaque fois, et notez soigneusement tous les réglages utilisés. Répétez cette procédure à différentes distances du sujet et avec différents réglages du flash. Vous pourrez en déduire un ensemble de chiffres pour diverses situations – comme 1/8 de puissance à 25 cm à une ouverture de *f*/5.6, etc.

La sécurité avant tout
Même si ce phoque semble calme, je n'ai pas osé prendre cette photo avec un objectif ordinaire. En fait, j'ai utilisé un zoom réglé à 400 mm, et la profondeur de champ obtenue limite la zone de netteté. J'ai choisi de rendre nets le museau et les moustaches et j'ai donc mis au point spécifiquement sur eux.

Gros plans suite

Approcher des papillons

Les papillons (*à gauche*) ont une excellente vision et repèrent facilement votre présence. Vous devrez donc utiliser un téléobjectif – ici l'équivalent d'un 180 mm en 35 mm – qui procure un grossissement plus important à une grande distance de travail qu'avec une focale plus courte. L'emploi d'un objectif ou d'un appareil photo avec stabilisateur d'image aide à l'obtention d'images nettes, mais il faut toujours mettre au point méticuleusement.

Photomicrographie

Des gros plans extrêmes, comme cette image d'un tissu animal (*à droite*), exigent un microscope. Les numériques modernes légers sont faciles à relier à des microscopes de laboratoire à partir d'un adaptateur et d'un système de montage, disponibles dans de nombreux magasins.

Histoire naturelle

Les végétaux sont très souvent photographiés en gros plan. Ici je me suis penché sur les gouttes d'eau accrochées à des feuilles. En observant le sujet depuis diverses positions, il était possible de voir que le scintillement des gouttelettes changeait. Pour ce type de cliché, faites attention à ne pas remuer les plantes et à ne pas disperser les gouttelettes en vous approchant trop près.

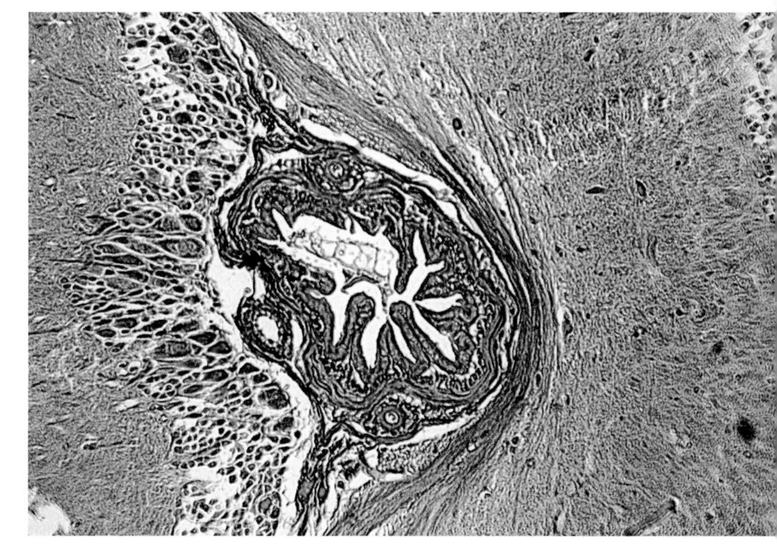

Enfants

Les photographies d'enfants appartiennent à deux catégories – les images de famille et d'amis ou les souvenirs de voyage. Nous avons tendance à photographier différemment nos propres enfants, ou ceux avec lesquels nous avons un lien. C'est principalement parce que nous sommes réticents à appliquer l'approche que nous avons avec « les autres cultures » à notre environnement familier. Par exemple, à l'étranger, le fait qu'un enfant soit sale ou porte des vêtements en lambeaux peut justement être ce qui attire notre intérêt de photographe. Nous serons fiers de montrer ces images qui soulignent cet aspect différent et non familier à des amis ou collègues, mais nous ne montrerions jamais nos enfants de cette façon.

Changement d'attitude

Le défi est donc posé. Nous devons trouver un moyen de réunir ces deux approches pour afficher plus d'honnêteté dans la photographie de nos propres enfants tout en montrant plus de respect dans notre représentation des autres. Par exemple, en voyage, vous pourriez essayer d'en apprendre plus sur les jeux des enfants. Ont-ils des jeux de rime en Mongolie ; est-ce que les enfants philippins jouent à chat ; à quelle version de foot jouent-ils sur les plages de Zanzibar ? Une autre approche consisterait à montrer les enfants des autres cultures dans des rôles qui sont très étrangers aux nôtres – comme travaillant dans les champs ou les usines ou dans leurs actes religieux.

Finalement, en approfondissant votre engagement, vous vous rapprochez de vos sujets, procurant ainsi à vos photos un côté plus excitant et plus gratifiant.

Plan rapproché
C'est ostensiblement une étude des contrastes – entre les mains du bébé et celles de sa grand-mère ; entre les vêtements colorés et la peau bronzée –, mais cette image sélective permet aussi de détourner le regard de l'observateur du visage de l'enfant. Il aurait même été plus efficace de s'approcher davantage, pour concentrer par exemple l'attention sur la partie inférieure de l'image.

Approche spontanée

Une grande fontaine par temps chaud est irrésistible pour n'importe quel enfant dans le monde. Le problème ici était d'essayer de photographier les garçons sans qu'ils ne le remarquent – sinon ils auraient commencé à jouer devant l'appareil photo. Je me suis mêlé à la foule, j'ai profité du soleil et j'ai attendu un bon regroupement des enfants et un rare moment de détente. Ensuite, j'ai soulevé mon appareil au dernier moment et j'ai pris la photo.

La confiance révèle la personnalité et le naturel

Un enfant a besoin de vous faire confiance pour que vous puissiez entrer dans son espace intime. Le gros plan est le meilleur moyen d'enregistrer une partie de la personnalité et du monde de l'enfant. Il n'est pas nécessaire de prendre tout le visage. Concentrez-vous sur les yeux expressifs et la bouche pour créer une image évocatrice.

Rendu précis des tons chair
Avec des couleurs vives, il peut être tentant de donner aux rouges toute leur intensité. Mais si des tons chair sont visibles sur l'image, ils doivent être rendus de façon précise. Le reste du tirage suivra.

Enfants suite

Cadrage adapté

Sans le cadrage, l'image serait juste correctement éclairée. Mais ce dernier ne participe pas seulement à la composition, il donne aussi des indices sur l'endroit où vivent ces garçons. Le foin suggère une ferme. Une seconde avant la prise de vue, le visage du garçon debout était totalement dans l'ombre, mais je n'ai pas pu mettre au point et déclencher assez vite.

CONSEILS ET ASTUCES

La taille et le comportement des enfants font qu'ils représentent un véritable défi d'un point de vue technique. Le photographe doit être patient, en bonne condition physique et avoir des réflexes rapides. Les techniques suivantes pourront vous faire progresser :

- Avec de très petits enfants, travaillez à une distance fixe. Mettez au point manuellement à 0,5 m par exemple et maintenez cette distance en reculant ou en avançant à mesure qu'ils bougent. Les petits bougent très rapidement, mais généralement sur de courtes distances. Cette méthode requiert peu d'efforts et peut se révéler meilleure que l'autofocus.
- Quand vous photographiez un groupe d'enfants, faites une série de photos la première minute – ils doivent s'habituer au bruit de l'appareil photo et à la lumière du flash électronique, et vous devez exploiter leur faible capacité d'attention. Dès qu'ils auront entendu l'appareil photo, ils se désintéresseront de vous. Toutefois, si vous attendez qu'ils soient placés avant de prendre votre première photo, ils seront distraits par le bruit.
- Pour des photos professionnelles, il est conseillé d'utiliser des reflex numériques, plus flexibles que des appareils de type « visez-déclenchez ». Vous avez besoin d'un temps de réponse d'obturateur le plus court possible (l'intervalle entre le déclenchement et l'enregistrement effectif de l'image) pour ne pas manquer les poses spontanées, et les déclenchements en rafale sont toujours pratiques.
- En basse lumière, la meilleure solution consiste à utiliser des objectifs à grandes ouvertures, telles que *f*/1.4 ou *f*/2. Sur les appareils photos modernes, sauf si vous disposez d'un zoom très performant, augmentez le réglage ISO plutôt que de régler l'ouverture maximum.

Paysages

Le paysage naturel est l'un des domaines les plus agréables et les plus complexes en photographie. Vous pouvez les photographier depuis n'importe quel angle, à n'importe quel moment et par tous les temps, mais il faut trouver le point de vue idéal.

Deux éléments essentiels

Les deux éléments clés des photos de paysages sont le lieu et la lumière. Lorsque vous découvrez un emplacement prometteur, prenez vraiment le temps de l'explorer, en déposant éventuellement l'appareil photo. Promenez-vous et observez. Retenez simplement qu'il y a une bonne photo à prendre presque partout. Il suffit d'observer suffisamment bien.

Vous pourriez alors décider que la lumière n'est pas idéale : il faudra attendre la sortie du soleil ou que la lumière soit plus diffuse. La couleur chaude et profonde du coucher de soleil, qui allonge les ombres, est souvent idéale mais pas toujours. La qualité de l'image dépendra autant de la lumière que du lieu de prise de vue.

Par conséquent, vous pourriez décider de revenir à un autre moment de la journée ou même à une autre saison, pour que la lumière de la scène soit idéale. Un photographe de paysage expérimenté sait

Filtre polarisant

Une image prise à travers un filtre polarisant se distingue par le bleu profond des cieux et, s'il y a de l'eau, par l'absence de reflets comme dans cette image de Samburu, au Kenya.

Intérêt du premier plan

L'une des techniques les plus efficaces consiste à exploiter les caractéristiques du premier plan. Ici, une toile d'araignée pleine de rosée capture le soleil très matinal et permet de cadrer le paysage situé au-delà.

Paysages suite

Guider l'œil
Une photo de paysage n'a pas besoin de présenter le ciel ou d'être prise avec un objectif grand-angle. Cette scène en Nouvelle-Zélande a été prise avec un zoom réglé à un 35 EFL de 600 mm pour guider l'œil vers les multitudes de verts et les troncs des arbres. C'est une scène qui aurait facilement pu être transformée en peinture.

Accentuation des formes
La scène était simple et prometteuse, mais trouver la bonne position pour photographier ce réservoir presque vide à Hong Kong a pris plusieurs minutes en raison des restrictions d'accès. Comme le temps était maussade, il y avait peu de choix d'éclairage, j'ai donc dû tourner mon attention vers les formes et l'équilibre des différentes tonalités.

accepter le report d'une prise de vue et quand le faire.

À plus court terme, il est souvent préférable quand le temps est pluvieux d'attendre une éclaircie. Cela transforme souvent complètement les tonalités de la scène. Inversement, vous avez toujours intérêt à attendre et à observer de quelle façon les nuages en mouvement changent l'atmosphère de la scène.

Appareils photo de paysage
Quels que soient l'appareil et l'objectif dont vous disposez, vous pouvez photographier les paysages. Il n'est pas toujours nécessaire d'utiliser des vues grand-angle. Essayez de trouver des détails distants avec un téléobjectif ou visez quelque chose d'intéressant au premier-plan avec des longueurs focales ordinaires.

Filtres polarisants
Le filtre polarisant est l'un des accessoires les plus populaires et essentiels pour le photographe de paysage. C'est un filtre en verre foncé fixé sur une monture rotative. Quand il est fixé devant un objectif pointant vers le soleil, puis tourné à un certain angle, il rend le ciel bleu plus foncé et les zones brillantes retrouvent leurs couleurs initiales. Il est impossible de reproduire complètement les résultats de ce filtre par des retouches numériques. Il est préférable de le monter sur un reflex, puisque vous visualisez tous les changements dans le viseur, et il devrait être circulaire.

Brume matinale

Photographier un paysage peut vous sembler être une activité tranquille, mais vous devez souvent agir très vite. En partant de l'aéroport d'Auckland, en Nouvelle-Zélande, à l'aube, cette scène brumeuse s'est présentée d'elle-même. Je savais que la brume s'évaporerait rapidement, j'ai donc sauté de la voiture et j'ai couru plus bas pour la prendre en photo. Quelques secondes plus tard, le soleil levant masquait les tonalités délicates du ciel et la brume s'était dissipée.

Animaux

Une erreur courante en photographie animalière est de se concentrer sur la face de l'animal ou de l'illustrer seul, sans contexte. Si vous pouvez vous détacher de la situation et l'évaluer en termes d'intérêt visuel, la réussite est pratiquement assurée. Cependant, si vous produisez des images très personnelles, ne soyez pas surpris si elles ne séduisent pas un large public.

Que rechercher ?

Élargir ce domaine pour inclure l'étude des relations entre les gens et leurs animaux peut devenir un sujet fascinant. Le défi consiste à trouver des approches originales ou innovantes pour ces sujets.

Un portrait simple d'un animal et de son maître intéresse généralement le maître et sa famille, mais rarement les autres. Néanmoins, en choisissant scrupuleusement l'éclairage et le bon moment, vous pouvez produire une image expressive qui touchera un plus large public.

Il est notoire que les animaux sont des sujets difficiles à traiter. Ils ne respectent pas vos souhaits – en réalité, ils savent souvent précisément ce que vous ne voulez pas qu'ils fassent et le font délibérément. Une photo réussie d'un animal requiert avant tout une patience sans faille et des réflexes rapides.

Chat sociable
L'harmonie des tonalités se retrouve dans cette image contrastante au niveau des textures et des lignes. Mais c'est juste le chat d'un ami qui voulait s'asseoir entre nous. En tant que photographe numérique, vous pouvez prendre autant de clichés que vous le souhaitez puis les trier. Vous pouvez aussi les améliorer. Ici, les planches auraient pu être légèrement redressées et l'objet près de la queue du chat aurait pu être supprimé.

Réflexes rapides
Une marche par temps froid et venteux sur la plage ne semble pas être le sujet le plus prometteur pour une photo, mais pendant quelques secondes, une opportunité s'est présentée. Il faut être attentif pour ne pas la rater. Ici, les chiens semblent se mêler avec les tons de la plage, mais aussi répondre aux contours du paysage. L'image d'origine en couleurs a été passée en noir et blanc, puis des nuances ont été ajoutées pour suggérer les couleurs naturelles.

L'ami de l'animal
La personne préférée d'un animal peut être d'une aide précieuse pour le calmer, mais, comme ici, elle peut aussi devenir le sujet du portrait. Dans cette image, toutes les couleurs ont été adoucies et atténuées, rien n'entre donc en conflit avec les nuances délicates du cochon d'Inde.

Service professionnel

Les portraits professionnels d'animaux commandés par leurs maîtres peuvent être une bonne source de travail pour les photographes numériques. En effet, vous pouvez offrir des images « directes » non modifiées, mais aussi proposer facilement un grand nombre de variantes *via* votre logiciel de retouche. Le numérique présente aussi l'avantage de pouvoir prendre plusieurs photos, puis de les afficher immédiatement chez des clients sur un téléviseur ou un écran d'ordinateur. Ils peuvent ainsi choisir celles qui leur plaisent, ce qui vous fait gagner du temps et des frais en développement et en impression d'épreuves.

Animaux suite

Idées de projet

Explorer la relation entre ce cheval et son champ pourrait être un projet à lui seul. Imaginez cette scène avec un ciel bleu ou au coucher du soleil – vous avez déjà trois images très différentes. Des formes simples comme celle-ci produisent d'excellentes cartes de vœux, et il serait possible d'inclure un texte pour une publicité dans la zone de ciel clair de cette version.

CONSEILS ET ASTUCES

- Découvrez à quel moment de la journée l'animal est le plus calme. Consultez le maître sur le moment le plus adapté pour le photographier – immédiatement après avoir mangé par exemple. Cependant, les animaux à sang froid, comme les serpents, les grenouilles et les lézards sont calmes quand la température environnante est basse – l'aube peut donc être un bon moment.
- Découvrez ce qu'aime l'animal. Il peut être calmé par de la musique ou en jouant et en se défoulant d'abord. Un animal qui a faim peut être de mauvaise humeur, mais s'il a mangé récemment, il peut être vif et vouloir jouer. À nouveau, consultez son maître.
- Peut-il être effrayé par le flash ou le bruit de l'appareil photo ? Faites un essai en déclenchant le flash à une certaine distance avant de vous approcher pour prendre la photo. Certains animaux peuvent aussi être dérangés par le bruit de l'autofocus – que vous n'entendez peut-être pas – ou par celui d'un moteur.
- Déplacez-vous toujours doucement et régulièrement et ne faites pas de bruits soudains. Évitez de vous placer derrière un animal, à un endroit où il ne peut pas vous voir.
- Pour garder vos distances, utilisez une focale plus longue que d'habitude. Une bague-allonge (une bague métallique située entre l'objectif et le boîtier) ou un objectif macro ajoutés à un téléobjectif permettent de mettre au point plus près, mais vous devrez travailler dans une profondeur de champ limitée.
- Laissez le maître s'occuper de l'animal : il sera plus calme et son comportement sera moins imprévisible ou dangereux.
- Pour conserver la mise au point sur l'animal alors qu'il bouge, passez en mode manuel. Conservez la profondeur de champ en changeant de position quand l'animal bouge, et donc en gardant une distance constante entre vous et le sujet. C'est souvent plus simple et moins fatigant que de refaire constamment la mise au point.

Sports

Les photographes sportifs ont figuré parmi les premiers à reconnaître que la compétitivité de la technologie numérique pouvait produire des images sportives spectaculaires dans les journaux et les magazines. Sans film à développer, les images pouvaient être transmises directement par téléphone. Quelques minutes après un but spectaculaire, l'image peut se retrouver dans un journal à l'autre bout du monde.

Le numérique présente aussi des avantages pour les sportifs plus ordinaires. Vous devez par exemple faire des tirages des gagnants et de la composition des équipes pour des amis – une tâche simple avec un numérique et une imprimante à jet d'encre. De nombreux clubs sportifs ont leur propre site web pour attirer de nouveaux membres ou informer les supporters, où des images sont toujours nécessaires, de la fête de Noël au tournoi régional. Et c'est la photographie numérique qui offre le moyen le plus simple et le moins cher de les prendre.

A TESTER

La photographie sportive n'est pas limitée au sport en lui-même. Une approche moins littérale du sujet pourrait vous amener à décrire les fans – leurs visages et leurs vêtements – ou vous pourriez essayer d'enregistrer les activités « en coulisse » – la préparation des matchs, la vie du personnel administratif ou évoquer un événement du point de vue d'un arbitre. Votre imagination et vos connaissances du sport peuvent ouvrir de nouvelles voies vers votre sport favori, habituellement fermées aux fans.

En coulisses
La photographie d'activités sportives peut non seulement inclure les temps forts de l'action, mais peut aussi présenter les heures d'entraînement nécessaires pour développer une compétence. Ici, un sensei, ou professeur, montre une clé de bras au karaté Goju-Ryu.

Sports suite

Concentration

L'une des difficultés du sport est qu'avec tout ce qui se passe en arrière-plan, il est difficile de se concentrer sur l'action. Ici, un arrière-plan actif ne perturbe pas le sujet principal – un élève dont la tension est testée – en raison de la différence d'exposition qui permet à l'arrière-plan d'être sous-exposé. De plus, une grande ouverture a limité la profondeur de champ aux personnages du premier plan.

Connaître votre sport

Plus vous connaissez un sport, plus vous pourrez anticiper l'action. Vous devez être aussi attentif que ceux qui pratiquent le sport. Un coup peut être réalisé en une fraction de seconde : vous devez réagir et l'appareil photo aussi. Vous devez donc anticiper l'action de quelques fractions de seconde.

Photographier autant que nécessaire

Ici, pendant un entraînement, l'attaquant a réussi à bloquer momentanément la main droite de son adversaire. Malheureusement, l'instant d'après, les protagonistes se sont tournés et je ne voyais plus l'action. Avec un numérique, vous pouvez prendre des clichés de plusieurs séquences d'actions sans vous soucier de gâcher du film.

Flou créatif

De bonnes photos sportives ne montrent pas seulement le jeu. Seuls ceux qui ont pratiqué un sport savent vraiment ce qu'on peut ressentir, mais nous pouvons utiliser des techniques photographiques pour essayer d'en traduire l'esprit. Une exposition relativement longue de $\frac{1}{4}$ de seconde a rendu l'action floue, mais plusieurs essais ont été nécessaires avant d'aboutir à une image qui équilibre flou et formes perceptibles.

CONSEILS ET ASTUCES

Pour les photographies sportives, il faut trouver le bon moment pour appuyer sur le déclencheur. Une fraction de seconde représente le moment où un ace au tennis renverse la situation et où une amure mal jugée sépare le gagnant de l'America's Cup des autres coureurs. Il faut donc rester vigilant en permanence pour être sûr d'être au bon endroit au bon moment.

- Tenez compte du temps de réponse de l'appareil. L'intervalle entre l'appui sur le déclencheur et la capture effective de l'image est au moins de 1/10 de seconde, mais peut atteindre jusqu'à 1/4 de seconde.
- N'oubliez jamais les consignes de sécurité. Il y a toujours un risque dans les sports de course automobile par exemple – notamment pour les photographes qui sont souvent proches de l'action. Ne vous exposez pas inutilement.
- Placez-vous avec soin. Essayez de voir l'événement depuis un lieu d'où vous avez une bonne vue de l'action, mais aussi d'où votre cible ne bouge pas trop vite.
- Connaître le sport est le meilleur conseil. Utilisez vos connaissances pour la photographie. Quand une piste s'use par exemple, est-ce que les concurrents prennent un itinéraire légèrement différent ? Quand le soleil se déplace dans le ciel, est-ce que les joueurs frappent la balle dans une autre direction pour éviter d'être éblouis ? S'il fait un temps sec, est-ce que les pilotes de rallye prennent un virage plus rapidement que si le temps est humide ? Êtes-vous préparé aux changements ?

Panoramas

Le concept de base d'un panorama est que l'image enregistrée englobe une scène plus large que celle que vous pourriez voir sans tourner la tête. En fait, pour obtenir une véritable image panoramique, l'objectif de l'appareil photo doit pivoter d'un côté à un autre.

Preuves visuelles

Vous identifiez un panorama car il produit des distorsions inévitables – si le panorama est pris avec l'appareil photo pointant légèrement vers le haut ou le bas, alors l'horizon ou toute autre ligne horizontale semble incurvé. Si l'appareil est tenu parallèle au sol, les objets proches – généralement ceux qui sont situés au milieu de l'image – semblent significativement plus grands que ceux qui sont plus loin de l'appareil.

Options numériques

Récemment, le concept de panorama a été étendu (ce qui prête à confusion) pour inclure des images grand-angle dont le haut et le bas ont été coupés ou rognés pour obtenir un format enveloppe. Les images ont donc une largeur bien plus importante que la profondeur de l'image. Ces pseudo-panoramas ne présentent pas de courbure de l'horizon ou de distorsion exagérée comme les vrais panoramas.

Le photographe numérique peut choisir. Pour créer des pseudo-panoramas, il suffit de recadrer n'importe quelle image grand-angle – il faut juste vous assurer que l'image contient assez de détails pour présenter une netteté crédible après l'opération. N'oubliez pas qu'un panorama peut être orienté verticalement ou horizontalement.

Les vrais panoramas sont presque aussi faciles à créer numériquement. Vous prenez d'abord plusieurs images se chevauchant d'une scène, de droite à gauche ou de haut en bas. Puis, sur l'ordinateur, vous assemblez toutes ces images individuelles à l'aide d'un logiciel adapté, comme Spin Panorama, PhotoStitch ou Photoshop Elements. Ces logiciels produisent une nouvelle image panoramique sans modifier vos fichiers d'origine (*voir pages 182-183*).

Paysage panoramique
Le paysage est le sujet par excellence des panoramas et présente aussi le moins de problèmes techniques. De plus, il peut transformer la photo d'un jour maussade en une étendue à couper le souffle de tonalités douces et de nuances subtiles de couleurs. Ici, en Écosse, une journée calme transforme l'étendue d'eau en miroir reflétant les montagnes, ce qui anime une partie normalement vide de la scène. Cette image a été composée dans Photoshop Elements à partir de six photos.

Sujets improbables

Vous pouvez faire un test avec des images (*à gauche*) qui ne correspondent pas pour créer une perspective plutôt curieuse. Le logiciel peut produire des résultats imprévisibles (*ci-dessus*) que vous pouvez ensuite recadrer pour créer une forme panoramique normale. Alors que l'image finale n'est pas du tout un enregistrement exact du bâtiment à Grenade, en Espagne, l'observateur ressent mieux l'architecture – des courbes et des colonnes à n'en plus finir. Cette image a été créée avec l'application PhotoStitch.

Panoramas suite

Scène d'un canal

Les distorsions d'échelle, dues au balayage de la scène d'un côté à l'autre pour que les objets proches soient reproduits plus grands que ceux au loin, peuvent produire des résultats spectaculaires. Dans cette image, prise sous un pont à Leeds, en Angleterre, à une extrémité, on a l'impression que le canal prend toute la largeur de l'image, alors qu'à l'autre extrémité, il n'occupe qu'une petite partie du centre. Les eaux très calmes du canal ont permis de produire une symétrie importante, en forte opposition avec la forme puissante du pont largement déformé.

Point nodal arrière

L'image projetée par un objectif semble provenir d'un point dans l'espace : c'est le point nodal arrière. Pivotez un objectif horizontalement sur un axe à travers ce point et les caractéristiques de la scène restent statiques même si les vues changent. Une tête panoramique (*voir ci-contre*) permet de définir l'axe de rotation sur celui de ce point pour obtenir des chevauchements parfaits.

CONSEILS ET ASTUCES

Voici quelques conseils pour obtenir des images panoramiques de très bonne qualité :

- Placez votre appareil photo sur un trépied et stabilisez-le soigneusement.
- Utilisez une « tête panoramique » : elle permet d'ajuster le centre de rotation de l'appareil photo pour que l'image ne bouge pas quand vous tournez l'appareil. Si vous tournez simplement l'appareil à chaque prise de vue, les bords des images ne correspondront pas parfaitement.
- Basculez en mode manuel et exposez toutes les images avec la même ouverture et la même vitesse d'obturation. Si possible, choisissez une exposition moyenne, adaptée à toute la scène.
- Prévoyez un grand chevauchement entre les cadrages – au moins un quart de la largeur de l'image.
- Réglez votre zoom au milieu de sa plage, entre les paramètres grand-angle et téléobjectif. Ce réglage produira l'éclairage le plus uniforme de toute l'image et le moins de distorsion.
- Si possible, choisissez une petite ouverture (mais pas la plus petite) – par exemple *f*/11. Des ouvertures plus grandes engendrent un éclairage irrégulier, où l'image est légèrement plus foncée loin du centre.
- Assurez-vous que les détails importants, un bâtiment par exemple, se trouvent au milieu d'une image, pas au niveau du chevauchement.

Table dressée

Il peut être amusant de créer des panoramas de gros plans. Ici, plusieurs images ont été fusionnées, en jouant avec les couleurs pastel et les formes elliptiques répétées (*voir aussi pages 38-39*).

Vacances

Le défi quand vous faites des photos en vacances est d'éviter les clichés vus et revus tout en enregistrant les événements dont vous souhaitez vous souvenir dans les années à venir. Un autre défi consiste à élever vos images du domaine strictement privé – des photos qui n'intéressent que les proches et la famille – à un niveau d'intérêt supérieur.

Thèmes et sujets

Une idée de projet qui vous éloignera des monuments ou musées évidents pourrait être les marchands de rue ou la cuisine locale. Selon vos propres intérêts, vous estimerez peut-être que des images de nourriture dans la rue rappellent un lieu de manière bien plus vivante que la façade d'un bâtiment public néoclassique. Et si vous travaillez en numérique, vous pouvez évaluer une image dès que vous la prenez et décider si une autre photo est nécessaire.

Attitude et approche

Il est important de tenir compte des sensibilités des personnes du pays dans lequel vous voyagez. Vous serez confronté à leur religion, leurs coutumes et leurs comportements. Traitez donc le pays de vos hôtes avec le même respect que celui avec lequel vous aimeriez que les touristes considèrent le vôtre. Pour commencer, portez des vêtements adaptés aux attentes culturelles ou sociales locales. N'insistez pas si les gens font des signes ou ne semblent pas contents d'être photographiés.

Culture locale

Les photos culinaires peuvent être colorées et mémorables – la nourriture fait partie intégrante des vacances et négocier les achats peut être amusant. Mais ne vous contentez pas d'enregistrer la nourriture ou quelques arrangements artistiques de produits – intégrer les marchands peut créer des photos plus intéressantes et plus vivantes.

Changer de cible

Même quand le temps n'est pas parfait, on peut toujours trouver des opportunités. Dans cette image du centre-ville d'Auckland, en Nouvelle-Zélande, la pluie frappe les fenêtres d'une tour d'observation. En général la mise au point s'effectue sur le lointain, mais en se concentrant sur les gouttes de pluie, la scène change et soudainement une nouvelle image se présente à vous.

Protéger votre équipement

Un problème potentiel en vacances est la tension qui existe entre la vigilance requise pour surveiller votre équipement photo et l'envie de vous détendre et de vous amuser. Ces éléments peuvent vous aider :

- Dans un hôtel, profitez pleinement des coffres-forts et autres protections à votre disposition.
- Fermez vos bagages à clé quand vous n'êtes pas dans votre chambre.
- Si vous devez dormir dans un lieu public, placez une alarme alimentée par des piles (qui sonne si elle bouge) sur vos sacs.
- Séjournez dans un endroit de bon niveau – vous avez plus de risques de vols dans les hôtels ou les appartements bon marché.
- Utilisez par exemple des verrous ou des chaînes, s'il y en a, pour sécuriser votre porte quand vous êtes dans la chambre.
- Assurez tout votre équipement avant votre départ à leur valeur de remplacement à neuf. Les prix varient, faites donc deux ou trois devis.

Vacances suite

Toujours prêt

Vous ferez des images intéressantes ou originales si vous restez « en alerte ». Quand des villageois en Turquie ont emprunté mes lunettes de soleil, un enfant dans les bras de sa mère voulait les essayer – ce qui donne cette belle photo (*ci-dessus*). Un cadrage serré a supprimé les indices qui auraient facilité la lecture de l'image, la rendant donc un peu plus intrigante.

Interpréter l'ordinaire

En tant que photographe, vous vous sentirez un peu exclu car, en recherchant des photos à faire, vous vous éloignez du groupe. Ici, en marchant sur une colline près de cette plage en Nouvelle-Zélande, j'ai découvert des reflets subtils des personnes dans l'eau et sur le sable mouillé.

Images urbaines

L'environnement urbain pose des défis pour le photographe comparables à ceux rencontrés par les photographes de paysage (*voir pages 69-71*). Par exemple, il faut trouver le point de vue idéal, en passant en revue une multitude d'expériences visuelles pour aboutir à celle qui fera toute la différence. Mais l'éclairage et le bon moment sont aussi importants. De plus, que vous travailliez dans une ville ou à la campagne, vous devrez choisir entre une vue large ou une image plus détaillée de votre sujet.

Considérations techniques

Il y a des différences techniques entre la photographie en ville et à la campagne. Un objectif pointé largement en dessous ou au-dessus de l'horizon dans un paysage provoque rarement des distorsions évidentes, à moins que de très grands arbres ne figurent sur l'image. Dans une ville, les verticales convergentes représentent un défi permanent – pour les exploiter (option la plus facile), les ignorer (rarement conseillé) ou les corriger (nécessite un équipement coûteux).

La profondeur de champ est aussi souvent un problème. Alors que des images de campagne peuvent s'étendre d'une distance moyenne à l'infini, et donc se trouver dans des profondeurs de champ normales, les images urbaines s'étendent souvent du très proche au très distant.

Législation

Dans la plupart des pays développés, vous rencontrerez peu de problèmes si vous prenez des photos dans des grandes villes, mais vous devrez faire plus attention ailleurs. Il peut être illégal de photographier certains bâtiments gouvernementaux. De plus, certains bâtiments peuvent être protégés par des droits d'auteur ou de conception.

Photographier de nuit

La tendance de tous les systèmes à réglage automatique est de surexposer les photos urbaines prises de nuit. Si les lumières d'une rue semblent trop vives, l'atmosphère d'une scène de nuit est perdue. Commencez par désactiver le flash, puis passez votre appareil photo en mode manuel et effectuez un bracketing en commençant à une vitesse d'obturation de 1 seconde. Vous devrez tenir fermement votre appareil photo, de préférence sur un trépied, pour éviter tout mouvement. Notez que les numériques ont tendance à produire du bruit quand l'exposition est longue. Certains appareils sont équipés d'un dispositif pour réduire ce bruit, activez-le.

London Eye
Photographier de nuit sur la grande roue qui tourne à Londres, le London Eye, a constitué un véritable défi. Le plus simple dans une telle situation est de faire autant de photos que possible puis de les afficher et de les modifier ultérieurement.

Images urbaines suite

Travailler sur un sujet

Un exercice simple consiste à choisir un monument connu puis à le photographier sous différents angles. Ces images de la Sky Tower à Auckland, en Nouvelle-Zélande, ont toutes été prises lors d'un voyage d'affaires dans cette ville. Cette photo (*ci-dessus*) prise depuis une voiture est presque ratée – c'est une scène ordinaire, mais il y a un rythme dans le cadrage multiple, une sorte d'histoire cachée. De plus, ses couleurs vives en font une image étonnamment riche. Le siège passager d'une voiture représente une magnifique plate-forme en mouvement depuis laquelle travailler.

Flash supplémentaire

J'ai d'abord repéré ces fleurs, que je voulais photographier, puis j'ai remarqué la tour dans l'image. Le flash de l'appareil photo a éclairé les fleurs du premier plan, mais pas celles qui sont situées un peu plus loin. L'ombre visible en bas de l'image a été causée par l'objectif obstruant la lumière du flash.

Éclairage silhouette

Les silhouettes de divers arbres ont servi à cadrer les lignes industrielles pures de la tour lointaine *(ci-dessus)*. Comme les arbres sont uniquement représentés par des formes, ils semblent très nets – même si la profondeur de champ dans de telles images semble extensible, en réalité c'est une illusion de perception.

Lignes convergentes

En général, vous évitez de pointer l'appareil photo vers le haut pour photographier des bâtiments, vu que la forte convergence des lignes normalement parallèles provoque une distorsion. Toutefois, vous pouvez exploiter ce phénomène pour créer une certaine désorientation ou pour donner l'impression que les bâtiments surgissent. Son efficacité est accrue dans cette image qui évite tout alignement entre le cadre et les côtés des bâtiments.

Vue distante

La Sky Tower est visible même après une heure de voyage en hydroptère. Une forte perspective au téléobjectif – produite par le 35 EFL d'un objectif 560 mm – franchit la distance et semble compresser l'espace entre les îles situées au milieu. Le brouillard a désaturé les couleurs pour aboutir à un gris presque neutre.

Zoos

Les zoos modernes des grandes villes ressemblent de moins en moins à des alignements de cages, et de plus en plus à des réserves naturelles dédiées à l'étude et à la préservation du monde sauvage. Vous pouvez voir des animaux bien nourris dans un environnement proche de leur habitat naturel, même s'ils ont généralement moins d'espace.

Une expérience enrichissante

Les zoos sont un excellent terrain d'entraînement pour la photographie de la vie sauvage. Vous apprendrez vite à rester immobile et à attendre, parfois des heures, un événement. Vous découvrirez que si vous êtes au bon endroit au bon moment, votre attente sera beaucoup moins longue – et vous comprendrez qu'il est essentiel de connaître l'animal, ses habitudes et ses relations avec son environnement.

La photographie dans les zoos peut s'envisager de plusieurs manières : les images ici reproduisent la photographie dans la nature, sans signe visible de captivité. Vous pourriez aussi vous concentrer sur la captivité et l'isolement des animaux.

Il est possible d'obtenir un accès privilégié à certains animaux en consultant les gardiens ou le directeur du zoo et en offrant gratuitement des images pour les publicités du zoo ou pour leur site web.

CONSEILS ET ASTUCES

- Minimisez la vue des barrières sur les photos en réglant sur la longueur focale et l'ouverture maximales. Positionnez votre objectif entre deux barreaux, quand c'est possible et non dangereux.
- N'utilisez pas de flash dans les espaces sombres : l'animal ne réagira peut-être pas, mais il risque d'être sur la défensive, ou même aveuglé.
- Certains appareils photo sont équipés d'un émetteur infrarouge d'aide pour une mise au point dans l'obscurité. Désactivez-le pour éviter de déranger les animaux sensibles aux infrarouges.
- Quand vous photographiez à travers une vitre, placez-vous de biais pour éviter votre reflet ou la réflexion du flash si vous l'utilisez.
- Quand vous utilisez un flash au travers d'un grillage, il risque de projeter des ombres.

Le bon moment
La facilité avec laquelle vous pouvez prendre des photos d'animaux dans les zoos n'implique pas forcément qu'elles seront bonnes. Comme pour les photos d'animaux à la vie sauvage, attendez le bon moment, un aperçu révélateur de leur vie ou quand leurs caractéristiques sont mises en valeur.

Netteté du sujet
La profondeur de champ disponible quand vous mettez au point sur un sujet proche avec un téléobjectif est réduite. Les conseils relatifs aux portraits de personnes s'appliquent aussi aux animaux. Si vous mettez au point sur les yeux, le flou ailleurs est acceptable. Dans ce portrait d'un petit panda, les yeux et les moustaches sont nettes mais pas le reste, toutefois l'image donne l'impression d'être extrêmement nette.

Image fidèle à la vérité

Vous pourriez explorer le domaine des portraits non conventionnels : des images d'animaux que vous ne pourriez jamais voir à la vie sauvage – comme cet ours polaire qui nage en profitant apparemment du soleil. Néanmoins, faites attention à ne pas faire l'erreur d'attribuer des émotions humaines aux animaux – chacun sait que les ours polaires souffrent beaucoup de leur captivité.

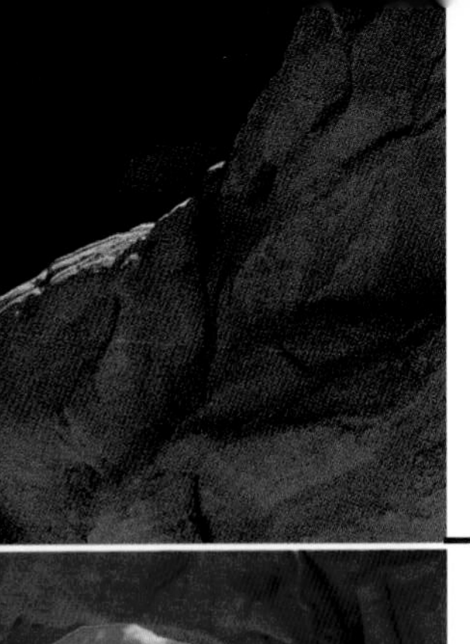

La retouche d'images

3

Les formats de fichier

Les fichiers de données étant généralement produits par des logiciels et destinés à être utilisés par ces derniers, les possibilités d'échanges entre programmes sont limitées. Les fichiers d'image font exception puisqu'ils sont reconnus par une large gamme de programmes. En effet, ils sont conçus selon des structures de données (ou formats) largement reconnues. Les formats ci-après sont les plus courants.

TIFF

C'est le meilleur choix, largement adopté, pour les images destinées à l'impression. Un format de fichier d'image bitmap (*raster*) avec un codage des couleurs de pixel sur 24 bits. Des « balises », ajoutées dans l'en-tête du fichier, stockent des informations comme les dimensions de l'image ou le nombre de couleurs utilisées. Diverses spécifications de balises ont produit différents types de TIFF. Ce format peut être compressé sans risque ni perte de données à l'aide d'une compression LZW. La taille du fichier est généralement divisée par deux. Le suffixe est .tif.

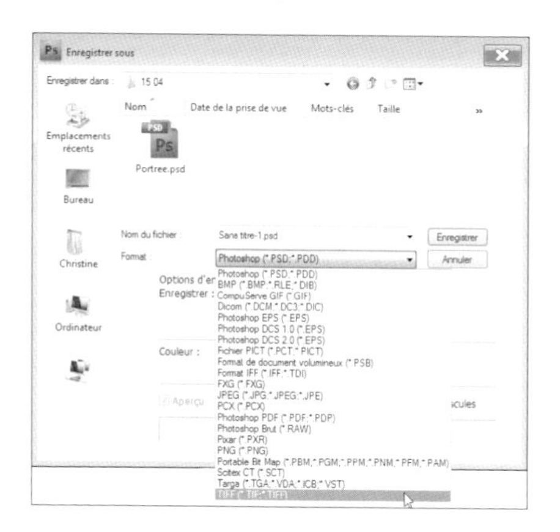

Capture d'écran Enregistrer sous

À chaque fois que vous enregistrez un fichier d'image numérique, vous devez choisir le format approprié. TIFF est le choix le plus sûr parce que largement reconnu, mais dans certaines situations, comme la publication d'un site web, un autre format sera plus adapté. Dans cette boîte de dialogue, vous passez d'un format à l'autre. Pour préserver l'original, enregistrez le nouveau fichier sous un autre nom quand vous changez de format.

JPEG

(*Joint Photographic Expert Group*) Le nom correspond à la technique de compression des données qui permet d'obtenir des fichiers jusqu'à dix fois plus petits que l'original. C'est le meilleur choix pour un usage des photographies sur Internet. Les fichiers JPEG sont enregistrés avec différents niveaux de compression ou de qualité. Le paramètre moyen (5 ou 6) convient généralement car il offre une excellente diminution de la taille sans perte notable de qualité. Le paramètre haut (10-12) convient à tout travail haut de gamme, la perte de qualité est insignifiante. Le suffixe est .jpg. La technologie de compression de données du format JPEG 2000 est complètement différente et la compression est remarquable, mais il est encore peu pris en charge.

Photoshop

C'est un format natif, mais il est tellement répandu qu'il est pratiquement devenu un standard. Photoshop prend en charge la gestion des couleurs, les couleurs 48 bits, et les calques Photoshop. De nombreux scanners enregistrent directement au format Photoshop, et d'autres appareils utilisent le même format sous un nom différent. Le suffixe est .psd.

GIF

(*Graphics Interchange Format*) Un format de fichier compressé conçu pour Internet, avec un jeu de 216 couleurs standard. Il convient aux images vectorielles, qui possèdent de grandes zones de couleur unie, mais pas aux photographies qui contiennent beaucoup de nuances. Il peut être compressé sans perte de données à l'aide d'algorithmes LZW. Le suffixe est .gif.

PDF

(*Portable Document Format*) Le format natif d'Adobe Acrobat basé sur PostScript. Il préserve le texte, la typographie, les graphiques, les images et la mise en forme d'un document. Il est inutile d'incorporer les polices. Acrobat Reader peut le lire, mais pas le modifier. Ce format très populaire est intégré à Mac OS X. Le suffixe est .pdf.

PICT

(*Macintosh Picture*) C'est un format graphique pour Mac OS. Il contient des informations vectorielles mais se limite à 72 ppp, ce qui est parfait pour l'affichage sur écran. PICT2 code les couleurs sur 24 bits.

PNG

(*Portable Network Graphics*) Un format pour les images web compressées sans perte de données, conçu pour remplacer GIF. Il prend en charge les images en couleurs indexées, niveaux de gris et couleurs (jusqu'à 48 bits par pixel), plus une couche alpha. Le suffixe est .png.

Format Raw

De nombreux appareils photo numériques produisent des fichiers au format Raw. Ces fichiers enregistrent directement les données depuis le convertisseur analogique-numérique du capteur de l'appareil photo, il n'y a donc aucun traitement de balance des blancs, de niveaux, de netteté, ni de compression avec perte. L'organisation des fichiers Raw diffère selon les fabricants, et même selon les modèles dans une gamme, ce qui produit autant de formats distincts. Par conséquent, les logiciels de conversion Raw doivent régulièrement être mis à jour.

Les fichiers Raw sont appréciés pour leur niveau de qualité et la souplesse des retouches mais leur diversité et le manque de documentation les condamnent à long terme. Le format DNG (*Digital Negative*) a été proposé comme standard ouvert pour les fichiers Raw. Il fournit un « conteneur » Open Source pour encadrer les données Raw.

À propos de JPEG

L'efficacité de la compression JPEG est due à plusieurs techniques qui agissent simultanément sur le fichier d'image. La procédure est complexe mais ne présente aucune difficulté pour les ordinateurs et appareils photo numériques d'aujourd'hui. La technique, nommée jay-pegging, consiste en trois étapes.

1 Une transformation matricielle appelée DCT (*Discrete Cosine Transform*) organise les données en blocs de 8 × 8 pixels, c'est pourquoi vous obtenez une structure « en blocs » (*voir ci-contre*). Les blocs sont convertis du « domaine spatial » au « domaine fréquence », comme si vous représentiez un graphique en courbe sous la forme d'histogrammes équivalents à la fréquence de l'occurrence de chaque valeur. Cette étape compresse les données, sans perte notable, et identifie celles qui peuvent être supprimées.

2 La multiplication de matrice réorganise les données pour la « quantification ». C'est là que vous choisissez le niveau de qualité d'une image, qui va déterminer la diminution de taille du fichier en fonction de la perte de qualité acceptable.

3 Pour terminer, les résultats de la dernière manipulation sont encodés, en appliquant une fois encore des techniques de compression sans perte.

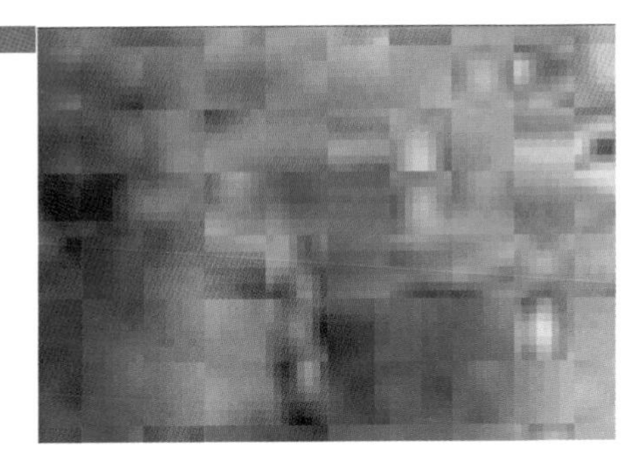

Les artéfacts JPEG

Cette vue agrandie d'une image compressée en JPEG montre les blocs de 64 pixels créés par la fonction de compression. Ceci peut créer de fausses textures et masquer des détails mais dans les parties unies, présentant peu de détails, ces artéfacts ne devraient pas être visibles, même avec un fort niveau de compression. Notez que les pixels de chaque bloc sont plus analogues entre eux qu'avec ceux des blocs adjacents.

Ces compressions permettent de réduire les fichiers JPEG de 70 % avec une dégradation de l'image pratiquement invisible. L'image reste exploitable même avec une réduction de 90 %. Certaines applications étant plus exigeantes, une nouvelle technologie nommée JPEG 2000 s'appuie sur une autre méthode d'encodage des données pour compresser encore plus le fichier avec une perte de qualité encore inférieure.

Gestion des couleurs

Après 10 ans de recherches et de tests dans le domaine de la photographie numérique, la technologie des couleurs est devenue suffisamment mature pour que les milliers d'écrans, imprimantes et papiers différents, sans oublier les appareils photo, collaborent pour produire des résultats avec des couleurs relativement fiables. L'image prise avec un appareil photo devrait maintenant avoir la même apparence sur l'écran de ce dernier, celui d'un ordinateur et même en version imprimée. La correspondance parfaite est cependant utopique et les limites des systèmes de gestion standard tels que ColorSync freinent les progrès dans ce domaine.

Première étape

Votre écran est au cœur de la gestion des couleurs. C'est là que vous manipulez les images et vous pouvez facilement le régler pour correspondre au standard. Il s'agit de l'étalonnage. Le système d'exploitation vous permet en effet d'étalonner l'écran à l'aide de contrôles visuels simples dans le panneau de configuration ou les préférences système (consultez l'aide du système). Les paramètres élémentaires sont présentés ci-dessous.

Les méthodes d'étalonnage fondées sur des contrôles à l'écran sont peu onéreuses mais l'opération est subjective. La méthode la plus objective consiste à positionner un capteur de couleurs sur l'écran puis à le faire communiquer avec le contrôle vidéo. Il faut afficher des couleurs standard puis comparer la couleur réelle avec la cible. Les différences permettent d'étalonner et de décrire les performances de l'écran dans un profil.

Précautions

Quelle que soit la méthode d'étalonnage choisie, suivez ces quelques conseils. Laissez chauffer votre écran (même les LCD) pendant au moins 30 minutes avant de démarrer le test. Éloignez tout appareil qui pourrait introduire des interférences magnétiques, comme un disque dur ou des haut-parleurs. Étalonnez avec un éclairage ambiant réduit. Idéalement, vous devez à peine être capable de lire un journal. Aucune lampe de bureau ne doit éclairer l'écran.

Profils couleur

Un périphérique gère les couleurs en fonction des différences entre son propre jeu de couleurs et celui de l'espace de connexion du profil, ce qui correspond au jeu qu'un être humain est capable de distinguer. Cette information, nommée profil ICC (*International Color Consortium*), est intégrée dans l'image et comprend d'autres données concernant le point blanc et la façon de gérer les

Étalonnage

L'emploi d'une sonde très précise ou d'une mire IT pour étalonner l'écran sera sans effet si les paramètres gamma de base et le point blanc ne sont pas adaptés à l'usage prévu pour vos images. Si vous travaillez avec des imprimeurs ou des agences de communication, demandez-leur quels paramètres adopter.

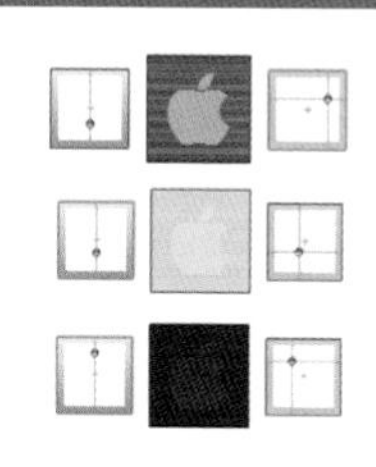

Étalonnage à l'écran
L'étalonnage à l'écran affiche les invites ci-dessus (ou équivalentes) pour régler la luminance et la balance entre les trois couleurs. Les réglages sont modifiés pour s'aligner sur les cibles.

Gamma linéaire
Quand l'écran est réglé en gamma linéaire, l'affichage est très lumineux, les noirs sont gris et les couleurs sont délavées. La retouche donnerait alors des images trop sombres, saturées et très contrastées sur les écrans bien réglés.

Gamma 1.8
Le gamma 1.8 était le réglage par défaut des Mac et du monde de l'impression. On le considère actuellement comme trop clair en comparaison au gamma 2.2 standard des PC. Un réglage à 2.0 pourrait être un bon compromis.

couleurs non imprimables (*voir page 109*). Quand une image est associée à un profil couleur, un appareil compatible avec les profils ICC saura comment interpréter les couleurs et les régler. Il existe différents types de profils selon le périphérique utilisé, mais chaque image avec laquelle vous travaillez devrait intégrer un profil approprié. Adobe RGB (1998) est largement utilisé pour les images numériques (*voir aussi pages 120-123*).

Épreuvage écran

Une fois que l'écran est étalonné, vous pouvez vérifier à quoi ressembleront vos tirages papier. C'est l'épreuvage écran (*soft-proofing*). Le profil de sortie doit être la combinaison de l'imprimante et du papier. Il peut être défini comme l'espace de sortie ou appliqué directement à l'image affichée. Dans ce cas, l'image se rapproche alors de sa version imprimée.

Correspondance entre profils

Ce diagramme illustre la conversion des caractéristiques de couleur entre les différents périphériques, via les profils couleur et un espace de couleur commun.

Il est possible d'intégrer un profil couleur dans un fichier d'image de sorte qu'il puisse être reproduit précisément dans un espace de couleur de travail différent.

Les profils jet d'encre sont probablement les plus délicats pour les passionnés de photographie. Cependant, les résultats seront fiables si ces profils sont précis et correctement utilisés.

Les profils d'écran sont importants puisqu'ils permettent au système d'exploitation de contrôler l'écran et d'afficher correctement les couleurs.

Les profils de source sont rarement utilisés parce que les fichiers sont généralement traités visuellement. Ils ne présentent de l'intérêt que pour les professionnels de l'image numérique et de l'impression.

L'espace de couleur de travail est le point clé. L'espace de couleur sRGB est largement utilisé pour les appareils photo numériques et donne de bons résultats.
Adobe RGB (1998) donne les meilleurs résultats pour les professionnels.

Les profils de sortie CMJN concernent surtout les utilisateurs professionnels et les imprimeurs de livres et magazines, pas les photographes amateurs.

Gamma 2.2

C'est le réglage standard sous Windows, avec un niveau élevé de correction sur la sortie de l'écran. Les couleurs sont riches et les zones sombres détaillées, mais c'est peu comparé avec la version imprimée de l'image.

Point blanc cible à D50

Il s'agissait du point blanc cible standard le plus utilisé pour un écran. Le rendu du blanc à l'écran était alors conforme à la définition D50, mais il ne répond plus aux critères d'aujourd'hui.

Point blanc cible à D65

Les lumières incandescentes étant moins utilisées et les tirages souvent réalisés sur du papier brillant, le point blanc à D65 est un bon choix pour le numérique.

Point blanc cible à 9300

C'est un bon réglage pour l'affichage sur un téléviseur, mais ce point blanc est trop bleu pour les photographies numériques. Les images deviendraient trop rouges ou jaunes avec une perte de contraste.

Gestion des images

Le problème de la gestion des images a évolué de façon exponentielle depuis les débuts de la photographie numérique. De quelques douzaines de prises de vue quotidiennes, les photographes sont passés à quelques centaines. Il n'est pas inhabituel de prendre 1 500 images lors d'un seul reportage mariage ou plus de 2 000 clichés pour des vacances à la plage. Les méthodes de travail et les logiciels spécialisés ont évolué pour permettre aux photographes de gérer ce flux d'images.

Flux de traitement des images

Un flux de traitement efficace impose un minimum de planification. Vous pouvez organiser vos images par date, événement ou projet. Par exemple des vacances ou un voyage, « Portraits » ou « Paysage urbain ». Dans chaque événement ou projet, vous pouvez créer des sous-dossiers par date, types d'image et ainsi de suite. Les dossiers d'un ordinateur sont comparables à leurs équivalents papier : ils seront inefficaces s'ils sont trop chargés ou s'ils sont trop nombreux avec peu d'éléments contenus.

Une bonne méthode consiste à organiser la structure des dossiers avant les prises de vue. Cela vous aide à planifier votre travail et à localiser efficacement vos images par la suite. Planifiez aussi les sauvegardes. Vérifiez la quantité d'espace disque libre sur un autre disque dur pour créer une copie de sauvegarde dès que vous avez transféré vos images.

Choix des noms de fichiers d'image

Les numériques nomment automatiquement chaque fichier d'image en lui ajoutant un numéro de série séquentiel. Certains appareils redémarrent la numérotation à chaque fois que vous insérez une nouvelle carte. C'est très dangereux car vous risquez alors d'effacer des images plus anciennes. Réglez toujours votre appareil avec une numérotation en série, ou séquentielle.

Quand vous copiez les images de l'appareil photo vers l'ordinateur, vous pouvez passer par un logiciel (Apple Aperture, Adobe Lightroom ou Camera Bits Photo Mechanic) qui change le nom pour le rendre significatif – comme Korthi_2010-08-31_123.jpg, qui signifie image numéro 123 de Korthi, prise le 31 août 2010. Notez que les différents tirets utilisés ici sont les seuls caractères spéciaux autorisés ; l'astérisque (*) ou la barre oblique (/) sont interdits.

Métadonnées

La nouveauté la plus intéressante pour la gestion des images est l'exploitation des métadonnées, qui sont des données extérieures à l'image mais qui la concernent, comme l'emplacement, les mots-clés, l'intitulé, le copyright, etc. Vous ajoutez des métadonnées au moment d'importer vos images dans l'ordinateur. Ajoutez un descriptif tel que « Korthi, île Andros, Cyclades, Grèce » et les mots-clés suivants : Andros, Cyclades, olive, arbre, terrasses, agriculture, coucher de soleil. Certains appareils photo permettent même d'ajouter des données GPS afin de localiser précisément la prise de vue.

Ces mots-clés deviendront particulièrement importants à mesure que vos images vont se multiplier. Si vous avez voyagé en Espagne, en Italie et en France, une simple recherche avec le mot-clé « olive » ressortira toutes les images d'olives et d'oliviers.

Archivage

N'oubliez jamais d'archiver et de sauvegarder vos fichiers numériques. Certains photographes suppriment les images qu'ils considèrent sans intérêt avant d'effectuer des archives, alors que d'autres considèrent que l'espace de stockage est suffisamment bon marché pour ne jamais supprimer trop rapidement une image. Les stratégies sont nombreuses. Une façon d'archiver vos fichiers numériques consiste à les graver sur DVD ou disques Blu-ray. Ces sauvegardes devront être conservées à distance des autres copies d'images. Une autre méthode consiste à faire appel à des services en ligne tels que les sites web d'hébergement d'images. Cette solution pourrait être moins onéreuse que de maintenir votre propre batterie de disques durs et vos images seront accessibles *via* Internet partout dans le monde, avec éventuellement une vitesse d'accès plus limitée.

Les archives pourraient englober les fichiers en cours de traitement, et non uniquement les originaux et les fichiers finaux. Vous disposerez ainsi d'un historique pratique, en cas de litige avec le copyright, par exemple. Quelquefois, des idées qui ne sont pas adaptées à un projet se révèlent utiles pour un autre, même si vous le découvrez plusieurs mois ou années après.

Non seulement vous allez produire rapidement un nombre incalculable de fichiers numériques, mais vous allez aussi les imprimer. Valorisez ce travail, il est le fruit de votre expérience et vous y avez consacré du temps. Nous vous conseillons d'étiqueter ou de numéroter tous vos travaux, surtout les derniers tirages. Notez le nom du fichier au dos du tirage, ainsi que les réglages d'imprimante et le type de papier par exemple. Rangez les meilleures épreuves dans des boîtes d'archives ignifugées.

Listes de fichiers
Vous pouvez afficher vos images sous forme d'images miniatures avec les métadonnées associées. Vous modifiez ces dernières en sélectionnant l'image correspondante. Dans des logiciels tels que Apple Aperture (*présenté ici*) ou Adobe Lightroom, les contrôles de retouche sont proposés avec des outils destinés à l'organisation des documents pour les diaporamas, pages web ou livres.

Logiciel de gestion
Une des meilleures façons d'organiser les images consiste à utiliser un logiciel de gestion. Adobe Lightroom, Apple Aperture, Extensis Portfolio, ACDSee et Camera Bits Photo Mechanic (*présenté ici*) sont performants dans ce domaine. Ils sont également capables de créer des planches-contacts et des diaporamas, ainsi que de publier des collections d'images sur le Web.

Ouverture

En général, pour ouvrir un fichier, vous placez l'icône du pointeur dessus et vous double-cliquez avec la souris. Le système d'exploitation contrôle le type du fichier et démarre l'application associée. Cette dernière pourrait cependant ne pas être celle de votre choix. Il est préférable, dans ce cas, de démarrer d'abord l'application souhaitée puis d'ouvrir le fichier à partir du menu Fichier > Ouvrir. L'ouverture est également plus sûre dans ce cas.

Les sources d'images

Les images fournies par des spécialistes pourraient exiger d'être ouvertes dans l'application recommandée par le fabricant. Les fichiers Raw, en particulier, doivent être ouverts avec le logiciel recommandé, seul capable d'interpréter correctement les données. Si l'ouverture du fichier Raw échoue, mettez votre logiciel à jour.

Téléchargements sur Internet

Les images provenant de sites Internet se trouvent généralement au format JPEG (*voir pages 92-93*). Si vous prévoyez de retoucher une image, il est conseillé d'exécuter la commande Enregistrer sous pour la convertir au format Photoshop ou TIFF. Chaque fois que vous modifiez, enregistrez puis fermez une image JPEG, le mécanisme de compression avec perte de données s'exécute. La qualité de l'image se dégrade ainsi progressivement.

Copyright et filigranes

Un « filigrane » apparaît souvent en surimpression sur les images distribuées par des agences, sur le Web, ou sur CD et DVD dans les magazines, généralement au nom du photographe ou de l'entreprise. Il évite le piratage et annonce un copyright. La marque sur les images peut être invisible. Dans ce cas, il n'y a pas de surimpression mais vous ne pouvez rien modifier et un logiciel approprié sera capable de détecter cette marque d'identification invisible. En cas de doute sur le copyright d'une image, ne l'utilisez pas.

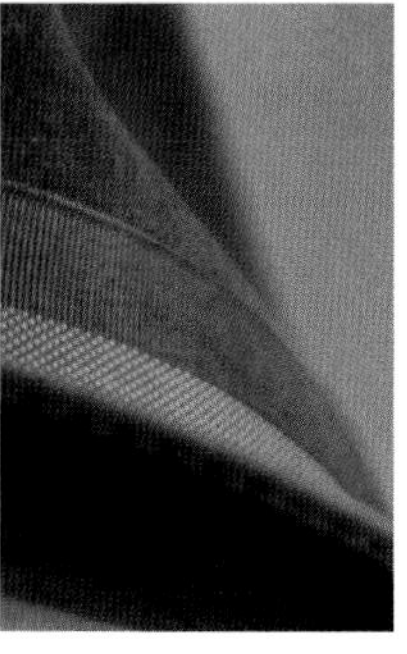

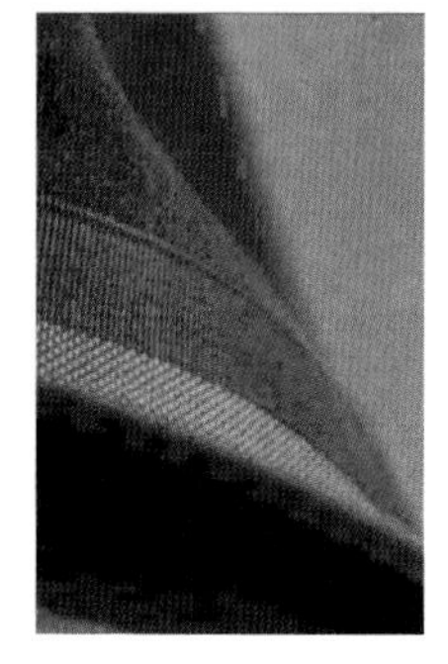

Dégradation d'image

Ce portrait original (*en haut, à gauche*) a été enregistré avec une compression JPEG maximum (*en haut à droite*). Dans ce petit format, le résultat est acceptable mais l'original est en réalité de bien meilleure qualité. Un examen plus approfondi de l'original (*ci-dessus à gauche*) présente un joli dégradé et des lignes nettes, alors que la version compressée est clairement abîmée (*ci-dessus à droite*). Une impression grand format ne peut être envisagée.

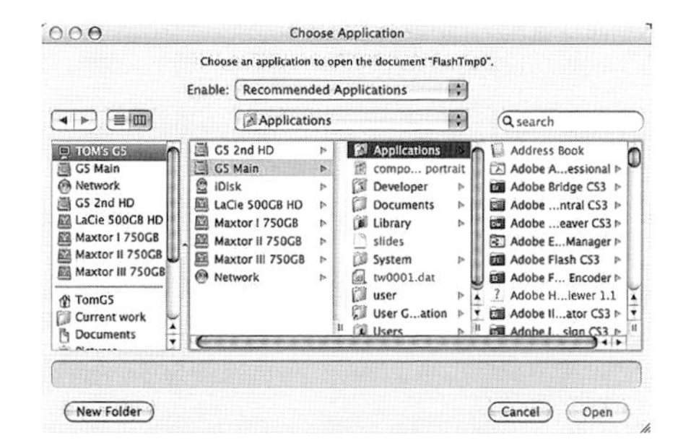

La boîte de dialogue Ouvrir avec

Si vous ouvrez un fichier qui n'est plus ou pas encore associé à une application, le système vous demande de choisir le programme approprié dans une fenêtre de ce type. Si l'application n'apparaît pas, localisez le dossier dans lequel vous l'avez installée.

L'espace colorimétrique

Le mode de couleur d'une image influence énormément la qualité des retouches. RVB est un mode polyvalent mais LAB préserve mieux la couleur pour garantir la qualité de l'image. La capture RVB initiale (*ci-dessus*) présente peu de contraste et une dominante verte. Un réglage en Niveaux automatiques apporte de la luminosité et accentue les couleurs mais le résultat n'est pas précis (*ci-dessus à droite*). En mode LAB, cette même correction produit des couleurs proches de la réalité avec une bonne tonalité.

Adobe Photoshop

Could not open "IMG_5200.JPG" because an invalid SOS, DHT, DQT, or EOI JPEG marker is found before a JPEG SOI marker.

Message « Impossible d'ouvrir »

Pas de panique si une boîte de dialogue dans ce style apparaît. Ce fichier devrait pouvoir être ouvert dans une application. Lancez-la puis ouvrez le fichier à l'aide des commandes de menu appropriées.

Vérification de l'image

- Vérifiez le mode et la profondeur des couleurs. Les fichiers de scanner devraient être de type LAB. La plupart des logiciel de retouche acceptent les couleurs RVB 24-bits, et si le mode de l'image n'est pas correct, de nombreux réglages seront indisponibles ou produiront des résultats désastreux.
- Vérifiez la propreté de l'image. Les défauts ont tendance à ressortir lorsqu'on augmente le contraste ou qu'on diminue la luminosité.
- Vérifiez que la suppression dans l'image du bruit ou du grain n'a pas été excessive.
- Si la netteté a été trop accentuée, de nouvelles retouches pourraient faire apparaître des artéfacts.
- L'exposition est-elle bonne ? Sinon, des retouches peuvent engendrer un effet de postérisation.
- La balance des blancs est-elle correcte ? Si le fichier n'est pas au format Raw, des retouches risquent de fausser les couleurs et les tons.
- Les couleurs sont-elles proches de la réalité ? Sinon, des retouches peuvent entraîner des problèmes de postérisation, de variation de tons ou de précision au niveau des teintes.
- Attention à la bordure de l'image. Sa présence peut fausser les calculs de niveaux automatiques ou d'autres corrections.
- Vérifiez la taille du fichier. Si elle est trop petite, vous risquez de travailler pendant des heures pour découvrir que la résolution finale ne convient pas. Si elle est trop grande, l'exécution des retouches sera plus longue.

Recadrage et rotation

Vérifiez toujours que vos images scannées sont correctement orientées, c'est-à-dire que la gauche et la droite ne sont pas inversées après la numérisation. Le problème se pose rarement pour les tirages papier mais vous pouvez facilement placer à l'envers une pellicule ou une diapositive. L'orientation est particulièrement importante lorsque l'image comprend des inscriptions qui apparaîtraient alors inversées, comme dans un miroir.

Recadrage d'image

Le recadrage, qui permet d'éliminer les parties inintéressantes d'une image, est aussi important en photographie numérique que pour le traitement des films. Cependant, le recadrage numérique ne réduit pas seulement le contenu de l'image, il réduit aussi la taille du fichier. Essayez de ne pas recadrer dans une résolution spécifique avant la fin du processus de traitement, au cas où cela entraînerait une « interpolation » (*voir pages 114-115*). Cette opération réduit en effet la qualité de l'image. Un recadrage sans modification de la résolution n'implique aucune interpolation.

En général, vous avez surtout besoin de supprimer la bordure obtenue, par exemple, par le cadrage inapproprié du scanner. Cette bande blanche ou noire occupe inutilement de la mémoire, mais peut aussi fausser les calculs de tons tels que ceux des Niveaux (*voir pages 104-105*). Si votre image a besoin d'une bordure, vous pourrez toujours l'ajouter ensuite dans une application (*voir page 118*).

Rotation d'image

La ligne d'horizon de l'image doit normalement être parallèle aux bords supérieur et inférieur de cette dernière. La plus petite erreur dans la tenue de l'appareil photo, erreur courante quand on travaille vite, peut être corrigée en faisant pivoter l'image avant de l'imprimer. Lors d'un développement de pellicule, cette correction s'effectue en chambre noire au moment du tirage. Ce processus étant manuel, n'espérez pas qu'il soit réalisé si vous confiez vos tirages au traitement complètement automatisé d'un minilab.

Cependant, en numérique, la rotation est une transformation très simple qui s'effectue même pour certaines applications pendant le recadrage.

Notez que toute rotation qui n'est pas un multiple de 90° exigera une interpolation. Des rotations répétées risquent de rendre l'image floue, c'est pourquoi il faut décider une fois pour toutes de cette opération et l'exécuter en une seule fois.

Recadrage en taille fixe

Certains logiciels de retouche, comme Photoshop, vous permettent de recadrer en précisant la taille de l'image et la résolution de sortie – par exemple 13 x 18 cm à 225 ppp. Cette combinaison de deux opérations est très pratique si vous connaissez la taille exacte de l'image cible, comme pour une publication. Vous saisissez dans ce cas la taille et la résolution dans les champs appropriés. La zone de recadrage respectera les proportions et vous pourrez ainsi régler la taille globale et la position de l'image dans la zone recadrée. Le recadrage en taille fixe permet de traiter rapidement une série d'images numérisées.

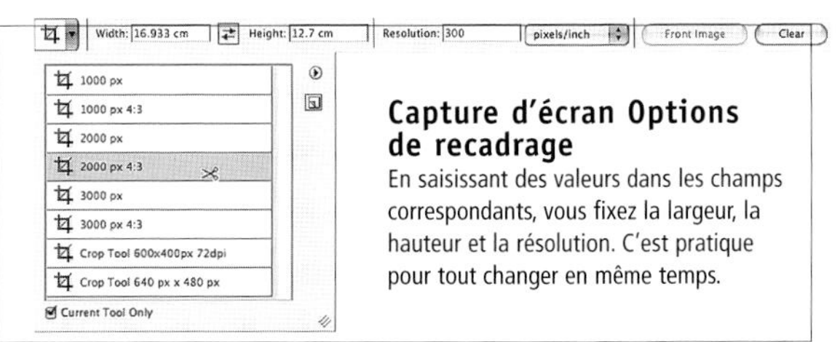

Capture d'écran Options de recadrage

En saisissant des valeurs dans les champs correspondants, vous fixez la largeur, la hauteur et la résolution. C'est pratique pour tout changer en même temps.

Recadrage créatif

Le recadrage peut sauver une image qui n'a pas été correctement cadrée ou composée. En supprimant les éléments inutiles, l'image finale sera visuellement plus cohérente. Attention, si vous choisissez un côté d'une image prise en grand-angle, la perspective risque de paraître faussée puisque le centre de l'image ne correspondra pas à celui de la perspective. Le recadrage réduit la taille du fichier d'image et puise dans les réserves de données de l'image pour maintenir la qualité.

Horizon penché

Cette photo prise avec un objectif grand-angle laisse apparaître un léger défaut dans la ligne d'horizon qui affecte l'équilibre de l'image. Il est possible de corriger l'horizon en faisant pivoter un recadrage. La zone masquée (*ci-dessus à gauche*) montre que vous sacrifiez dans ce cas les parties marginales de l'image. Certains logiciels permettent d'effectuer précisément cette rotation, avec d'autres elle s'effectue à la main. Certains logiciels de scanner proposent de faire pivoter l'image pendant la numérisation.

Enregistrez régulièrement

Prenez l'habitude d'enregistrer vos fichiers en cours de traitement : appuyez régulièrement sur Cmd+S (Mac) ou sur Ctrl+S (PC). On oublie facilement que l'image à l'écran est juste virtuelle, elle n'existe que pendant le fonctionnement de l'ordinateur. Si la taille du fichier est importante et que vous effectuez des opérations compliquées, les risques de panne de l'ordinateur sont d'autant plus grands. Considérez que si la taille du fichier est telle que des enregistrements fréquents perturbent le cours des opérations, alors ils sont d'autant plus justifiés.

Dépannage Détails disgracieux

La plupart des prises de vue visent à produire une image aussi nette que possible, mais dans certaines situations le flou est voulu et souhaitable.

Problème

Les images manquent de « piquant » et de netteté ou globalement de contraste.

Analyse

Le manque de détails et de contraste peut avoir plusieurs causes : un objectif de mauvaise qualité, une mise au point incorrecte, un déplacement du sujet ou de l'appareil photo, un objectif sale ou rayé, une surface intermédiaire comme une fenêtre, ou un gros agrandissement de l'image.

Solution

Le gros avantage du numérique sur l'argentique est que la netteté peut être améliorée, dans des limites raisonnables, via des techniques de traitement d'image. La principale est l'accentuation de la netteté. Elle est proposée par la quasi-totalité des logiciels de retouche. Dans Photoshop il s'agit d'un filtre. Elle peut être fournie sous forme de module tel que Extensis Intellihance ou par le pilote du scanner. Certains numériques accentuent aussi la netteté de l'image au moment de l'enregistrement (*voir pages 252-255*).

Même si cela améliore l'apparence d'une image, les informations à partir desquelles elle travaille sont limitées. Vous constaterez peu de différences, en particulier si le flou provient d'un mouvement. Dans certains cas, il suffit d'augmenter le contraste et la saturation des couleurs pour améliorer la netteté d'une image.

Tirer avantage de la situation
Des images floues, plus contrastées, ne sont pas forcément ratées. Ce portrait a été pris au travers d'une fenêtre poussiéreuse. La diffusion a adouci les contours de l'image, diminué le contraste et introduit des reflets dans les zones sombres. Ces défauts sont généralement irrémédiables, mais dans certaines situations ils peuvent apporter une certaine atmosphère et du caractère à l'image.

Contourner le problème

- **Maintenez la surface de votre objectif et des filtres parfaitement propre. Remplacez les filtres abîmés.**
- **Effectuez votre mise au point aussi soigneusement que possible.**
- **Relâchez doucement et sans à-coups le déclencheur. Si le temps d'exposition est long, prenez la photo en retenant votre respiration.**
- **Pour les expositions longues, munissez-vous d'un trépied ou posez l'appareil photo sur un support fixe comme une table, un bord de fenêtre ou une pile de livres.**
- **Testez votre objectif. Certains produisent une image floue lorsqu'ils sont très rapprochés du sujet ou réglés sur une valeur extrême du téléobjectif**

Dépannage Défauts de couleur

Si, malgré tous vos efforts, la couleur du sujet est décevante, il existe de nombreuses options de retouche pour améliorer les résultats.

Problème

Les images numériques manquent de contraste, d'éclat dans les couleurs ou sont trop sombres. Ces problèmes apparaissent le plus souvent avec de mauvaises conditions d'éclairage ou par temps couvert.

Analyse

Comme leurs cousins argentiques, les numériques peuvent se tromper dans l'exposition. Un « film » numérique est plus délicat à exposer et la moindre erreur se retrouve au niveau des couleurs du sujet. De plus, si la sensibilité de l'appareil photo est augmentée pour compenser un éclairage faible, le rendu des couleurs risque d'être mauvais.

La lumière par temps couvert ayant une dominante bleue, les images obtenues seront ternes et froides.

Solution

Une solution simple consiste à ouvrir l'image dans votre logiciel de retouche et à appliquer Niveaux automatiques (*voir pages 104-105*). Votre image va ainsi bénéficier de la gamme complète des couleurs disponibles avec éventuellement la correction d'une dominante.

Certains logiciels, comme Digital Darkroom et Extensis Intellihance, vont analyser l'image et appliquer des corrections automatiques en ciblant principalement la gamme de couleurs ou une dominante.

Le réglage le plus pratique est celui de la Saturation (*voir pages 116-117 et 120-123*).

Problème...

...solution

Options de retouche

La numérisation originale (*en haut*) est terne et peu représentative de la scène originale. Le réglage Niveaux automatiques a globalement éclairci l'image (*ci-dessus*). Un réglage Teinte/Saturation a permis d'augmenter la saturation des couleurs, puis le filtre Accentuation de la netteté a été appliqué pour faire ressortir les détails.

Contourner le problème

- **Dans des conditions de forte luminosité, il peut être intéressant de réduire légèrement l'exposition. Réduisez l'ouverture d'un demi ou d'un tiers de diaphragme.**
- **Évitez de prendre des photos quand l'éclairage est insuffisant. Vous obtenez cependant les meilleures saturations par temps clair et partiellement couvert. Si le temps est trop gris, ajoutez un filtre réchauffant (orange ou rose clair) sur l'objectif.**
- **Évitez de régler l'appareil photo sur une forte sensibilité, l'équivalent de 800 ISO ou plus par exemple. Évitez aussi d'utiliser un film couleurs trop sensible dans un appareil argentique si le rendu des couleurs est primordial.**

Niveaux

Le réglage Niveaux affiche sous forme d'histogramme la distribution des valeurs de tons d'une image. Ce réglage offre plusieurs options très performantes pour changer la distribution globale. Le plus simple consiste à cliquer sur le bouton Niveaux automatiques, mais c'est rarement efficace. Le pixel le plus sombre devient noir et le pixel le plus clair blanc, les autres tons se répartissent entre ces deux valeurs extrêmes. La densité globale de l'image risque ainsi d'être affectée.

Un autre réglage disponible est celui des Niveaux de sortie. Il définit les valeurs maximum des points blanc ou noir qu'une imprimante, par exemple, pourrait reproduire. En général, si vous réglez le point blanc cinq niveaux sous la valeur maximum (autour de 250), les zones claires de l'image ne seront pas complètement blanches. Si vous réglez le point noir cinq niveaux au-dessus de la valeur minimum (soit à 5 environ), vous allez déboucher les zones sombres de votre image.

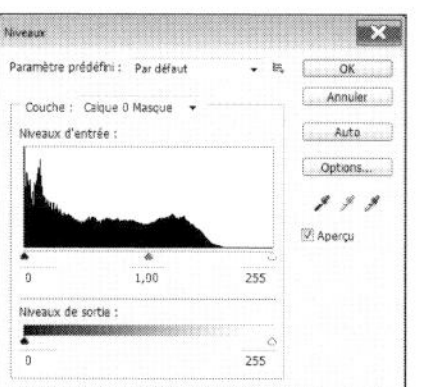

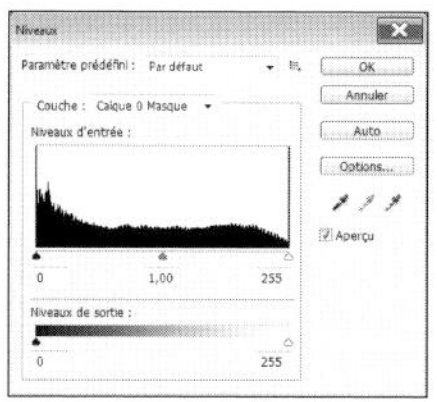

Niveaux automatiques
Une image sous-exposée contient surtout des tons foncés avec quelques valeurs très élevées (*à gauche*), confirmées par l'affichage des Niveaux (*en bas à gauche*). Le vide à droite de l'histogramme signale l'absence des valeurs claires du dernier quart, avec des pics de valeur dans la zone sombre. La commande Niveaux automatiques (*ci-contre*) répartit les valeurs de pixels sur toute la plage dynamique. Le nouvel histogramme (*ci-dessous*) présente des « trous » et ressemble à un peigne. Cette commande éclaircit les couleurs et augmente le contraste, mais décale aussi légèrement les couleurs.

Interpréter les niveaux

L'histogramme des niveaux renseigne instantanément sur la qualité de l'image, signalant éventuellement le besoin d'une nouvelle numérisation.

- Si des valeurs homogènes couvrent toute la plage, l'image est bien exposée ou numérisée.
- Si l'histogramme est décalé sur la gauche, l'image est globalement sombre, sous-exposée, et si les valeurs sont décalées sur la droite, l'image est trop claire.
- Si un pic de valeur apparaît sur l'une ou l'autre valeur extrême, avec quelques autres valeurs, votre image est probablement sous ou surexposée.
- Si l'histogramme se compose de barres verticales, l'image manque de données de couleur ou il s'agit de couleurs indexées. Le résultat des corrections est imprévisible.
- Si l'histogramme ressemble à un peigne, l'image manque de « modelé » et contient trop de pixels de même valeur. Le phénomène de postérisation peut apparaître.

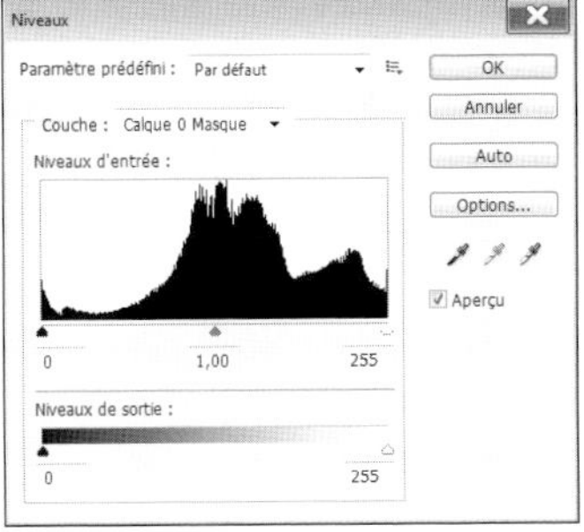

Tons biens répartis

Cet histogramme illustre une image claire, bien exposée, qui occupe toute la gamme des pixels sans intervalle vide. Elle contient beaucoup de zones claires, c'est pourquoi les pixels sont plus nombreux à droite, le pic se trouvant à droite du centre. Cette image peut accepter de nombreuses manipulations grâce à la richesse des couleurs qu'elle contient.

Données de couleur insuffisantes

Une image qui contient une plage de couleurs réduite, comme cette nature morte, peut être enregistrée dans un fichier en couleurs indexées très petit (*voir page 130*). En fait, 55 couleurs ont suffi à représenter cette scène pratiquement sans perte d'informations. L'histogramme des niveaux en « peigne » reflète bien la nature clairsemée des données de couleur. Les résultats de toute retouche sur les couleurs ou la tonalité de cette image ou encore de l'application d'effets de filtre qui modifient les couleurs sont imprévisibles et risquent de produire des artéfacts.

Fenêtre Histogramme

L'histogramme de cette image montre que les tons moyens sont dominés par le jaune et le bleu avec beaucoup de rouge dans les tons clairs, ce qui correspond à l'orange vif du tee-shirt. Cette fenêtre est issue de l'application FotoStation, qui affiche des histogrammes pour chaque composant RVB dans la couleur correspondante.

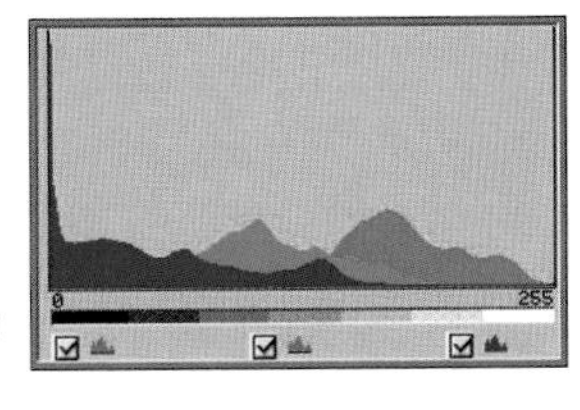

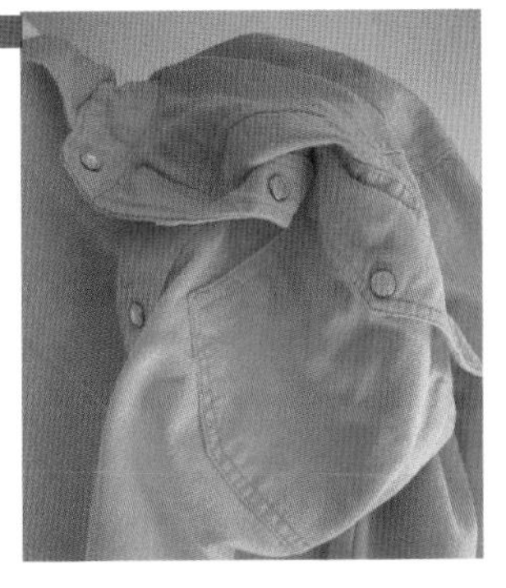

Réglage du contraste local

L'obscurcissement (*burning-in*) et l'éclaircissement (*dodging*) sont deux techniques utilisées aussi bien en photographie numérique qu'en argentique pour manipuler la densité locale d'une image.

Contrôler la densité

L'obscurcissement augmente la densité dans la zone retouchée alors que l'éclaircissement la réduit. Les deux techniques ont pour effet de modifier la reproduction tonale de l'original soit pour corriger les erreurs de prise de vue, soit pour créer un effet visuel. Par exemple, les tons clairs et les tons foncés des deux images argentique et numérique offrent peu de contraste. Vous pouvez obscurcir ou éclaircir des zones pour révéler leurs détails en augmentant localement le contraste.

Les mêmes techniques peuvent réduire le contraste, en assombrissant les zones claires, par exemple, pour les rapprocher des tons moyens de l'image. Une application fréquente en argentique consiste à surexposer les zones de ciel sur le tirage afin de les rendre plus denses. L'augmentation de l'exposition du ciel permet de différencier les tons qui le composent de ceux des nuages, mais aussi de les accorder à ceux du premier plan.

Techniques numériques

En numérique, tous les logiciels de retouche proposent des outils pour manipuler la densité. Vous choisissez le niveau de précision, au pixel près si nécessaire. La zone traitée peut concerner 1 à 100 % de l'image, délimitée par l'outil Lasso ou Rectangle de sélection.

La retouche numérique sur de larges zones présente cependant l'inconvénient de produire des résultats peu homogènes, alors qu'ils sont facilement réalisables en chambre noire.

En retouche numérique, certaines applications permettent de régler les outils pour les tons foncés, moyens ou clairs individuellement. Choisissez soigneusement la gamme tonale à retoucher pour que les corrections restent invisibles. Les outils correspondants dans Photoshop et d'autres logiciels de retouche professionnels se nomment Densité couleur + et Densité couleur –.

Densité couleur – va éclaircir l'image mais aussi accentuer le contraste à mesure que vous passez l'outil. Si vous choisissez une couleur différente du blanc, vous teinterez en même temps la zone éclaircie. Densité couleur + a des effets comparables, il assombrit et augmente le contraste.

Corriger l'exposition

Par un clair après-midi d'hiver, la mesure du posemètre de l'appareil photo a été faussée par la brusque apparition du soleil, ce qui a produit une image sous-exposée (*ci-dessus à gauche*). Vous pouvez corriger en passant l'outil Densité couleur – sur les zones claires. Pour obtenir l'image présentée (*ci-dessus à droite*), nous avons appliqué l'outil Pinceau réglé en Densité couleur –. En utilisant ainsi le pinceau, avec une couleur gris clair et une opacité partielle (50 %), les résultats sont plus rapides et vous conservez les détails. Vous avez aussi la possibilité de peindre sur un nouveau calque réglé en mode Densité couleur –.

Corriger la balance des couleurs

En examinant l'image originale (*à gauche*), on a envie d'éclaircir le premier plan et une partie de l'arrière-plan afin de faire ressortir les moutons. De petites applications de l'outil Densité couleur + sur le premier plan (réglé en tons moyens à 10 %) et sur les collines à l'arrière, et de l'outil Densité couleur – sur les moutons (réglé en tons clairs à 5 %) ont produit une image (*ci-contre*) très proche de la scène réelle photographiée.

CONSEILS ET ASTUCES

- Effectuez vos réglages de contraste par petites touches. Commencez avec une faible pression d'outil, moins de 10 % par exemple, puis accentuez l'effet.
- Pour assombrir les zones claires d'une image, réglez l'outil Densité couleur + sur les tons moyens et foncés. Ne lui faites pas modifier les tons clairs.
- Pour assombrir les tons moyens ou foncés, réglez l'outil avec une légère exposition sur les tons moyens ou clairs. Ne lui faites pas obscurcir les tons foncés.
- Pour éclaircir les tons moyens, réglez l'outil Densité couleur – avec une légère exposition sur les tons moyens ou clairs. Ne modifiez pas les tons foncés.
- Quand vous éclaircissez les tons foncés, réglez l'outil Densité couleur – sur les tons clairs. Ne lui faites pas modifier les tons foncés.
- Choisissez des formes d'outils à bord progressif (flou) pour obtenir des résultats plus réalistes.

Accentuation du contraste
Les drapeaux de prières au Bhoutan sont un véritable plaisir pour les yeux. Ici, ils ont été éclaircis, alors que les montagnes et les autres zones sombres ont été légèrement obscurcies.

Renforcement de la netteté

La facilité avec laquelle les logiciels de retouche sont capables de rétablir la netteté d'une image est presque magique. Bien entendu, ils ne peuvent pas rajouter des informations dans l'image, mais ils peuvent exploiter au mieux les informations disponibles. Il est possible d'améliorer, par exemple, la définition des bordures en corrigeant localement le contraste.

D'un point de vue numérique, les effets d'accentuation sont de véritables filtres puisqu'ils suppriment une partie des composants. Un filtre Accentuation est en réalité un filtre « passe-haut » qui laisse passer les informations de hautes fréquences en retenant les basses fréquences.

Accentuation

La méthode la plus polyvalente d'accentuation est le filtre Accentuation. Il s'applique sur une grille de pixels et augmente la définition des contours sans introduire trop d'artéfacts. Cet outil possède trois paramètres. Dans Photoshop, ils se nomment Gain, Rayon et Seuil. Le gain définit la quantité d'accentuation à appliquer ; le rayon définit la zone d'évaluation autour de chaque pixel ; et le seuil établit la différence de niveau entre deux pixels proches pour que le filtre détecte un contour.

On peut facilement exagérer l'accentuation. Il est préférable d'évaluer la netteté de l'image en affichant des pixels en taille réelle. Tout autre affichage sera interpolé (*voir pages 114-115*) et les contours seront adoucis, ou avec un anticrénelage, ce qui rend impossible une estimation correcte de la netteté.

Retenez que pour un tirage papier, l'image écran doit paraître légèrement trop nette, de sorte que les artéfacts (halos et contours brillants) soient à peine visibles. Pour un affichage écran, accentuez l'image jusqu'au résultat visuel satisfaisant.

L'accentuation modifie profondément l'image, c'est pourquoi cette étape doit être effectuée à la fin des retouches, sauf si vous combinez plusieurs calques. Cependant, si vous travaillez sur une image numérisée qui contient des grains de poussière et autres traces comparables, l'accentuation finale va davantage révéler ces défauts et vous devrez encore les éliminer (*voir pages 112-113*).

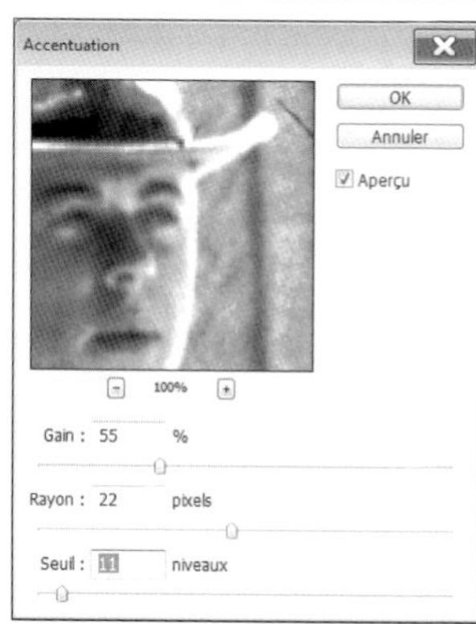

Accentuation insuffisante
Dans les images très détaillées telles que cette scène prise en Ouzbékistan, l'application d'un léger filtre Accentuation (55) avec un grand rayon (22) et un seuil de 11 n'est pas très significative. Il y a une légère amélioration de la netteté, mais elle est essentiellement due à une légère augmentation du contraste global.

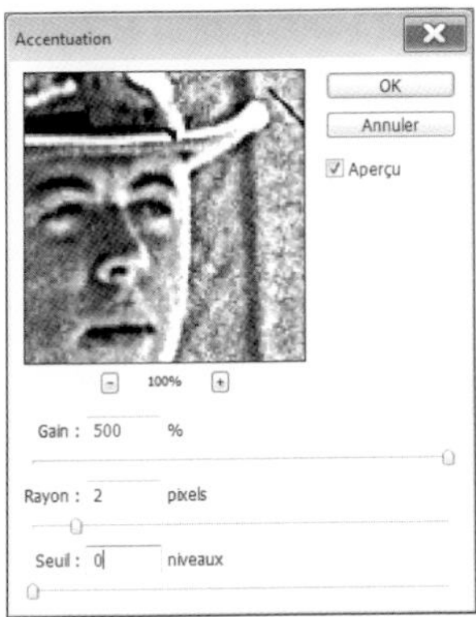

Accentuation excessive

Le réglage le plus fort pour cette version produit une accentuation excessive qui pourrait être acceptable en cas de tirage sur un papier de mauvaise qualité. Une forte accentuation améliore aussi le macro-contraste des tons moyens, apportant du « piquant » à l'image. Le résultat peut être plus efficace qu'en agissant sur le contraste.

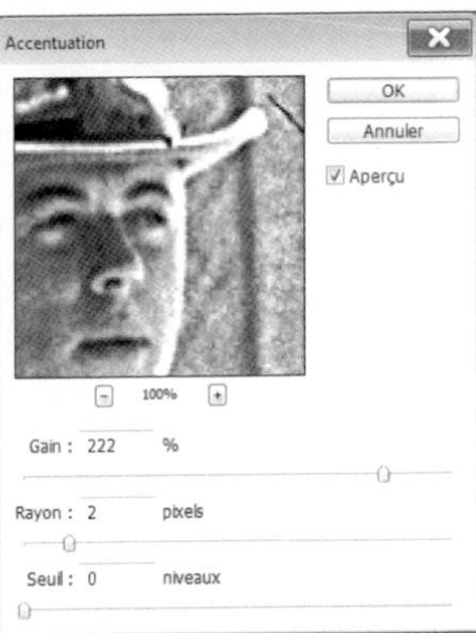

Réglage idéal

Le meilleur réglage pour les images très détaillées consiste à choisir un gain élevé avec un rayon faible et un seuil très bas. Le gain choisi ici était 222, le rayon 2, et le seuil 0. Les détails sont bien définis et en cas d'agrandissement du tirage, ils seront plus précis que ceux obtenus avec un réglage de rayon supérieur.

Poussière et bruit

La poussière et le bruit sont les deux ennemis de la qualité des images. Des traces apparaissent sur l'image quand de la poussière ou du pollen se dépose sur le capteur photosensible des numériques. C'est un sérieux problème avec les reflex numériques puisque toute particule présente sur la surface photosensible sera enregistrée avec les images. Le bruit, qui apparaît sous la forme de pixels différents des pixels de l'image, est dû aux propriétés électroniques du capteur photosensible d'un numérique ou aux circuits électriques.

Réduire le bruit

La meilleure façon d'éviter le bruit en numérique est d'utiliser un réglage ISO faible. Si ce réglage doit être élevé, le bruit peut être réduit uniquement quand sa fréquence est plus élevée que celle des détails de l'image elle-même, c'est à dire quand les grains sont beaucoup plus petits que les détails de l'image. Si la taille du bruit est comparable à celle des détails, l'application d'un filtre pour le supprimer va perturber en même temps les informations de l'image.

Modifier la résolution de l'image, dans un sens ou dans l'autre, contribue très peu ou pas du tout à la réduction du bruit.

Les filtres numériques tels que Noise Ninja sont efficaces et tous les convertisseurs Raw sont aussi capables de réduire le bruit. Il semble que DxO Optics réduise le bruit avant d'appliquer l'interpolation des couleurs.

Les options antipoussière

De nombreux appareils photo sont équipés d'options antipoussière. Certains vibrent pour décrocher les particules, d'autres sont pourvus d'une couche antistatique qui les repousse.

Certains modèles de reflex numérique s'accompagnent d'un logiciel de suppression de la poussière. Vous photographiez une surface unie, le logiciel analyse le résultat puis crée un masque que vous appliquez aux images. Vous pouvez aussi, bien sûr, nettoyer le capteur à l'aide d'un tampon microporeux ou de brosses ultra-fines pour décrocher la poussière et réduire les charges statiques.

Poussière sur le capteur
Un agrandissement à 300 % du coin d'une image numérique (*ci-dessus*) montre quelques grains de poussière. Ils sont flous parce qu'ils se trouvent au-dessus du capteur qui ne « voit » que leurs ombres. Quelques manipulations vont cependant rendre visibles les grains pâles.

Apparition de la poussière
C'est en appliquant un masque de réglage qui augmente le contraste et réduit l'exposition de l'image que les grains de poussière seront les plus voyants (*à gauche*). Cette opération permet d'identifier et d'éliminer facilement les grains.

Poussière supprimée
Servez-vous de Correcteur, Correcteur de tons directs ou Tampon de duplication pour éliminer la poussière. Réglez sa taille légèrement au-dessus de celle du grain moyen, avec une dureté de 100 %, et balayez toujours dans la même direction.

Beaucoup de bruit
Une mauvaise correction et une exposition de 1/8 de seconde ont produit cette image avec beaucoup de bruit. Les expositions longues augmentent les risques de signaux parasites, qui augmentent le bruit dans une image.

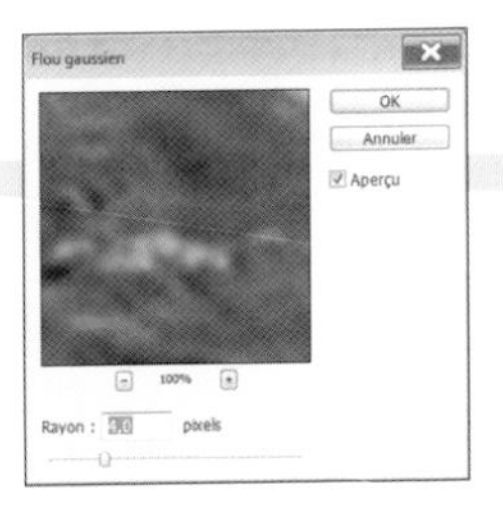

Captures d'écran
En examinant les différentes couches (*ci-dessus*), vous découvrirez que c'est la couche verte qui contient le plus de bruit. Un Flou gaussien lui a été appliqué (*en haut*). Le rayon a été réglé pour supprimer le grain sans dégrader la netteté.

Plus lisse mais plus diffus
L'image obtenue présente des tons plus unifiés, en particulier au niveau de la peau, mais les orchidées sont moins nettes. Vous pourriez appliquer une accentuation de la netteté sur les couches rouge et bleu pour améliorer l'apparence des fleurs.

Suppression manuelle de la poussière

La technique de retouche clé consiste à remplacer la poussière par des pixels proches de la zone corrigée. Vous pouvez sélectionner manuellement la source des pixels de remplacement à l'aide de l'outil clonage (*voir pages 176-177*) mais le risque de voir apparaître des artefacts est important. Vous pouvez aussi corriger le grain de poussière lui-même : le logiciel « masque » le grain en échantillonnant les pixels contigus puis en appliquant un algorithme qui fusionne les pixels proches avec le grain. Cette technique produit moins d'artefacts mais elle doit être appliquée prudemment quand un grain se situe près d'une bordure.

Quand plusieurs images présentent les mêmes grains, servez-vous d'un logiciel tel qu'Aperture capable d'appliquer le même effet de suppression de la poussière à plusieurs images à la fois.

Du bruit dans les détails
Sur ce gros plan, on constate que les zones foncées présentent davantage de bruit, ou de pixels aléatoires (le ton est inégal), que les zones claires. Comparez, par exemple, la zone bleu foncé à la zone blanche. Ceci est dû au fait que le bruit dans le capteur photosensible est naturellement recouvert par les signaux les plus hauts, comme ceux d'une lumière forte.

CONSEILS ET ASTUCES

- Dupliquez avec l'outil réglé à la pression maximum, soit 100 %. Une pression plus légère produit un clone à l'aspect flou.
- Dans les zones de tons moyens, choisissez une forme à bords progressifs (flou) pour l'outil de duplication. Dans les zones très détaillées, choisissez plutôt une forme à bords nets.
- Il n'est pas toujours nécessaire de supprimer les grains de poussière, vous pouvez simplement réduire leur taille ou le contraste.
- Travaillez toujours en partant d'une zone propre vers une zone avec bruit.
- Si la duplication produit une image trop lisse, rajoutez du bruit pour la rendre plus réaliste. Sélectionnez la zone à traiter puis appliquez un filtre Bruit.

Taille de l'image et distorsion

Il existe trois méthodes pour changer la taille de sortie d'une image ; les deux premières changent la taille en conservant les proportions de l'image. Vous pouvez changer la taille de sortie tout en conservant la même taille de fichier. Il s'agit de redimensionner avec rééchantillonnage (ou sans modifier le nombre de pixels). Vous pouvez aussi redimensionner avec échantillonnage, ce qui modifie le nombre de pixels dans l'image ainsi que la taille du fichier. La troisième méthode change la taille en modifiant les proportions de l'image.

Changer la taille de l'image

En pratique, vous allez certainement travailler sur quelques formats, qui vont de la carte postale au petit poster. En général, vous pouvez augmenter la taille de sortie de l'image de 200 % environ, mais des techniques telles que l'interpolation par splines ou par fractales peuvent produire des agrandissements de 1 000 % avec une qualité acceptable. Notez que plus la taille d'impression augmente, plus la distance d'observation augmente également. Des fichiers de résolution supérieure supporteront donc un agrandissement proportionnellement supérieur à celui de petits fichiers. Des logiciels spécialisés tels que Genuine Fractals ou PhotoZoom sont particulièrement efficaces dans ce domaine.

Pourquoi créer ou corriger une distorsion ?

Vous pourriez déformer une image pour l'adapter à une zone spécifique ou lui donner un effet humoristique. Les sujets qui présentent des formes irrégulières s'y prêtent particulièrement bien.

L'outil Transformation résout la distorsion de projection qui se produit quand l'appareil photo n'est pas tenu perpendiculairement à tout objet à géométrie régulière. La solution numérique est simple : une combinaison de deux recadrages. Le premier fait pivoter l'image si nécessaire, puis le second applique une distorsion contrôlée de l'image complète (*voir page 119*).

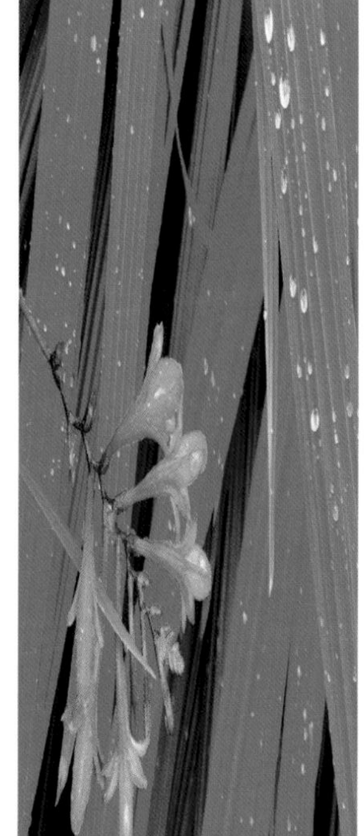

Interpolation destructive

L'image en orientation portrait originale d'une fleur et de feuilles (*ci-dessus*) a été contractée sur un axe. La profondeur est restée la même, mais la largeur a été réduite à un tiers. Cette opération regroupe toutes les informations dans une zone étroite et déforme le contenu de l'image (*à droite*). Si vous décidez alors de rétablir la forme originale de l'image, elle perdra en netteté parce que la distorsion est une interpolation destructive qui implique une perte définitive des informations.

Effets comiques

Une image déjà déformée par une prise de vue très basse et orientée vers le haut a encore été exagérée pour produire un effet comique et accentuer la main du sujet (*à droite*). Ce type d'effet est amusant mais doit être employé judicieusement. La partie supérieure de l'image a été élargie de 50 % environ et la partie inférieure a été réduite de la même valeur. Les zones vides produites, au niveau de la zone blanche à l'écran (*voir ci-dessus*), ont ensuite été rognées.

Interpolation

L'interpolation est une opération mathématique cruciale pour des traitements allant des vues satellite à la vision des machines (la reconnaissance des plaques d'immatriculation sur les voitures en excès de vitesse, par exemple). En photographie numérique, trois méthodes d'interpolation sont utilisées.

L'interpolation au plus proche. Elle récupère simplement les valeurs adjacentes et les copie comme nouveaux pixels. La qualité n'est pas au rendez-vous, mais c'est la meilleure méthode pour les graphiques pixellisés.

L'interpolation bilinéaire. Elle fait une moyenne des valeurs des quatre pixels situés autour du pixel inconnu pour interpoler ce dernier. Le résultat de cette méthode est plus doux.

L'interpolation bicubique. Elle prend en compte pour sa moyenne les 16 pixels les plus proches du point à interpoler. La qualité est meilleure, mais le temps de calcul est beaucoup plus long.

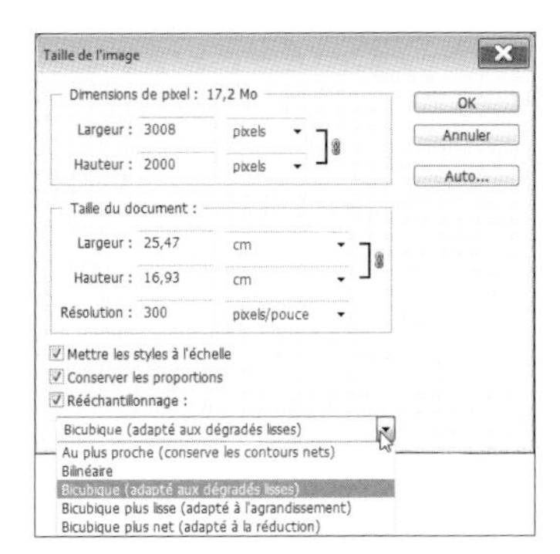

Capture d'écran Taille de l'image

Si vous disposez de Photoshop, vous avez la possibilité de choisir la méthode d'interpolation par défaut dans le menu des Préférences ou de remplacer le choix par défaut dans la boîte de dialogue Taille de l'image (*ci-dessus*) à chaque opération de redimensionnement.

Dépannage Orienter le regard

À moins que l'image ne soit vraiment ratée, tout ce qui détourne l'attention peut être supprimé, ou minimisé, à l'aide de techniques numériques.

Problème

Quand vous êtes concentré sur un sujet, vous ne voyez pas forcément les objets perturbateurs dans le cadrage. Ils peuvent être insignifiants, comme un papier gras, mais des reflets mal placés peuvent poser un vrai problème.

Analyse

Il est difficile de voir tous les détails du sujet dans le petit viseur de certains appareils photo. De plus, même quelque chose de distant et qui semble flou peut être inclus dans la profondeur de champ de votre objectif (*voir pages 18-21*). D'autre fois, vous ne pourrez pas éviter d'inclure des lignes téléphoniques dans l'arrière-plan d'une scène.

Solution

Vous n'avez pas toujours besoin de supprimer complètement un élément de distraction, il suffit de réduire la différence qu'il présente avec les zones adjacentes. En général, on procède en dupliquant une partie de l'image pour la placer dans une autre partie (*voir pages 176-179*). On peut, par exemple, facilement dupliquer le ciel bleu sur les câbles qui le traversent, à condition de bien prélever dans des zones de mêmes luminosité et nuance. Si vous prélevez aussi près que possible de l'élément à masquer, le résultat devrait être correct.

Vous pouvez aussi essayer de réduire la saturation de l'arrière-plan. Sélectionnez le sujet principal et inversez la sélection ; ou sélectionnez l'arrière-plan et réduisez la saturation *via* Teinte/Saturation. Une autre méthode consiste à peindre sur l'arrière-plan à l'aide de l'outil Densité – ou Éponge.

Une autre encore consiste à rendre l'arrière-plan flou. Sélectionnez le sujet principal et inversez la sélection ; ou sélectionnez directement l'arrière-plan et appliquez un filtre Atténuation. Choisissez une bordure progressive étroite pour conserver la netteté des contours du sujet. Testez différents réglages. L'atténuation doit être plus forte sur les petites images.

Contourner le problème

Vérifiez l'image dans le viseur avant de déclencher. C'est plus facile avec un reflex numérique, c'est pourquoi la plupart des professionnels en sont équipés. En réglage téléobjectif, la profondeur de champ est faible et les arrière-plans ont tendance à être flous. Si le sujet s'y prête, choisissez un point de vue plus bas et pointez vers le ciel.

Problème...

Distractions en premier plan

Un vieil homme photographié en Grèce me présente une photo de ses fils. Comme il se tenait sur le balcon, il était impossible d'éviter les pinces à linge devant son menton.

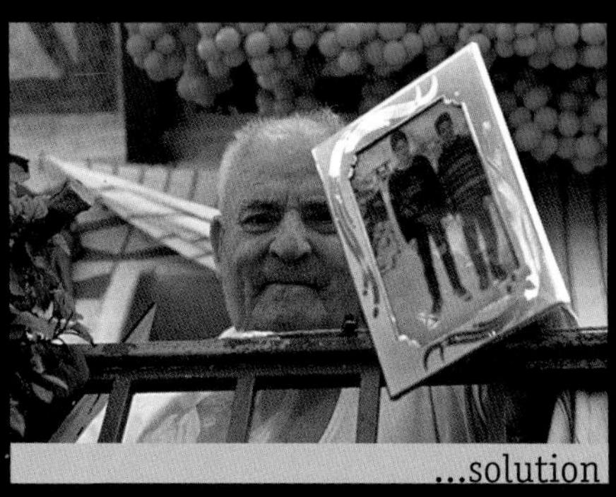

...solution

Duplication

Heureusement, dans cet exemple, je disposais d'une surface de peau suffisante pour reconstituer l'image. La peau a été dupliquée pour remplacer les zones de couleur adjacentes.

Problème...

...solution

Distractions en arrière-plan

Dans le chaos d'une chambre d'enfant, il n'est pas forcément possible ou nécessaire de supprimer toutes les distractions, mais la suppression des teintes va permettre de faire ressortir le sujet principal.

Arrière-plan désaturé

En appliquant une désaturation à l'arrière-plan, la transformation de toutes les couleurs en niveaux de gris a permis de faire ressortir la petite fille au milieu des nombreux objets qui l'entourent. Une forme de grande taille à contours progressifs a été choisie pour appliquer une désaturation à 100 %.

Problème...

...solution

Dépannage Recadrage

'os images ne doivent pas se limiter au contenu lu viseur de l'appareil photo ou aux bords réguiers du tirage papier. Vous pouvez faire preuve de réativité.

Problème

.e contour précis et rectangulaire des images peut ıon seulement paraître ennuyeux, mais aussi ne pas ètre approprié, comme dans le cas d'une page web où le reste de la conception est très simple. Vous devez pouvoir introduire un peu de fantaisie dans le cadrage les images.

Analyse

Dans la plupart des situations, la présentation sous forme l'images à bordures nettes est la plus appropriée. Sur 'espace moins formel d'une page web, un cadrage plus original s'impose. Une image de cadre pourrait aussi être ıtilisée pour recadrer l'image sans perte effective d'informations au niveau du sujet.

Solution

Numérisez des textures et des formes que vous pourriez exploiter sous forme de bordures et faites-les simplement glisser sur les marges de vos images. De nombreux logiciels proposent des types de bordures simples, que vous pouvez facilement appliquer à l'image. Des modules d'extension spécialisés, tels que Extensis PhotoFrame, simplifient le processus en proposant de nombreuses options de bordures personnalisables.

Contourner le problème

Le besoin d'ajouter une bordure accompagne souvent la volonté d'améliorer une image dont la composition est médiocre. Personne ne pense à ce type d'artifice en examinant une belle photographie. Examinez soigneusement vos images, en particulier leurs bordures. L'inclinaison de l'appareil photo crée un style de cadrage différent, ou élimine simplement les éléments dont vous n'avez pas besoin.

Dépannage Parallèles convergente

Le cerveau est capable de compenser les distorsions visuelles. Vous voyez ce que vous vous attendez à voir, alors que l'appareil photo enregistre tout.

Problème

Les images dont certains éléments présentent des lignes droites, comme les côtés d'un bâtiment, ne donnent pas un bon résultat au tirage ou sur l'écran parce que les lignes semblent converger. Des formes régulières peuvent aussi apparaître étirées ou écrasées (*voir aussi page 34*).

Analyse

Les différences de taille entre des parties distinctes de l'image proviennent des distances – les diverses parties de la scène enregistrée sont reproduites à des échelles différentes. Ce phénomène est dû aux variations de distance entre l'appareil photo et les différents éléments du sujet. Par exemple, quand vous regardez dans le viseur un bâtiment depuis le trottoir, le haut se trouve beaucoup plus loin que sa base – la situation est encore accentuée par l'orientation de l'appareil photo vers le haut. Par conséquent, les parties plus hautes paraissent plus petites que les parties proches.

Solution

Sélectionnez la totalité de l'image et, à l'aide de l'outil Distorsion ou Transformation, redonnez-lui la bonne forme. Si l'agrandissement varie sur deux plans, les deux vont converger et vous devrez compenser dans les deux sens.

Contourner le problème

- **Choisissez soigneusement votre position de prise de vue et si l'image contient des lignes dans sa partie centrale, gardez-les aussi verticales que possible. Essayez aussi d'établir une symétrie par rapport au centre de l'image.**
- **Plutôt que de pointer l'appareil photo vers le haut pour inclure la partie supérieure d'un bâtiment ou d'une structure élevée, cherchez une position de prise de vue en hauteur. L'appareil photo pourra ainsi être maintenu parallèle au sujet et les variations d'échelle entre les différentes parties seront**

1 Convergence verticale
Si la prise de vue est effectuée au niveau du sol avec l'appareil photo pointé vers le haut, la scène semble pencher vers l'arrière.

2 Manipulation d'image
La solution consiste à étirer le coin inférieur gauche de l'image à l'aide de l'outil Distorsion.

3 Lignes verticales corrigées

Balance des blancs

La base d'une reproduction précise des couleurs est la neutralité – une distribution uniforme des couleurs dans les blancs, les gris et les noirs de l'image pour respecter les nuances. Le contrôle de la balance des blancs sur les numériques contribue à enregistrer des couleurs neutres. Cette opération devra souvent se compléter d'un réglage de la luminosité et de la saturation qui participent aussi à la précision du rendu des couleurs.

Pourquoi régler la balance ?

Une image équilibrée est une image dans laquelle l'éclairage propose toutes les teintes en proportions égales – cela signifie qu'il est blanc et non teinté d'une couleur. Il ne faut pas confondre balance et harmonie des couleurs (*voir page 36*). Une scène peut être complètement bleue et verte tout en étant équilibrée, alors qu'une autre pourrait présenter une combinaison de couleurs secondaires correcte alors que les couleurs ne seraient pas du tout équilibrées.

Le réglage de la balance des couleurs doit produire une image qui semble avoir été éclairée de lumière blanche, et il s'effectue en réglant le point blanc. Il y a plusieurs standards pour la lumière blanche, et donc différents points blancs. Une scène d'intérieur dont l'éclairage est artificiel ne doit pas être corrigée comme s'il s'agissait de lumière du jour, par exemple. Dans ce cas, il faudra utiliser un point blanc en ton chaud.

Réglage de la balance des couleurs

Ce contrôle modifie globalement les teintes primaires ou secondaires standard de l'image. Dans certains logiciels, vous pouvez effectuer ces modifications en ciblant les tons clairs, foncés ou moyens. C'est pratique et rapide quand l'image présente une dominante de couleur.

Point blanc chaud

La version originale de cette nature morte simple (*ci-dessus à gauche*) présente une forte coloration orange caractéristique des images prises sous un éclairage artificiel. L'image corrigée (*ci-dessus à droite*) résulte d'une balance des couleurs. Le ton reste chaud parce qu'une correction complète donnerait un aspect froid et peu naturel.

Les Pipettes

Une méthode de correction rapide des couleurs consiste à désigner quelle partie de l'image devrait être neutre, c'est-à-dire sans teinte. Servez-vous dans ce cas de la pipette des tons moyens, généralement proposée dans les commandes Couleur, Niveaux ou Courbes des logiciels de retouche. Sélectionnez la pipette puis cliquez sur un point de l'image qui devrait être neutre. Ce processus sera plus simple si vous avez utilisé une charte de gris dans une de vos images – toutes les images prises avec le même éclairage que cette charte pourront bénéficier de la même correction. En cliquant, vous échantillonnez la couleur et réglez l'image complète de sorte que le point devienne neutre. La pipette adapte les données de couleur de tous les pixels de l'image en fonction de ce point.

Avec les fichiers Raw, vous choisissez la température de couleur (du bleu au rouge) et la teinte (du vert au magenta). Ce choix s'effectue généralement de sorte que les couleurs neutres (achromatiques) restent neutres.

Équilibrage des couches

Les courbes servent le plus souvent au réglage de la tonalité de l'image, mais en les modifiant au niveau des couches de couleur individuelles, vous réglez séparément les tons clairs et les tons foncés. C'est pratique quand, par exemple, les tons foncés d'un jour ensoleillé sont bleutés alors que les zones claires sont jaunies par le soleil. Vous pouvez régler manuellement jusqu'à ce que le résultat vous convienne, mais vous pouvez aussi analyser précisément la couleur des neutres et corriger la Courbe. En mode CMJN, les courbes sont extrêmement précises et donnent le meilleur résultat pour le tirage. La Balance des couleurs est une version simplifiée des couches RVB dans ce contrôle.

La combinaison des couches est efficace lorsque le déséquilibre des couleurs provient d'un déséquilibre dans la force des couches composantes. Cette situation peut être due à l'application d'un filtre coloré ou à une photo prise au travers d'une vitre teintée.

La commande Teinte/Saturation, qui décale la plage de couleurs complète fonctionne bien quand le déséquilibre des couleurs provient d'une forte coloration de l'éclairage.

Image originale
L'image originale n'a pas été corrigée, et elle reproduit précisément la lumière plate d'un jour très nuageux.

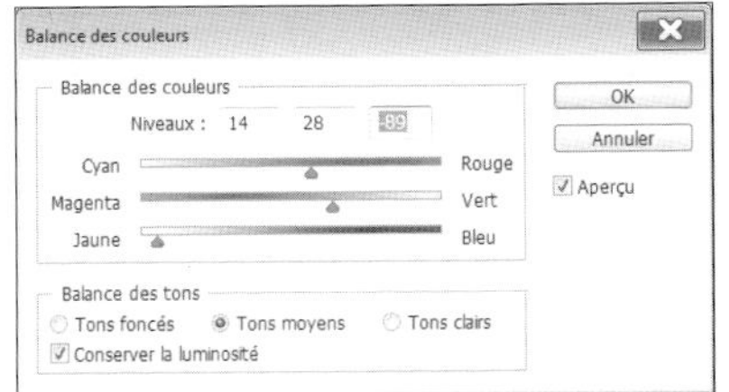

Réglage de la Balance des couleurs
Un réglage important *via* la balance des couleurs, principalement effectué en augmentant les jaunes dans les tons moyens (le curseur le plus bas dans cette boîte de dialogue), transforme la scène comme si elle était éclairée par le soleil matinal.

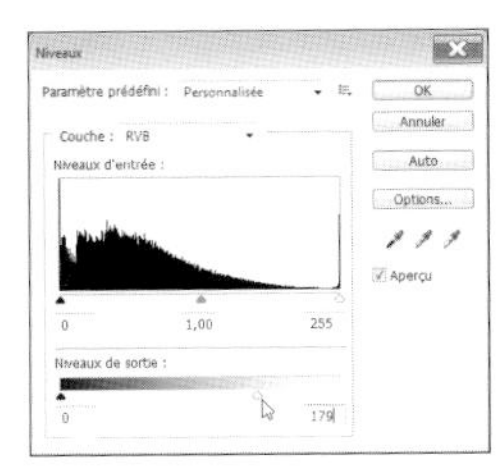

Réglage des Niveaux
Un ton doré a été introduit dans cette image en réduisant la couche Bleu dans la commande des Niveaux (le curseur du milieu sous l'histogramme) pour faire ressortir le rouge et le vert. La superposition de ces deux couleurs produit du jaune qui domine maintenant dans les tons clairs de l'image.

Réglages des couleurs

Un des principaux avantages du numérique est le contrôle total qu'il procure sur la couleur. Vous pouvez régler des effets de la nuance la plus subtile à la coloration la plus agressive.

Courbes

La manipulation des courbes, toutes à la fois ou dans des couches distinctes, permet d'effectuer des modifications radicales dans la couleur et les tons. Nous vous conseillons de travailler en mode couleurs 16 bits pour un résultat de qualité.

Teinte/Saturation

Cette commande règle globalement les teintes de l'image, ainsi que la saturation des couleurs et la luminosité. Vous pouvez cibler une plage de couleurs limitée, altérant ainsi la balance globale des couleurs. N'exagérez pas la saturation, sinon vous ne serez pas en mesure d'imprimer les couleurs (*voir pages 41 et 188*).

Remplacement de couleur

Cet outil permet de remplacer une ou plusieurs couleurs spécifiques dans l'image. Choisissez les couleurs à changer en les désignant à l'aide de la pipette puis transformez-les *via* Teinte/Saturation (*voir ci-contre*). En choisissant une petite tolérance, vous sélectionnez uniquement les pixels très proches dans l'original, alors qu'une valeur plus élevée sélectionne des pixels assez différents. Il est préférable d'appliquer cette commande par petites touches. Le remplacement de couleur est pratique pour renforcer des couleurs difficiles à imprimer (jaune et violet) ou pour atténuer celles qui sont exagérées (les rouges, par exemple).

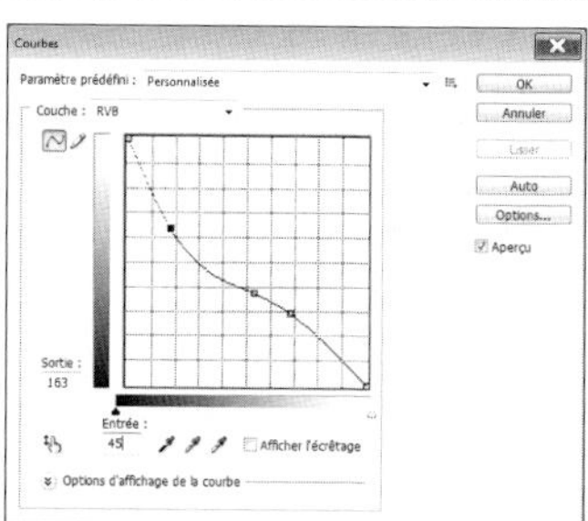

La commande Courbes

Une simple inversion de couleur et de ton laisse les tons foncés vides et blancs. La boîte de dialogue Courbes permet de mieux contrôler l'opération et vous pouvez insérer de la couleur dans ces zones très sombres (les zones claires après inversion). Dans la boîte de dialogue ci-dessus, vous pouvez voir la forme inhabituelle de la courbe (du coin supérieur gauche au coin inférieur droit) et les réglages qui ont été effectués pour améliorer la densité dans les tons moyens de l'image.

Température de couleur

La température de couleur d'une lumière n'a aucun rapport avec la température telle que nous l'imaginons. Elle est mesurée en mettant en corrélation les changements de couleur d'un objet chauffé. L'expérience montre que les objets les plus froids produisent une lumière rougeâtre, alors que des objets plus chauds, comme les lampes au tungstène, produisent davantage de lumière bleue/blanche.

La température de couleur de la lumière se mesure en degrés kelvin. Un blanc de coloration relativement jaune se situe aux alentours de 6 000 K, alors qu'une version plus bleue se situe aux alentours de 9 500 K.

Alors qu'un film diapositive couleurs doit être équilibré avec un point blanc spécifique, les numériques peuvent faire varier dynamiquement ce dernier en fonction de la situation.

Travailler en mode RVB

Le mode le plus intuitif pour travailler est le mode RVB. On comprend facilement que toute couleur est un mélange de rouge, vert, ou bleu et que les zones de l'image dans lesquelles les trois couleurs se retrouvent sont blanches. Il est préférable d'éviter les autres modes, tels que LAB et CMJN, sauf s'ils sont adaptés à un effet spécifique recherché. Si vos fichiers sont destinés à être imprimés, vous pourriez envisager le mode CMJN puisque c'est dans ce mode qu'ils seront imprimés. Cependant, sauf si vous disposez des données spécifiques fournies par les processeurs, il est préférable de laisser les imprimantes réaliser elles-mêmes les conversions. De plus, les fichiers CMJN sont plus grands que leurs équivalents RVB et donc beaucoup moins pratiques.

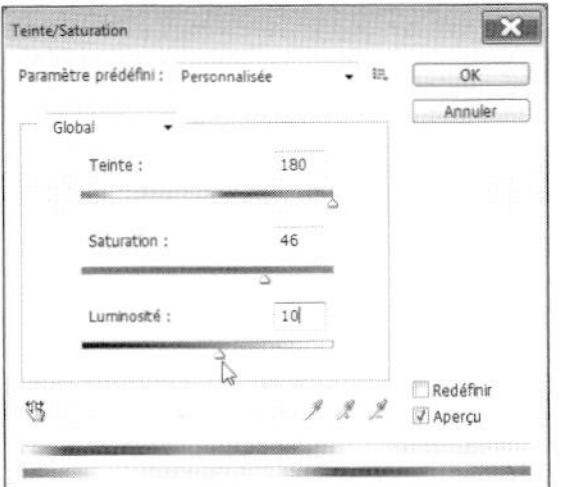

La commande Teinte/Saturation

Dans cette boîte de dialogue, vous constatez que la teinte de l'image a pris une valeur extrême et que ce changement s'est accompagné d'un ajustement de la saturation et de la luminosité afin d'obtenir un équilibre parfait des tonalités. Des modifications plus modestes de la teinte de l'image pourraient être efficaces pour régler la balance des couleurs. Notez que des couleurs telles que le violet semblent plus claires et profondes sur un écran que sur une impression à cause des couleurs non imprimables (*voir pages 41 et 188-189*).

La commande Remplacement de couleur

Quatre passages de la commande Remplacement de couleur ont créé une image maintenant très différente de l'original (*voir page 121*). La boîte de dialogue montre l'emplacement des couleurs sélectionnées dans la petite fenêtre d'aperçu, et les contrôles sont identiques à ceux de Teinte/Saturation (*ci-dessus à gauche*) qui propose des changements de couleur assez puissants. Cependant, les valeurs sélectionnées doivent effectivement avoir une couleur. S'il s'agit de gris, seule la commande de luminosité sera active.

Dépannage Problèmes de ciel

Un problème courant des vues de paysage avec le ciel est de trouver une exposition convenable pour les deux. Un ciel correctement exposé produit un arrière-plan sombre, et un premier plan correctement exposé produit un ciel trop clair.

Problème

Les ciels sont trop clairs, délavés, et manquent de détails. Cela produit une image avec une balance tonale déséquilibrée.

Analyse

La plage de luminance peut être énorme à l'extérieur. Même si le temps est couvert, le ciel peut être 7 diaphragmes plus clair que les tons foncés. Cela dépasse largement les capacités d'un numérique, sauf s'il s'agit d'un dos de scan numérique de qualité.

Solution

Si une zone de ciel est trop claire dans la numérisation d'un négatif (noir et blanc ou couleur), il est préférable d'effectuer un tirage en chambre noire et de corriger la densité du ciel manuellement (*voir pages 106-107*). Vous numérisez ensuite ce tirage si d'autres manipulations sont nécessaires. Des solutions numériques ne sont d'aucune efficacité si le ciel présente des zones blanches dépourvues d'informations. Pour de petites zones surexposées, utilisez Densité couleur + réglé sur les tons moyens ou foncés, avec une faible pression.

Une autre méthode consiste à ajouter un calque, réglé en mode Obscurcir ou Luminosité (qui préserve mieux les couleurs). Il suffit ensuite d'appliquer des couleurs foncées là où vous souhaitez assombrir l'image. Le plus rapide pour couvrir de grandes zones est d'utiliser un dégradé de remplissage, l'équivalent d'un filtre dégradé sur un objectif, mais le résultat est un peu hasardeux.

Une méthode plus compliquée exige de la préparation. Vous prenez deux images identiques, la première exposée pour les tons foncés et la seconde pour les tons clairs. C'est plus facile à faire sur ordinateur puisqu'il suffit de superposer sur les deux images un masque dégradé.

Contourner le problème

Les filtres gradués montés sur l'objectif de l'appareil photo sont aussi utiles en numérique qu'en photographie traditionnelle – leur plus grande densité vers le haut diminue l'exposition par rapport au bas, ce qui équilibre l'exposition entre le ciel et l'avant-plan. Notez cependant que certaines différences d'exposition entre le sol et le ciel sont tout à fait acceptables.

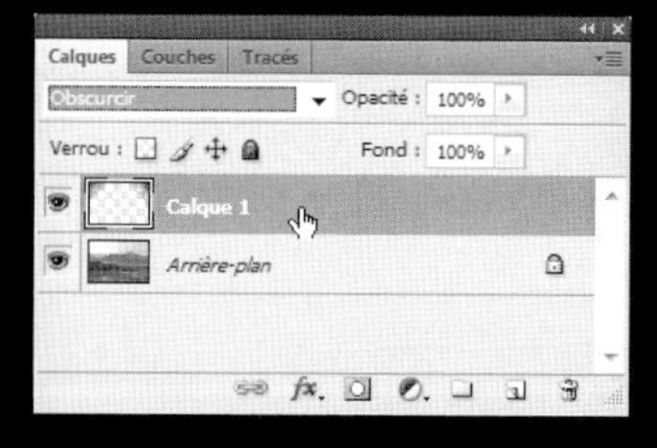

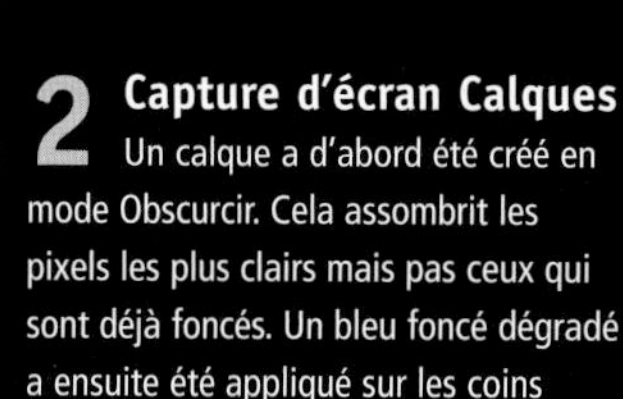

1 Dégradé de remplissage Vous pouvez corriger les zones de forte luminosité, comme le ciel de ce paysage, avec un dégradé de remplissage. Cela reproduit l'effet d'un filtre gradué sur un objectif.

2 Capture d'écran Calques Un calque a d'abord été créé en mode Obscurcir. Cela assombrit les pixels les plus clairs mais pas ceux qui sont déjà foncés. Un bleu foncé dégradé a ensuite été appliqué sur les coins supérieurs avec une opacité moyenne

3 Effet final Ce traitement numérique n'amplifie pas le grain de l'image comme Densité couleur +, mais notez que l'augmentation de densité locale a réduit la luminosité globale de l'image. Vous pourriez encore éclaircir le lac

1 Masquer les superpositions

Cette technique impose de travailler sur deux images identiques – une exposée pour le ciel (*en haut*), l'autre exposée en fonction du premier plan (*ci-dessus*) – puis de les fusionner *via* un masque de dégradé. Vous avez besoin d'un logiciel de retouche compatible avec les calques et les masques (*voir pages 168-175*). Si vous travaillez en argentique, scannez votre tirage deux fois (une fois pour les tons clairs, une fois pour les tons foncés) puis copiez-les l'un sur l'autre.

2 Création d'un masque dégradé

Vous devez ensuite créer un masque dégradé qui va vous permettre de fusionner les deux images (*en haut*). Notez que cette image est partiellement transparente. En effet, elle est masquée entièrement mais de façon plus prononcée dans la moitié inférieure, comme illustré dans la boîte de dialogue (*ci-dessus*). Au final, l'image inférieure va apparaître au travers du calque supérieur.

3 Effet final

La fusion des deux expositions et du masque produit une image plus proche de la réalité observée. En effet, nos yeux s'adaptent à la vision d'une scène, la pupille s'ouvrant légèrement quand nous regardons une zone sombre et se fermant lorsque nous observons une zone claire. L'appareil photo ne peut en faire autant, même si certains modèles professionnels compensent en partie. Dans ce cas, les techniques de retouche comblent les limites de l'appareil photo.

Courbes

La commande Courbes proposée par les logiciels de retouche peut rappeler à certains photographes les courbes de caractéristiques publiées pour les films. Il s'agit d'un graphique qui présente la densité de la couche sensible qui va être exposée à des intensités de lumière spécifiques. Dans les deux cas, il s'agit de fonctions de transfert. Elles décrivent comment une variable (l'entrée soit de la valeur de couleur, soit de la quantité de lumière) produit une autre variable (la sortie ou densité d'argent sur l'image).

La principale différence est que dans un logiciel de retouche la courbe est toujours au départ une ligne à 45°. Cela signifie que la sortie est identique à l'entrée. Cependant, contrairement à la courbe du film, vous pouvez la manipuler en cliquant dessus et en la faisant glisser ou en la redessinant vous-même. De cette façon, vous forcez les tons clairs à devenir foncés, les tons moyens à devenir clairs, et toutes les autres étapes intermédiaires. Vous avez aussi la possibilité de changer la courbe de chaque couche de couleur séparément.

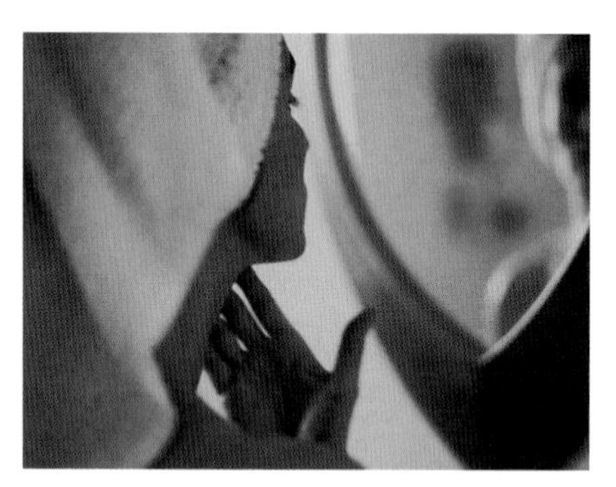

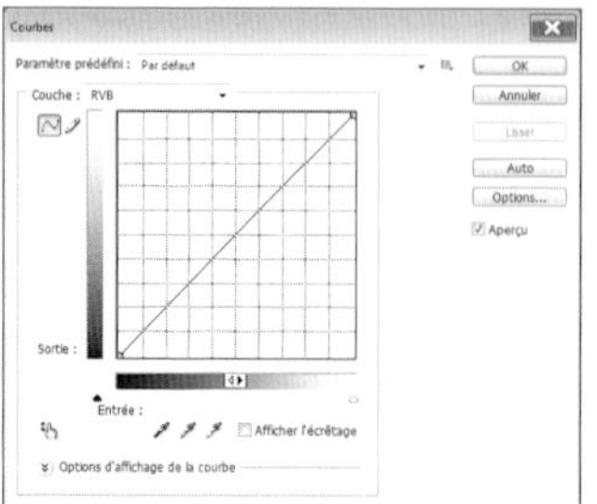

Image originale et courbe

Le négatif original ayant été légèrement sous-exposé, l'image numérisée est assez plate. La courbe de la capture d'écran (*ci-dessus*) n'indique rien concernant l'exposition parce qu'elle décrit comment un ton produit la sortie d'un autre. Comme rien n'a été modifié, il s'agit d'une simple ligne à 45° qui fait correspondre le noir avec le noir, les tons moyens avec les tons moyens et les blancs avec les blancs. Cela n'a rien à voir avec une courbe de caractéristiques de film qui décrit réellement comment le film réagit à la lumière.

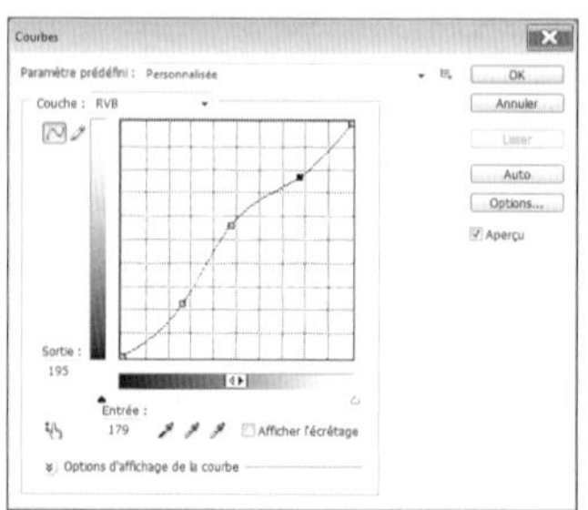

Stimuler les tons moyens

La courbe ondulée affichée ici stimule légèrement les tons moyens de l'image, comme vous pouvez le constater dans l'image finale (*ci-dessus*). On constate cependant que les détails dans les tons foncés et clairs se retrouvent légèrement assombris. Le résultat est une image avec une tonalité globalement plus vivante, et le contour du visage est plus clair. Avec certains logiciels de retouche, vous avez la possibilité de déplacer la courbe en cliquant sur la section concernée puis en appuyant sur les touches flèche Haut ou Bas.

Que contrôle la commande Courbes

La commande Courbes est très puissante et peut produire des effets visuels impossibles à obtenir autrement. En appliquant des Courbes moins violentes, vous pouvez améliorer la tonalité dans les tons foncés, par exemple, sans toucher aux tons moyens et clairs. Et en modifiant séparément les courbes de chaque couche de couleur, vous disposez d'un contrôle sans équivalent sur la balance des couleurs. Plus important encore, les modifications de couleur apportées sont tellement subtiles que les nouvelles couleurs fusionnent parfaitement avec celles de l'original.

En général, les sujets les mieux adaptés aux réglages des courbes sont ceux qui présentent des formes simples. Vous pouvez passer beaucoup de temps à tester les courbes, surtout si vous commencez à manipuler celles de chaque couche. Les exemples qui suivent (*voir pages 128-129*) montrent le résultat de modifications de la courbe principale, qui affecte toutes les couches en même temps.

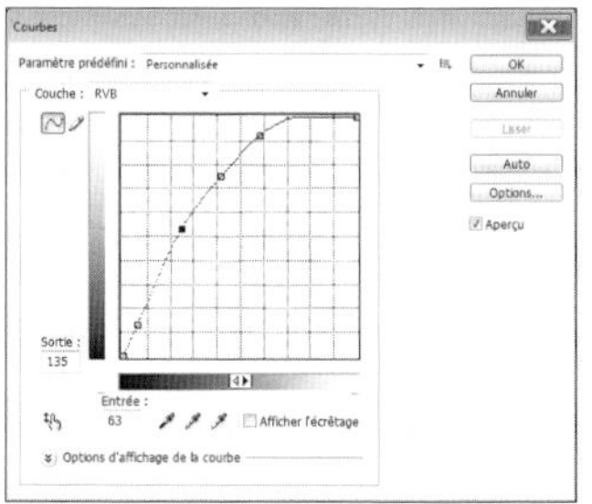

Accentuer les tons clairs

La plage dynamique limitée de la numérisation suggère d'en faire une image en high-key en modifiant la courbe de façon à supprimer les tons noirs (l'extrémité gauche de la courbe sur la capture d'écran ne se trouve plus sur les noirs mais sur les gris foncés) et à faire correspondre beaucoup de tons clairs avec le blanc (le haut de la courbe est positionné au maximum sur presque un tiers de la plage tonale). Au final, les tons moyens vont produire des tons clairs détaillés. De très petites modifications pouvant produire un effet important sur l'image, il sera plus facile de passer par les Niveaux si vous devez régler la luminosité (*voir pages 104-105*).

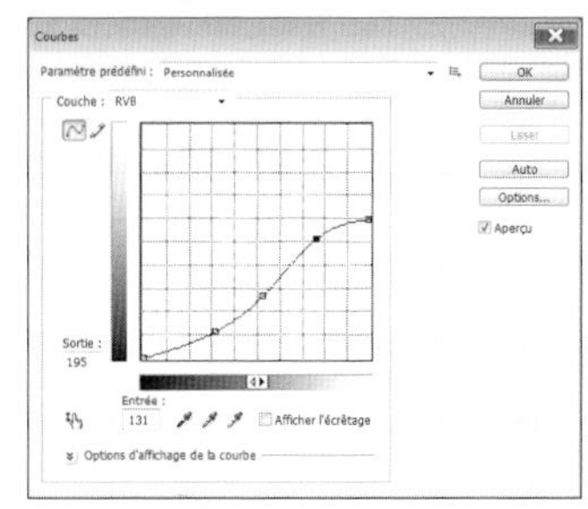

Accentuer les tons foncés

L'image originale étant assez polyvalente, on peut aussi l'imaginer en version low-key. L'ambiance de l'image est un peu plus mystérieuse, elle a perdu son style « mode » au profit d'une atmosphère « série noire ». La courbe dans la capture d'écran n'a pas seulement été réglée pour assombrir globalement l'image (l'extrémité droite a été rabaissée au niveau des tons moyens de sorte que les parties claires de l'image ne soient pas plus claires que ces derniers). La légère accentuation de la courbe améliore aussi le contraste au niveau des tons moyens pour préserver les détails dans les tons foncés. L'opération est cruciale pour animer les zones vides.

Courbes suite

Image originale

L'image choisie pour tester les courbes n'a pas besoin d'être de grande qualité, elle doit juste offrir un contour ou une forme simple, comme cette église. La plage de couleurs peut également être limitée, comme vous pouvez le constater ci-dessous avec les effets créés lorsqu'on applique des formes de courbe très inhabituelles.

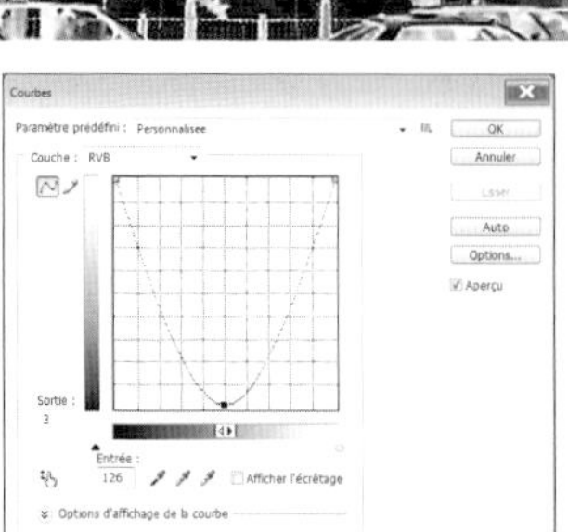

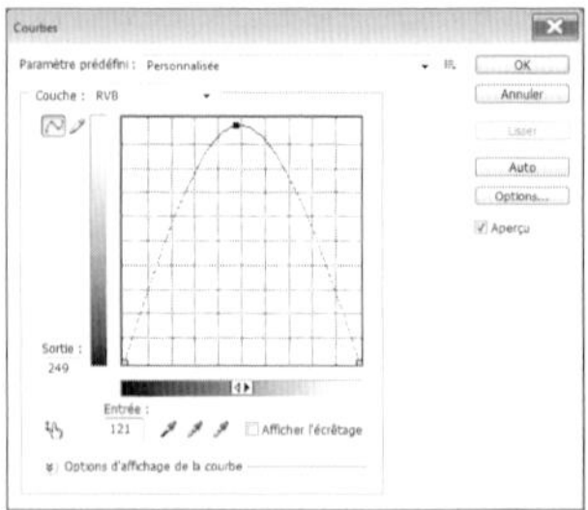

Inversion des tons foncés

Une courbe en forme de U inverse tous les tons plus foncés que les tons moyens et produit de rapides changements – une augmentation du contraste, par exemple. Les zones sombres de l'église sont devenues claires, donnant un effet de type négatif, mais les nuages sont devenus plus foncés et plus colorés. L'effet de cette courbe est analogue à l'effet Sabattier en chambre noire.

Inversion des tons clairs

Une courbe en forme d'arche inverse les tons les plus clairs de l'original, pour donner l'effet présenté ici. Il est assez inhabituel, mais moins bizarre que l'inversion des tons foncés (*à gauche*). Notez que le sommet de l'arche n'atteint pas la valeur maximum – cela pour éviter de transformer des zones claires en surbrillance. La couleur rouge-vert de l'édifice original a été supprimée par l'inversion et remplacée par une gamme de bleus.

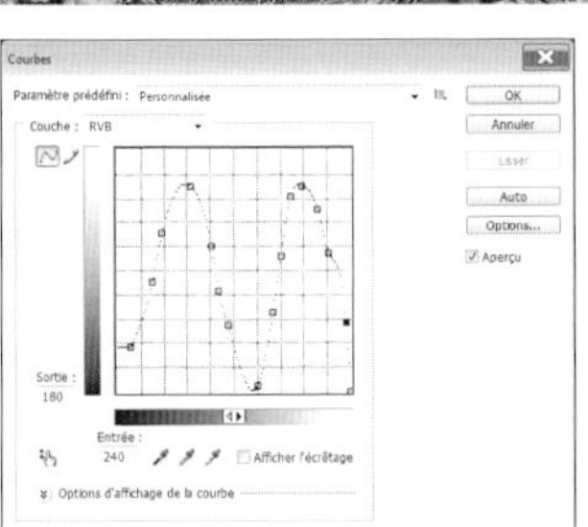

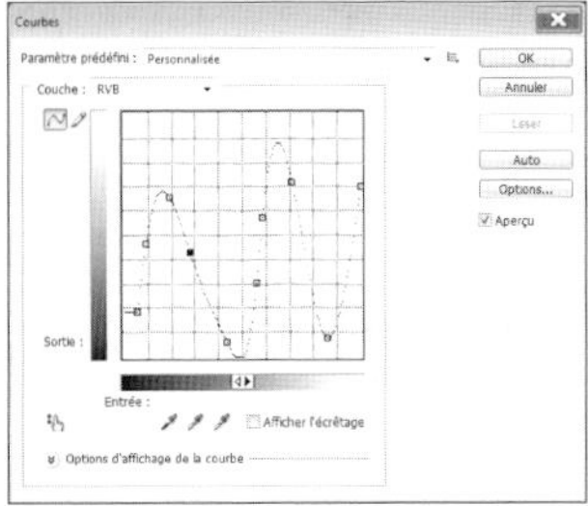

Inversion ton/couleur

En appliquant une courbe en forme de M, vous détraquez complètement votre perception d'une image couleurs. Non seulement les tons sont inversés, mais les zones contenant une dominante de couleur dans ces tons inversés vont apparaître dans la couleur complémentaire. Certaines parties de la plage tonale étant inversées et pas d'autres, le résultat donne un mélange incroyable de couleurs.

Exploitation des petits fichiers

Quand vous travaillez sur des fichiers plus petits, l'application de ce type de courbe est parfaitement imprévisible en raison du peu de couleurs dont le logiciel dispose pour travailler. L'application d'une courbe en forme de W donne un aspect criard à l'image, effet accentué par la théâtralité du ciel noir. Certaines zones apparaissent en dégradé, à cause des variations dans la structure de pixels des JPEG (*voir pages 92-93*).

Profondeur de bit et couleur

La profondeur de bit des couleurs d'un fichier d'image indique sa résolution tonale, c'est-à-dire le degré de reproduction des tons ou des nuances. Une profondeur de 1 identifie deux tons seulement, noir ou blanc ; une profondeur de 2 peut enregistrer quatre tons et ainsi de suite. Le nombre de tons enregistrés correspond à 2 à la puissance de la profondeur, une profondeur typique de 8 enregistre donc 256 tons. Quand vous appliquez cette règle aux couches de couleur, la profondeur mesure la résolution des couleurs. 8 bits sur trois couches de couleur – 8 bits × 3 couches – donnent 24 bits, la profondeur habituelle des numériques. Cela signifie que, théoriquement, chaque couche est divisée en 256 paliers régulièrement espacés, ce qui est le minimum pour une reproduction de bonne qualité.

Nombre de couleurs

Le nombre total de teintes disponibles dans un espace de couleur 24 bits RVB, si toutes les combinaisons pouvaient être réalisées, est d'environ 16,8 millions. Un écran de bonne qualité n'affiche en réalité que 6 millions de couleurs environ, alors qu'un tirage couleurs en comprend moins de 2 millions et que les meilleurs tirages numériques atteignent au mieux 20 000 couleurs. Une capacité supplémentaire est cependant nécessaire pour des opérations délicates sur les couleurs, car le nombre de données sur lesquelles travailler est important. Cela permet de conserver des transitions de tons subtils comme pour des tons chair et le dégradé d'un ciel, sans postérisation apparente.

Résolution supérieure

Aujourd'hui, une profondeur de 24 bits n'est plus suffisante : la transition entre tons n'est pas assez douce et il n'y a pas assez de données pour de grandes modifications de tons ou de couleurs. Les meilleurs appareils photo sont capables d'enregistrer des images avec une profondeur de 36 bits, voire davantage, mais ces dernières pourraient être rééchantillonnées en 24 bits pour les retouches. Malgré tout, elles restent meilleures que des images enregistrées en 24 bits. Avec le format Raw, vous pouvez travailler dans un espace 16 bits. Si vous ne souhaitez pas perdre en qualité, travaillez et enregistrez en 16 bits (RVB 48 bits).

Taille du fichier

Une fois que l'image est prête, vous allez découvrir qu'il faut très peu de couleurs pour la reproduire. L'image d'un lion allongé dans la savane, par exemple, est uniquement constituée de quelques jaunes et de rouges désaturés. Cela permet de choisir une petite palette de couleurs et de réduire la taille du fichier. C'est parfait pour l'optimisation des fichiers destinés au Web.

Certains logiciels proposent d'enregistrer les images en couleurs indexées. Chaque couleur se voit alors attribuer sa couleur associée dans une palette réduite, et la conversion depuis un espace RVB 24 bits réduit la taille du fichier d'au moins deux tiers. La réduction de la palette des couleurs ou de la profondeur doit intervenir en dernier puisque les informations perdues sont irrécupérables.

Profondeur de bit et qualité d'image

Avec toutes ses couleurs (*à gauche*), cette image des feutres est vibrante et riche mais la qualité de l'image suivante (*au milieu*), qui contient à peine 100 couleurs, ne paraît pas dégradée. La taille de cette image en couleurs indexées ne représente cependant qu'un tiers de l'original. En réduisant encore à 20 couleurs (*à droite*), la qualité devient médiocre. Comme la réduction de taille du fichier n'est pas significative, il n'est pas utile de limiter la palette des couleurs plus que nécessaire.

Profondeur originale

Cette image d'une église en Grèce a été enregistrée au format Raw 12 bits (RVB 36 bits) puis convertie en fichier 8 bits (RVB 24 bits). Les nuances subtiles du ciel ainsi que la transparence et les couleurs des drapeaux sont correctement rendues.

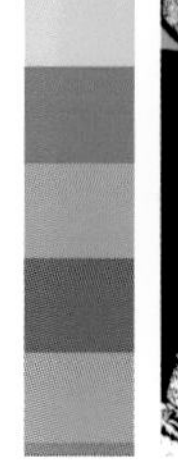

Deux niveaux

Avec seulement deux niveaux par couche de couleur, l'image originale est à peine dégradée et de nombreuses formes restent bien définies. Cependant, le mur dans l'ombre est devenu complètement noir et le ciel est blanc.

Quatre niveaux

Avec quatre niveaux, le ciel reprend des couleurs mais de façon très inégale avec de grands écarts de tons. D'une manière générale, les couleurs sont plus saturées que dans l'image originale.

24 niveaux

Avec 24 niveaux, l'image originale est pratiquement reproduite mais on retrouve les défauts dans le ciel. Il est plus sombre et la partie inférieure qui était la plus claire dans l'original est maintenant la plus foncée.

Palette limitée, nombreuses couleurs

Le nombre de couleurs dans cette image semble limité. Cependant, la subtilité des variations de tons dans les cyans, bleus et magentas foncés exige au moins 200 nuances différentes pour décrire l'image sans perte de qualité. La taille du fichier en version couleurs indexées représente néanmoins le quart de celle de la version RVB.

Couleur ou noir et blanc

La transformation d'une image en couleurs en noir et blanc permet de la considérer d'un point de vue différent. Un portrait, par exemple, pourrait être gâché par la présence d'objets très colorés, ou par la couleur des vêtements. En version noir et blanc, ces images vont surtout faire ressortir l'harmonie des formes.

Le processus de conversion

Une image en noir et blanc n'est pas une conversion directe des couleurs en niveaux de gris (une gamme de tons neutres qui s'échelonnent du blanc au noir) dans laquelle toutes les couleurs seraient précisément représentées. Beaucoup de films ont une dominante bleue, par exemple, enregistrée comme étant plus claire que les verts.

Lorsqu'un numérique ou un logiciel de retouche convertit une image couleurs, il se fonde sur une table intégrée. Un logiciel professionnel prévoit le tirage du résultat et la conversion est adaptée à un certain type de presse et de papier. D'autres logiciels convertissent simplement les trois couches de couleur en valeurs de gris avant de les combiner, ce qui produit des résultats sombres et ternes.

Il existe cependant de bonnes méthodes de conversion en noir et blanc. Avant d'aborder les tests, assurez-vous de toujours travailler sur une copie de votre fichier plutôt que sur l'original. Ce type de conversion perd les données de couleur de façon irréversible.

Avant d'imprimer

Une image désaturée (*voir la boîte de dialogue ci-dessous*) est grise mais toujours en couleurs. Sauf si l'impression s'effectue sur une presse en quatre couleurs, vous devriez alors la convertir en niveaux de gris pour réduire la taille du fichier. Si l'image doit au contraire être imprimée dans un magazine ou un livre, n'oubliez pas de la reconvertir en couleurs RVB ou CMJN. Sinon elle sera uniquement imprimée à partir d'encre noire et la reproduction sera médiocre.

Bichromie quatre couleurs

Si les quatre encres (cyan, magenta, jaune et noir) d'une reproduction couleurs sont utilisées, le résultat est riche et nuancé. Il n'est pas nécessaire de déposer de grandes quantités d'encre, un mélange des quatre encres (appelé bichromie quatre couleurs) donne d'excellents résultats pour l'impression de photographies. En variant la quantité de chaque couleur, vous obtenez des nuances de tons subtiles.

Désaturation

Tout logiciel de retouche propose une commande pour augmenter ou diminuer la saturation des couleurs. Si vous désaturez complètement une image couleurs, vous éliminez les données de couleur pour obtenir des niveaux de gris. L'image reste cependant une image couleurs et son aspect gris vient des informations de rouge, vert et bleu qui sont toujours combinées dans chaque pixel. Ces informations s'annulent entre elles et la couleur disparaît. En choisissant de désaturer plusieurs couleurs sélectionnées, vous modifiez la balance des teintes. Le résultat d'une telle conversion en niveaux de gris est différent de celui d'une conversion directe parce que les premières couleurs que vous désaturez vont devenir plus claires.

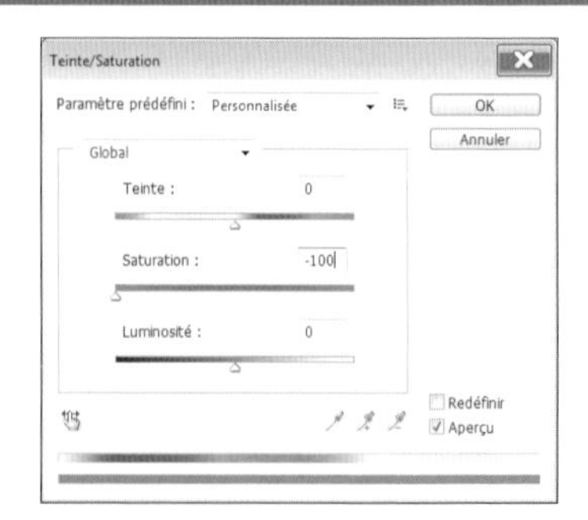

Capture d'écran Teinte/Saturation
L'image couleurs étant ouverte, ouvrez la fenêtre Teinte/Saturation et faites glisser le curseur au minimum. Vous obtenez une image grise avec toutes ses informations de couleur. Vous désaturez l'image avec des raccourcis clavier (Maj+Option/Alt+U dans Photoshop).

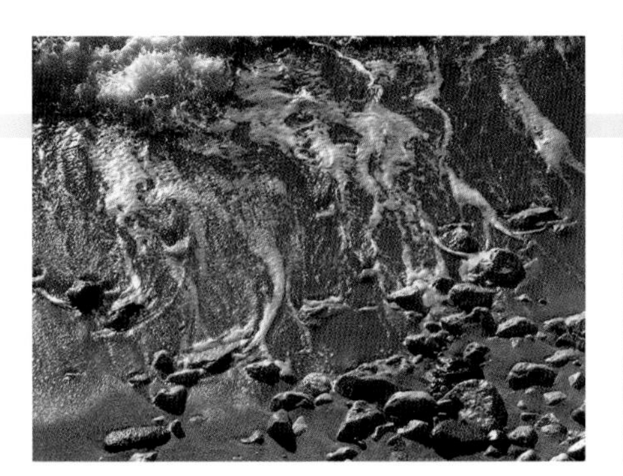

Saturation des couleurs

Même si l'image en couleurs originale est pleine de lumière et de vie, les couleurs perturbent sa perception au niveau du contraste et de la texture de l'eau, du sable et des pierres. C'est une interprétation très subjective, comme toujours lorsqu'on évalue des images.

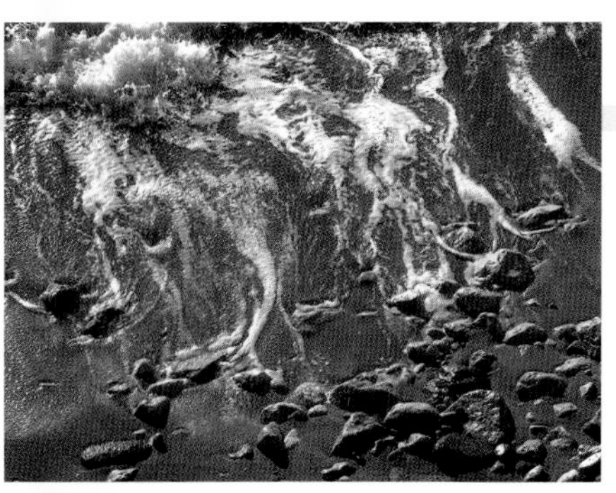

Désaturation des couleurs

La suppression de toutes les couleurs par la commande Saturation produit une image composée de gris, et la partie essentielle de l'image émerge. Les outils Densité couleur + et Densité couleur – (*voir pages 106-107*) ont été appliqués. Le premier a assombri la partie inférieure alors que le second a éclairci l'eau scintillante.

Suppression des couleurs gênantes

L'intensité des rouges et des bleus (*ci-dessus à gauche*) détourne l'attention des visages amicaux de ces jeunes moines à Gangtok, Sikkim, en Inde. La désaturation directe ne donne pas une gamme tonale équilibrée. Toute tentative de désaturation sélective par teinte va échouer parce que les visages sont une version pâle des habits rouges. Il faut compenser le résultat tonal peu satisfaisant de la désaturation (*milieu*) en redistribuant les tons de façon à faire ressortir les visages. Cela implique de réduire le point blanc pour contrôler la partie ensoleillée, et d'augmenter un peu la densité pour assombrir les zones claires sur les vêtements et la main du moine à l'arrière. L'outil Densité couleur – réglé en tons clairs a ensuite permis d'éclairer les visages (*à droite*).

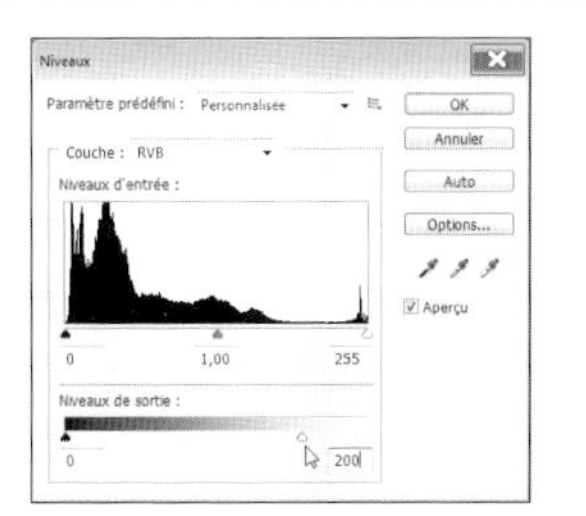

Capture d'écran Niveaux

Avec l'image désaturée ouverte, déplacez le curseur du point blanc dans la fenêtre Niveaux pour réduire d'un cinquième la luminosité des pixels les plus clairs.

Quand les couleurs ne sont pas adaptées

L'image originale de cette chinoise était très colorée. Toutefois, en la passant en noir et blanc, ce sont les yeux de la fille qui attirent le regard.

Couleur ou noir et blanc suite

Extraction de couche

Une image en couleurs étant constituée de trois couches de niveaux de gris, la méthode la plus simple pour convertir les couleurs est de choisir, ou d'extraire, une seule de ces couches. Ce processus d'extraction est disponible uniquement avec les logiciels professionnels les plus avancés.

Quand vous visualisez l'image sur l'écran, les trois couches de couleur se superposent. Si vous les affichez une par une, le logiciel va afficher l'image à partir de nuances d'une seule couleur, le rouge par exemple, ou sous forme d'un dégradé de gris selon les préférences choisies dans le logiciel. Si ce dernier vous en laisse la possibilité, affichez les couches en gris (à sélectionner dans le menu Préférences ou Options). Cela vous permet de choisir celle qui donne le meilleur résultat. Quand vous allez ensuite convertir en niveaux de gris, le logiciel va exploiter uniquement la couche sélectionnée.

Dans certaines applications, vous pouvez sélectionner deux couches pour la conversion en gris, ce qui élargit les possibilités au niveau de l'apparence de l'image. Vous obtenez en général les meilleures conversions à partir de la couche verte, surtout en numérique, parce qu'il s'agit de la couche de luminance, et de la couche rouge, qui donne souvent un résultat lumineux.

Une autre méthode consiste à séparer l'image en trois parties avec la commande Séparer les couches de Photoshop. De cette façon, vous enregistrez uniquement l'image qui vous intéresse. Notez cependant que cette opération est irréversible, le fichier extrait est en niveaux de gris et sa taille représente le tiers de celle du fichier original.

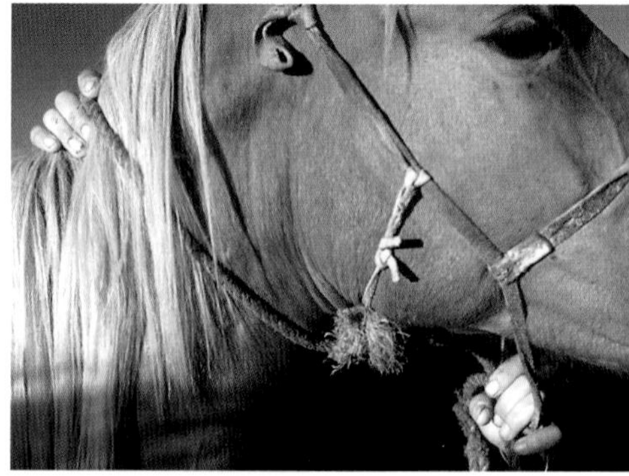

Extraction de la couche rouge
Bien que les couleurs de l'image originale soient somptueuses (*ci-dessus à gauche*), la version noir et blanc semblait plus prometteuse (*ci-dessus à droite*). Le ciel au-dessus de la crinière doit clairement devenir sombre, c'est pourquoi les couches verte et bleue sont superflues (*à droite*), de même que la couche de luminosité qui distribue les informations tonales de façon trop uniforme. La couche rouge présentait au contraire les bleus en version sombre et le brun du cheval en version claire. Son extraction a été la seule opération nécessaire pour obtenir un résultat satisfaisant.

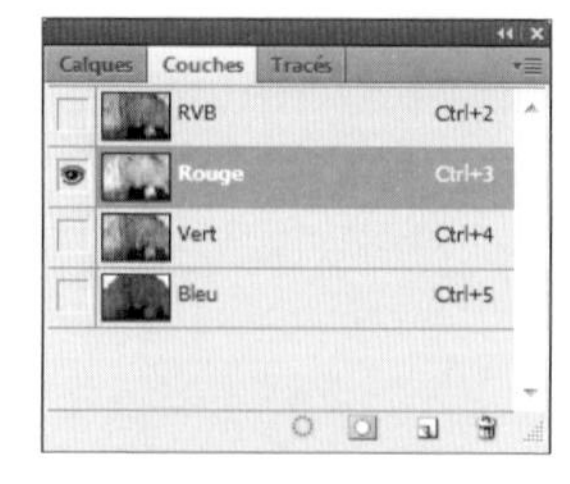

Capture d'écran Couches
Si votre logiciel le permet, sélectionnez une à une les quatre couches pour visualiser l'effet d'une extraction. Désactivez les couleurs si chaque couche est affichée dans sa couleur correspondante.

Couche Bleu

Couche Rouge

Comparaison des couches

Les images en couleurs RVB sont constituées de trois images en niveaux de gris. Ici, la couche B est sombre alors que la couche R est trop claire, mais la verte est bien équilibrée. La couche L en mode LAB le confirme (*à droite*).

Couche Vert

LAB

Mode LAB

Quand vous convertissez une image couleurs RVB en mode LAB (raccourci de L*a*b*), la couche L contient les informations de luminosité constituées des caractéristiques tonales principales de l'image. Les valeurs de la couche a* représentent le vert dans leur version négative et le magenta dans leur version positive ; la couche b* représente le bleu en négatif et le jaune en positif. Quand le logiciel affiche les couches, vous pouvez sélectionner la couche L et la manipuler avec les commandes Niveaux et Courbes sans toucher à la balance des couleurs. Si vous convertissez alors en niveaux de gris, le logiciel va exploiter uniquement les données de cette couche. Vous allez apprécier le contrôle de cette conversion sur l'apparence finale de l'image et les résultats seront probablement plus nets qu'avec l'extraction de toute autre couche. Le fichier extrait est en niveaux de gris, sa taille sera donc environ le tiers de celle du fichier original.

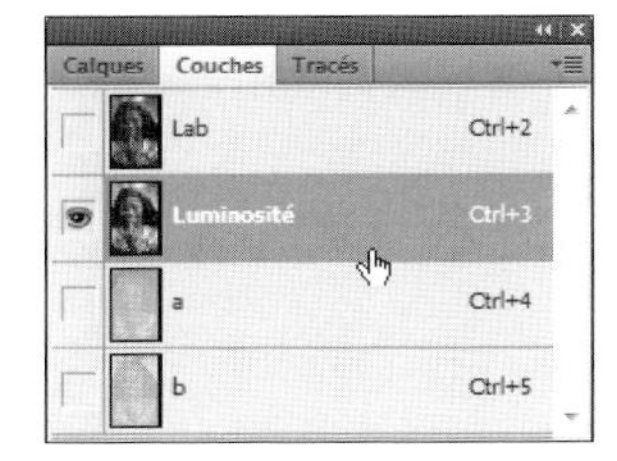

Couches LAB

Dans Photoshop, vous pouvez sélectionner les couches individuellement comme ci-dessus. Dans cet exemple, vous allez afficher une image en noir et blanc de la jeune fille (*ci-dessus, au centre à droite*).

Couleur ou noir et blanc suite

Image originale

Une conversion simple de cette image risque de rendre les couleurs ternes. Ce problème est résolu en utilisant le mélangeur de couches (*ci-dessous*).

Travailler en mode RVB

En RVB, la couche bleue réduite a produit un ciel sombre et le rouge a été augmenté pour compenser. Le résultat est très contrasté et spectaculaire, mais le premier plan est trop clair.

Travailler en mode CMJN

La conversion de l'image originale en mode CMJN donne un résultat plus « lissé » qu'avec le mélangeur de couches en mode RVB.

Mélangeur de couches

Un filtre coloré utilisé en photographie noir et blanc laisse passer uniquement la lumière de cette couleur. Un filtre jaune, par exemple, bloque toute lumière qui n'est pas jaune. Si vous prenez une photographie avec ce filtre (en compensant l'exposition de façon appropriée), les jaunes dans l'image obtenue vont être blancs et les autres couleurs apparaîtront relativement sombres.

Les filtres sont limités dans leurs transmissions par la bande de fréquences associée à leur matériau. Le mélangeur de couches vous permet de tester un nombre incalculable de filtres jusqu'à trouver celui qui convient au sujet.

Avec cet outil, vous pouvez maintenant décider comment convertir une image couleurs en niveaux de gris, en choisissant d'éclaircir les verts plutôt que les rouges, ou en assombrissant plus les bleus que les verts. Certains logiciels vous permettent de travailler en RVB ou CMJN (*voir ci-dessus*), les deux méthodes produisant des résultats différents.

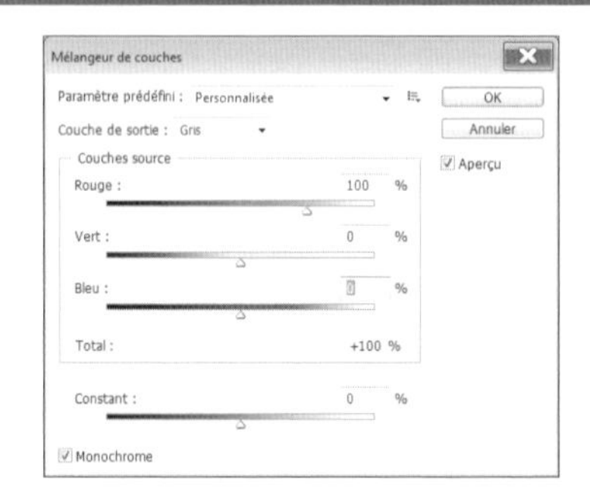

Capture d'écran Mélangeur de couches

L'option Monochrome étant cochée, le résultat est gris. Si une couche est définie à 100 % et les autres à 0, vous effectuez en réalité une extraction de cette couche. C'est plus puissant que l'extraction de couche directe (*voir pages 136-139*).

La fonction d'Aperçu permet de visualiser l'image à mesure que vous la modifiez. Pour les paysages, augmentez la couche verte et corrigez la densité globale en réduisant les couches de rouge et de bleu. Le mélangeur de couches garantit que le rendu des rouges, dominants dans les images en couleurs, est plus clair que celui des verts.

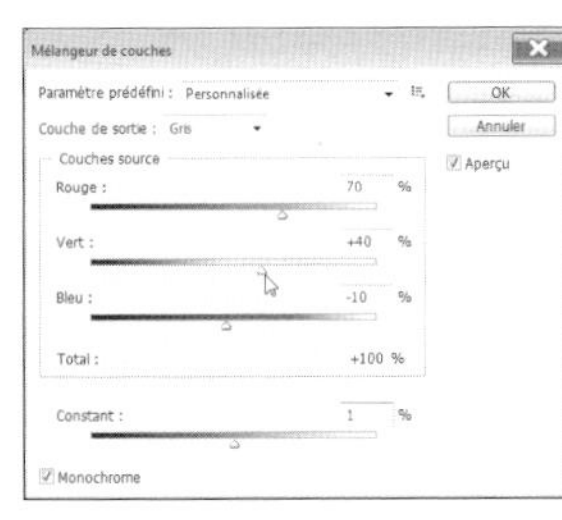

Séparation des tons

En partant d'une image en couleurs (*en haut à gauche*), une conversion en niveaux de gris standard a donné un résultat acceptable (*milieu à gauche*), mais la combinaison des couches sépare les tons plus efficacement, en particulier les zones sombres (*en bas à gauche*). Les paramètres requis étaient compliqués et ont été obtenus en faisant des essais et des erreurs (*capture d'écran ci-dessus*). Le travail effectué réduit les opérations de retouche nécessaires par la suite, mais si vous souhaitez affiner les résultats, une image multcouche simplifie l'application de techniques telles que la correction de densité locale (*voir pages 106-107*). Vous constatez, en effet, que les ombres des chemises ont besoin d'une correction de densité.

À TESTER

Pour apprendre à isoler des couleurs dans votre logiciel, commencez par ouvrir une image très colorée comme une coupe de fruits ou un bouquet de fleurs. En travaillant sur une copie, c TBhoisissez la couleur que vous souhaitez mettre en valeur en l'éclaircissant après conversion en niveaux de gris. Servez-vous des outils Balance des couleurs, Remplacement de couleur, Teinte/Saturation ou Mélangeur de couches. Si le résultat n'est pas probant, réinitialisez l'image et testez une nouvelle série de paramètres. Notez ces derniers quand le résultat vous convient. Réutilisez les informations pour remplacer une autre couleur de l'image, vous devriez obtenir plus rapidement un résultat satisfaisant.

Images en bichromie

L'art de l'impression traditionnelle en noir et blanc repose principalement sur la meilleure exploitation possible de la plage tonale limitée du papier d'impression. Une tactique courante consiste à élargir artificiellement la plage tonale en augmentant le contraste de l'impression. Les tons foncés seront très sombres et les tons clairs très lumineux. Le succès de l'opération dépend de la subtilité des dégradés entre ces deux extrêmes. Une autre technique consiste à ajouter de la couleur dans les zones de gris neutre.

Les imprimantes numériques offrent des possibilités de travail sur les tons bien supérieures à celles qui sont disponibles en chambre noire. La gamme des teintes est pratiquement illimitée puisque vous pouvez simuler toutes celles qui peuvent être créées avec un processus quatre couleurs (ou plus).

Création d'une image en bichromie

En partant d'une image, même en couleur, commencez par convertir le fichier en niveaux de gris (*voir pages 132-139*) *via* le menu Image > Mode de Photoshop. Cette opération supprimant définitivement les couleurs, travaillez sur une copie du fichier.

À partir de l'image en niveaux de gris, vous pouvez passer en mode Bichromie que vous appliquez par défaut ou en chargeant un des préréglages. Si vous ne connaissez pas le processus, choisissez un de ces derniers (généralement enregistrés dans le

Bichromes simples
Cette vue de Prague (*à gauche*) est présentée dans des tons qui rappellent les temps anciens. Après la conversion de l'image en niveaux de gris, deux encres (pas de noir) ont été choisies pour créer ce bichrome. Vous obtenez une image peu contrastée, caractéristique des anciennes cartes postales.

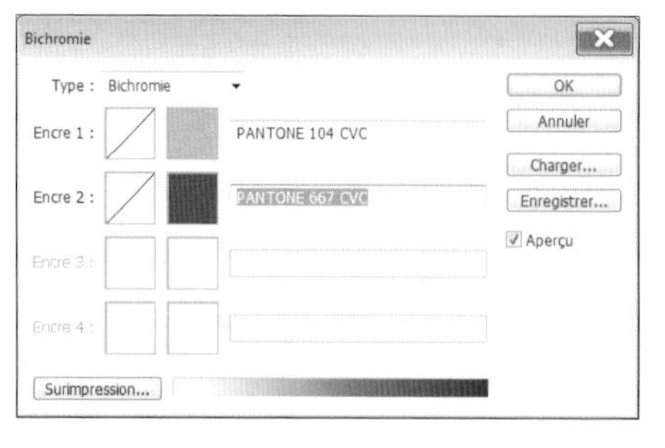

Capture d'écran Bichromie
La courbe de l'encre bleue (*ci-dessus*) a été relevée dans les tons clairs afin de donner un aspect bleuté aux parties claires de l'image et d'augmenter la densité des zones sombres.

dossier Paramètres prédéfinis de Photoshop). Double-cliquez sur l'un d'entre eux pour observer le résultat.

En cliquant sur le carré de couleur dans la boîte de dialogue (*voir ci-contre*) vous changez la couleur de la seconde « encre ». Un rouge clair pourrait donner un effet cuivré, un marron foncé un effet sépia. C'est une fonction très puissante. En un clic de souris vous variez les effets de ton sur n'importe quelle image.

Si vous cliquez sur le carré du graphique, une courbe représentant l'utilisation de la seconde encre apparaît. En manipulant cette courbe, vous pouvez changer son effet. Vous pouvez, par exemple, choisir de placer beaucoup d'encre dans les tons clairs, auquel cas tous les tons supérieurs seront teintés. Vous pouvez aussi décider de lui faire suivre une ondulation, auquel cas l'image prendra un aspect postérisé.

Dans Photoshop, vous avez la possibilité d'afficher l'aperçu. L'image est mise à jour sans modification sur le fichier, ce qui vous permet d'évaluer l'effet avant de l'appliquer.

Une bichromie sera probablement enregistrée dans le format de fichier natif (celui du logiciel utilisé). Pour l'imprimer, il faudra donc d'abord la convertir en fichier TIFF RVB ou CMJN standard de sorte que la combinaison de noir et des couleurs spécifiées pour la bichromie puisse être simulée par les encres colorées de l'imprimante.

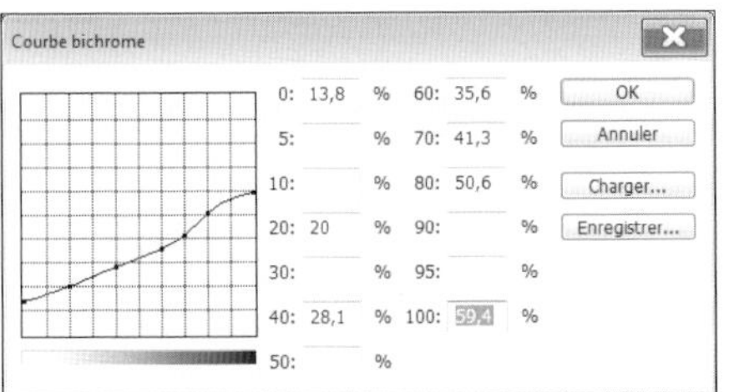

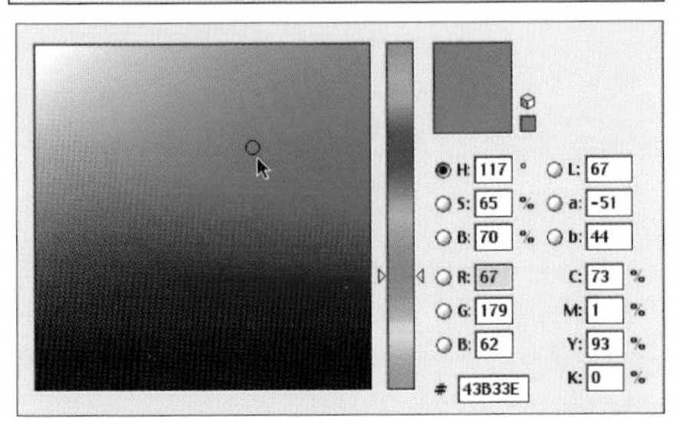

Conserver les détails du sujet

Dans l'image originale (*ci-dessus à gauche*), l'atmosphère était telle qu'il était dommage de perdre la couleur. Le bichrome obtenu avec une seconde encre verte possède un certain charme (*ci-dessus à droite*). Pour réduire le contraste global et permettre à l'encre verte (choisie *via* le Sélecteur de couleurs, *en bas à gauche)* de se répandre, il fallait réduire considérablement l'encre noire comme le montre la boîte de dialogue Courbe Bichrome (*milieu à gauche*). La position basse à l'extrémité de la courbe dans la boîte de dialogue (*dessus à gauche*) révèle une faible densité du noir, mais l'ondulation introduite augmente le contraste des tons foncés qui conserve les détails du sujet. L'extrémité haute de la courbe montre qu'il y avait peu de blanc. La partie la plus claire conserve 13,8 % de l'encre, comme illustré dans le premier champ nommé « 0: » de la boîte de dialogue Courbe Bichrome.

Trichromes et quadrichromes

L'ajout d'une ou plusieurs encres à un bichrome (*voir pages 140-141*) apporte une touche de subtilité à l'image. De nombreux logiciels de retouche offrent même la possibilité de créer un trichrome ou un quadrichrome.

Retenez qu'en ajoutant des encres supplémentaires, vous risquez de teinter des hautes lumières ou d'introduire des couleurs dans les tons foncés, c'est-à-dire d'augmenter la séparation des tons. La seule règle à suivre est celle de l'expérimentation : appliquez différentes courbes et couleurs afin d'apprendre à manipuler ce contrôle très puissant. Pour commencer, essayez les contrastes de couleur en appliquant une troisième et une quatrième encre par petites touches.

Le choix du quadrichrome se justifie par la précision de la reproduction des couleurs. Le résultat n'est pas garanti, mais vous avez plus de chances d'obtenir un noir quatre couleurs précis en spécifiant un quadrichrome fondé sur les quatre couleurs standard cyan, magenta, jaune et noir du processus d'impression.

Vous avez la possibilité d'enregistrer vos courbes et réglages de couleur pour les appliquer à d'autres images en niveaux de gris. Quand une combinaison vous convient, sauvegardez-la dans la bibliothèque de vos réglages favoris.

Image originale
J'ai d'abord réalisé une copie de travail de cette image de Grenade, dans le Sud de l'Espagne (*ci-dessus*), puis j'ai supprimé toutes les informations de couleur pour passer en niveaux de gris avant de choisir les encres.

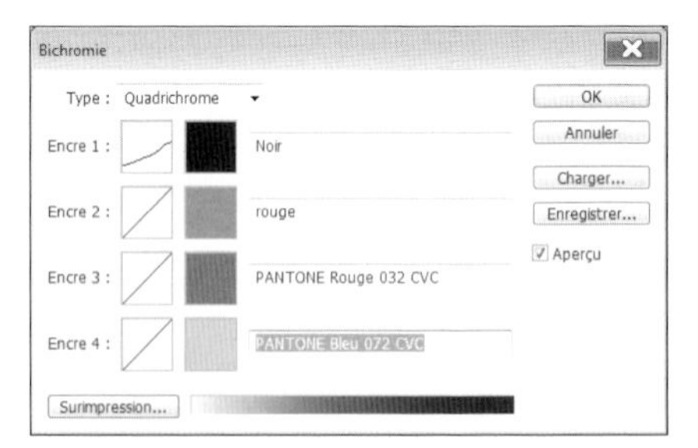

Quadrichrome
Dans cette image, le noir a été affecté aux zones unies très foncées, le vert aux tons foncés contenant des détails, et le bleu aux tons moyens et clairs. Cela se traduit par des pics dans les graphiques associés à chaque couleur dans la boîte de dialogue Bichromie (*ci-dessus à droite*). En réglant la hauteur de ces pics, vous agissez sur la force des couleurs.

Trichrome
En affectant différentes couleurs d'encre aux densités tonales de l'image, vous obtenez un effet visuel très difficile à reproduire par une autre méthode. Dans cette version trichrome de la scène, la quatrième couleur (bleu) a été supprimée et le résultat est plus clair qu'en version quadrichrome (*à gauche*).

Sépia

La retouche des images est bien plus précise en numérique que dans une chambre noire. La version numérique du ton sépia (technique du XIXe siècle qui produit une image peu contrastée à base de tons bruns et chauds, et sans noir ou blanc) en est un exemple frappant.

Les vieux tirages sont peu contrastés en raison de la sensibilité du film et de la composition de l'émulsion du tirage. L'aspect doux provient certainement de l'objectif alors que le ton brun est dû au thiocarbamide utilisé pour le traitement du tirage.

De nombreux numériques proposent un réglage en ton sépia ainsi que la plupart des applications de retouche.

Pour un résultat précis, commencez par convertir votre image en niveaux de gris en mode de couleur RVB, puis désaturez-la. Exécutez la commande Niveaux (*voir pages 104-105*) pour l'éclaircir et augmenter le gris, puis supprimez les noirs et les blancs.

Vous pouvez maintenant ajouter de la couleur. La méthode la plus simple consiste à exécuter Balance des couleurs (*voir page 264*) pour augmenter le rouge et le jaune. Vous pouvez aussi exécuter la commande Variations (si elle existe) pour ajouter du rouge, du jaune et éventuellement un peu de bleu, afin de produire un brun adapté à l'image.

Vous pouvez aussi travailler sur une image en niveaux de gris en mode Bichromie et choisir une seconde encre brune ou orange. C'est la solution à privilégier avec Photoshop.

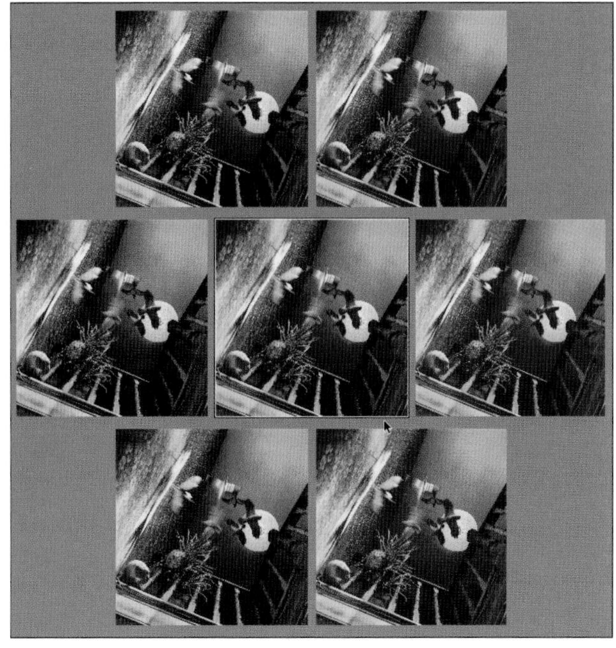

Variations

Il existe plusieurs méthodes pour ajouter de la couleur à la vue présentée ici. Le sujet est fort, mais la version noir et blanc manque un peu d'atmosphère (*ci-dessus à gauche*). La boîte de dialogue multivignette Variations (*à droite*), proposée avec la plupart des logiciels de retouche, présente plusieurs versions de l'original. En cliquant sur l'une d'elles (*celle qui est encadrée ci-dessus*), vous indiquez votre choix et vous pouvez la comparer à l'original. Pour obtenir l'image finale (*en bas à gauche*), la commande Niveaux a été exécutée pour réduire la densité des tons foncés et ainsi le contraste.

Accentuer les formes
L'image originale a été convertie en trichrome dans lequel le bleu a été affecté aux zones claires et les encres rouge et noire aux tons foncés. Vous faites ainsi ressortir la composition de l'image.

L'effet Sabattier

Quand un tirage partiellement développé est brièvement exposé à une lumière blanche, certaines valeurs de ton sont inversées. Bien que les zones complètement développées ne soient plus sensibles à la lumière, les autres restent réactives. Si le processus de développement se poursuit normalement, ces zones vont foncer. Comme le docteur et scientifique qui a découvert cet effet, Armand Sabattier (1834-1910), a décrit ce processus comme une « pseudo-solarisation », le terme de solarisation a été retenu alors qu'il représente en fait l'inversion des tons d'une image produite par une surexposition importante.

Avantages du numérique

Pour l'opération traditionnelle en chambre noire, l'effet Sabattier est connu pour être long et difficile à contrôler. Vous pouvez facilement passer une matinée complète sur une douzaine de tirages dont aucun ne répondra à votre attente. Les techniques de retouche numérique permettent d'éliminer l'aspect aléatoire de l'opération.

Commencez par effectuer une copie de travail de l'original et convertissez-la en niveaux de gris (*voir pages 132-139*). Choisissez une image avec des formes simples et bien contrastées. Des images avec des zones très détaillées ne vont pas convenir parce que l'inversion des tons va les rendre confuses. Vous pouvez aussi travailler sur une image en couleurs désaturée.

Il existe plusieurs façons de simuler l'effet Sabattier à l'aide des courbes et de la balance des couleurs. Si votre logiciel propose les calques et les modes (*voir pages 168-173*), une autre méthode consiste à dupliquer le calque original. Vous lui appliquez ensuite le mode Exclusion et vous réglez le ton de l'image en modifiant les courbes ou les niveaux de chaque calque.

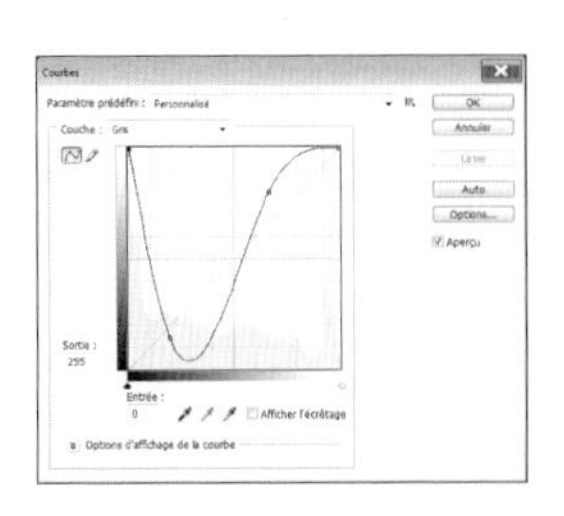

Travailler en noir et blanc

Les images avec des formes intéressantes (*en haut*) sont idéales pour le traitement Sabattier, puisque les valeurs de ton modifiées obscurcissent uniquement les zones détaillées. Pour obtenir l'inversion partielle des tons présentée ici (*ci-dessus*), une courbe en forme de U a été appliquée afin d'éclaircir les tons foncés. Les lignes fines et claires qui apparaissent autour de certaines formes sont produites par l'outil Courbes mais elles rappellent celles de l'effet Sabattier en chambre noire, appelées lignes de Mackie.

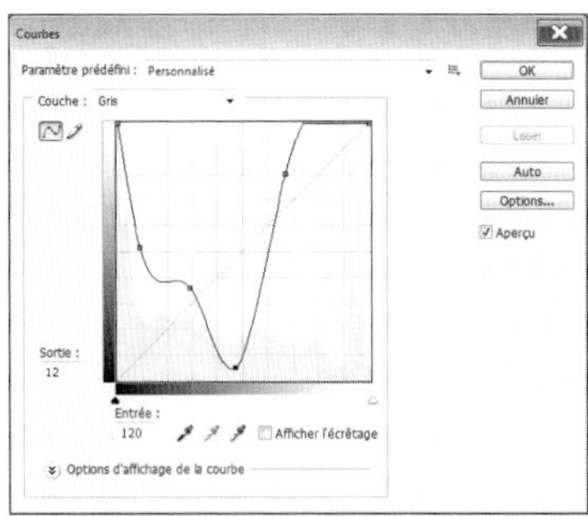

Travailler en couleur

En numérique, vous pouvez pousser l'effet Sabattier bien au-delà de celui qui est obtenu en chambre noire. En partant d'une image légèrement colorée, vous allez obtenir des teintes partiellement inversées. Dans ce paysage, pris dans l'Oxfordshire, en Angleterre, le tirage en niveaux de gris a été réchauffé en ajoutant du jaune et du rouge *via* la Balance des couleurs. En appliquant une courbe en forme de U à cette image, les tons clairs et moyens sont restés stables alors que les tons foncés ont été inversés – non seulement en ton mais aussi en couleur, comme illustré ici (*à droite*). Une courbe en forme d'arche aurait produit l'effet inverse.

Utiliser les courbes

La méthode la plus sûre et efficace consiste à exécuter la commande Courbes et à lui faire adopter la forme d'une vallée avec un creux plus ou moins prononcé au milieu (*en haut à droite*). En introduisant de petites irrégularités dans la forme, vous créez des changements de ton surprenants qui rappellent les surprises et le charme de la technique en chambre noire. L'avantage des courbes est qu'elles peuvent être enregistrées puis appliquées à d'autres images. L'effet Sabattier fonctionne aussi pour des images couleurs et dans ce cas les couleurs vont également être inversées. Si ce n'est pas l'effet recherché, convertissez l'image en mode LAB (*voir page 137*) puis appliquez l'effet Sabattier uniquement sur la couche L.

Gommes bichromatées

La gomme bichromatée est une technique de colorisation d'une image en niveaux de gris. Cependant, le processus a tendance à compresser la plage tonale. Cette technique est populaire depuis que la photographie existe. Elle est assez peu onéreuse et peu sensible aux variations de traitement, elle permet d'ajouter facilement de la couleur dans une image noir et blanc et c'est le moyen le plus rapide d'obtenir des effets de type peinture. Ce processus est cependant assez fastidieux et les résultats sont imprévisibles, c'est pourquoi les manipulateurs en chambre noire s'en lassent vite. Heureusement, comme toujours en numérique, vous pouvez facilement reproduire cet effet.

Une méthode de travail directe

La méthode numérique est très simple. Les images présentant des contours bien délimités et des couleurs évidentes (comme des tons chair ou des légumes verts, que tout le monde connaît) conviennent particulièrement bien. Sélectionnez les zones à colorer à l'aide de l'outil Lasso ou Baguette magique. Choisissez ensuite une couleur dans la palette ou le sélecteur et remplissez la sélection *via* l'outil Remplir ou Pot de peinture réglé en mode Couleur. De cette façon, les couleurs sont ajoutées aux pixels existants, elles ne les remplacent pas. Vous devez surtout retenir que les couleurs doivent rester douces et qu'il faut choisir des tons plus clairs, plus pastel plutôt que des teintes foncées, saturées.

Une autre approche consiste à travailler sur les calques, en appliquant la couleur sur le calque supérieur réglé en mode Couleur. Pour appliquer la couleur uniquement sur les zones souhaitées, vous devrez ajouter un masque (*voir pages 174-175*). Un autre calque avec une couleur et des masques différents appliquera les couleurs sur d'autres parties de l'image. Pour réduire l'effet global, il suffit de régler l'opacité. En fait, cette méthode reproduit exactement le processus en chambre noire.

Ajout de texture

L'image originale (*ci-dessus à gauche*) montre un lieu conçu pour la contemplation dans un cimetière de Hong Kong. Elle présente les caractéristiques idéales pour des effets bichromatiques. Les zones de l'image ont été grossièrement sélectionnées puis colorisées pour reproduire l'effet approximatif typique des gommes bichromatées en chambre noire. Après le réglage des couleurs, une texture a été appliquée à l'image pour simuler la nature fibreuse d'un document réalisé de manière traditionnelle. Le filtre Placage de texture de Photoshop a été utilisé deux fois, suivi du filtre Plus flou pour adoucir légèrement la texture.

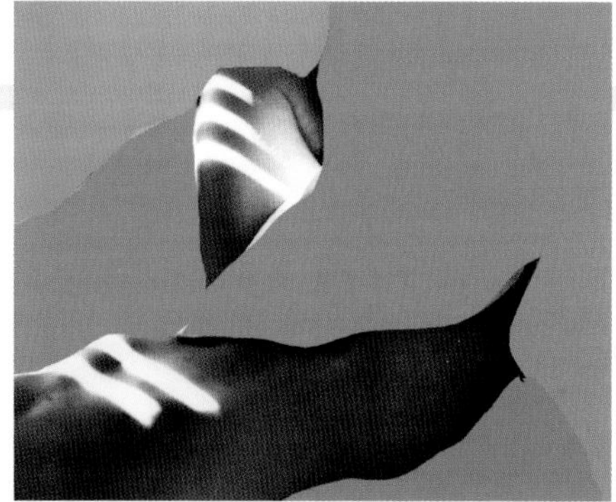

Effet de couverture

Les couleurs du fond de la pièce, du lit et des couvertures qui ont été enregistrées dans l'image originale (*ci-dessus à gauche*) ont été sélectionnées séparément puis remplies en mode Couleur. L'image obtenue, avec ses blocs pastel lumineux (*ci-dessus à droite*) imite assez bien l'effet de gomme bichromatée à l'ancienne.

Couleur et opacité

Ce tirage négatif (*à gauche*) a été réalisé à partir d'un film instantané noir et blanc (tel qu'un Polapan). Il a été numérisé en RVB et les zones ont été grossièrement sélectionnées avec l'outil Lasso, réglé avec un contour progressif de 22. Chaque sélection a été remplie de couleur avec le mode Calque de remplissage défini en Couleur. Le calque sous-jacent est ainsi colorisé avec différentes opacités. Différentes sélections ont été remplies de couleur puis ajustées de façon à donner une image finale bien équilibrée (*ci-dessous*).

Le virage partiel

Le virage photo est une technique traditionnelle qui n'exige pas de travailler dans l'obscurité. Par un processus chimique, on modifie ou on remplace le métal d'origine de l'émulsion par un composé argentique ou par un autre métal donnant une tonalité différente à l'image.

Le ton obtenu dépend en partie des composants utilisés et en partie de la taille des particules produites par le processus. Certains produits (toner) agissent en fragmentant simplement les particules d'argent. Dès que la taille des particules varie, le ton dans l'image change et passe du rouge au brun, par exemple, ou du noir au gris argenté. C'est cette variation de ton que l'on nomme virage partiel et qui résulte des différents stades du processus de virage. Ces stades dépendent de la

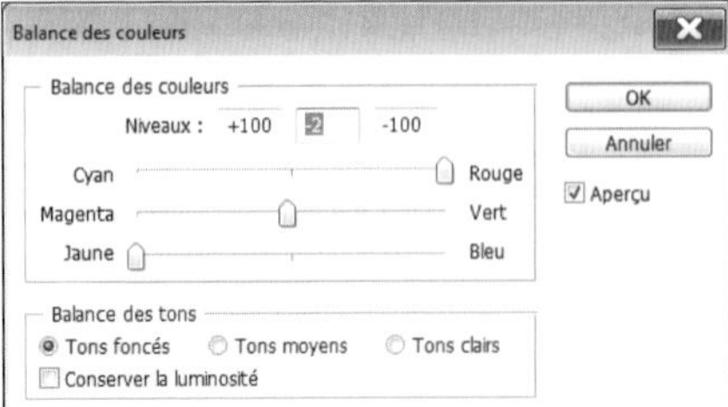

Utiliser la commande Balance des couleurs

Des images avec des tons bien séparés, comme cette vue en montagne, conviennent parfaitement au virage partiel. Pour ajouter du bleu dans le blanc, les zones claires de la brume, j'ai créé un calque de réglage Balance des couleurs. En cochant le bouton Tons clairs, j'ai ajouté du bleu. J'ai ensuite créé un nouveau calque de réglage pour modifier les tons moyens. J'ai décoché la case Conserver la luminosité pour limiter la force des corrections appliquées. La capture d'écran (*ci-dessus*) montre qu'un maximum de jaune et de rouge ont été définis. Des logiciels tels que Photoshop permettent d'affiner encore les réglages (*voir à droite*).

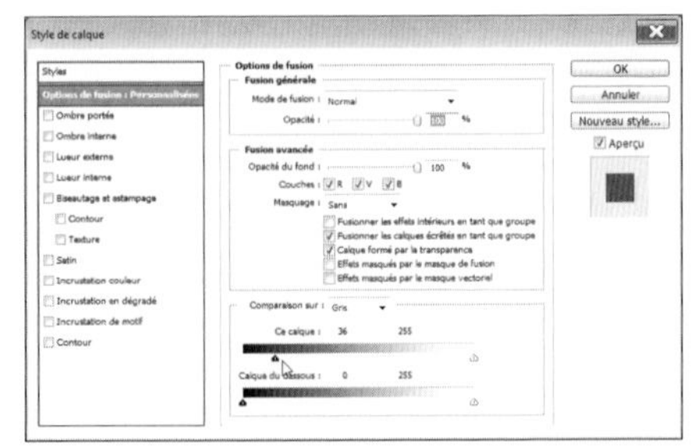

Options de fusion

Voici une partie des options de fusion proposées dans Photoshop. Les barres de couleur montrent quels pixels des calques inférieur et supérieur apparaîtront sur l'image finale. Avec ce réglage des curseurs, certains pixels peuvent traverser, ce qui permet d'adoucir la transition entre les zones fusionnées et non fusionnées. Pour ce calque, la zone sous-jacente traverse les pixels bleu foncé. Une fusion partielle a également été définie pour toutes les couches, ce qui permet au bleu clair d'apparaître sous les tons rouges et foncés.

densité de l'argent dans l'image originale.

Vous commencez peut-être à entrevoir comment l'effet peut être simulé sur ordinateur – en manipulant les courbes de bichromie ou de trichromie (*voir pages 140-142*), vous pouvez couvrir plusieurs couleurs dans l'image, et l'effet dépendra de la densité de cette dernière.

Une autre méthode consiste à utiliser la Balance des couleurs (*voir page 120*), commande disponible dans tous les logiciels de retouche. L'opération est plus simple si le logiciel vous permet de régler indépendamment les tons clairs, les tons moyens et les tons foncés. Si votre logiciel ne le permet pas, vous obtenez un effet identique avec les Courbes, en travaillant sur chaque couche de couleur séparément (*voir pages 126-129*).

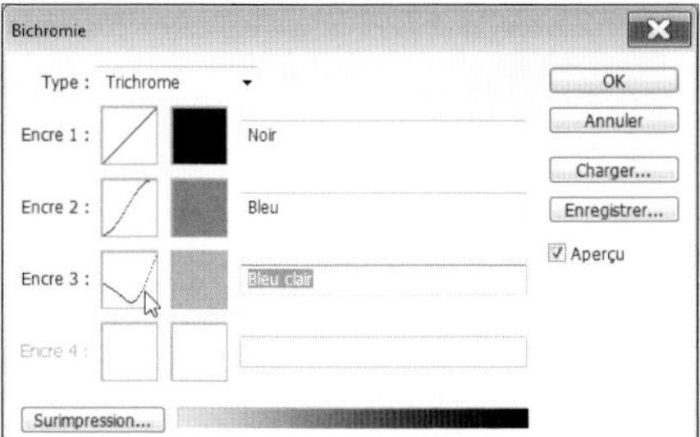

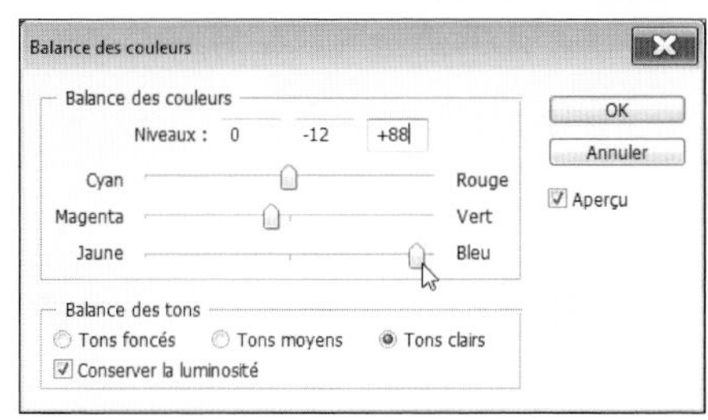

Utiliser un trichrome

La partie trichrome de la boîte de dialogue Options de l'image finale montre une courbe normale pour la première couleur orange-brun. La deuxième couleur, le bleu, est poussée pour assombrir les tons moyens alors que la troisième, du bleu aussi, soutient la précédente. Sans cette troisième couleur, les tons moyens seraient fades et manqueraient d'impact.

Utiliser la Balance des couleurs

Ici, j'ai essayé de faire ressortir la similitude de forme entre l'arbre reflété dans la vitrine et les lampes présentées derrière (*en haut à gauche*). J'ai commencé avec deux couleurs, brun et bleu, mais il était difficile de créer un contraste suffisant entre les zones claires et foncées. Pour résoudre ce problème, j'ai ajouté un autre bleu pour soutenir les zones sombres, comme illustré dans la boîte de dialogue Options Bichrome (*ci-dessus à gauche*) – le bleu et le brun produisant un violet foncé. La Balance des couleurs (*ci-dessus à droite*) a été décalée pour saturer les tons foncés, et la densité de couleur a été réduite au niveau des lampes pour qu'elles ne deviennent pas trop sombres.

Coloration à la main

La coloration à la main dans le domaine numérique est très différente de la peinture directe sur les tirages. Vous pouvez tester sans risque et sans avoir peur de gâcher de la peinture. La technique consiste à appliquer, à l'aide de l'outil Pinceau approprié, les valeurs de couleur choisies sur les valeurs en niveaux de gris de l'image, sans modifier la luminance des pixels. C'est exactement le rôle du mode Couleur ou Coloriser.

Techniques

La meilleure façon d'imiter les effets de la peinture est d'utiliser le Pinceau réglé en mode Couleur puis de peindre directement sur l'image. Choisissez une forme à bords progressifs ou qui applique son effet en touches irrégulières comme un vrai pinceau. Réglez la pression et le flux assez bas de sorte que l'application produise un changement subtil sur l'image.

Une autre méthode consiste à créer un nouveau calque réglé en mode Couleur au-dessus de l'image puis de peindre dessus. Vous avez ainsi la possibilité d'effacer vos erreurs sans modifier l'image. Vous verrez aussi plus facilement où vous peignez si vous choisissez une couleur vive puis que vous réduisez l'opacité. Plusieurs calques

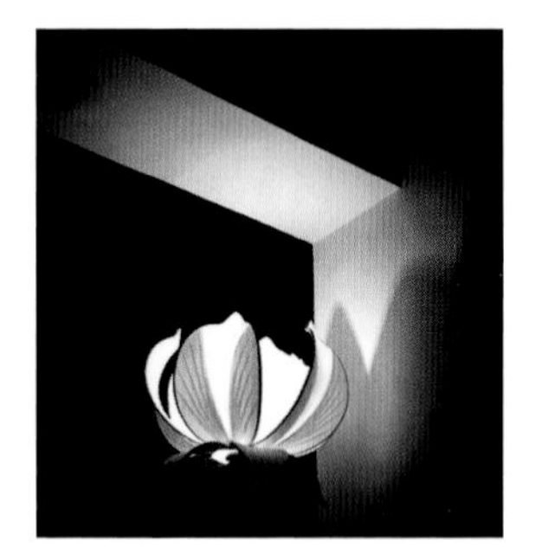

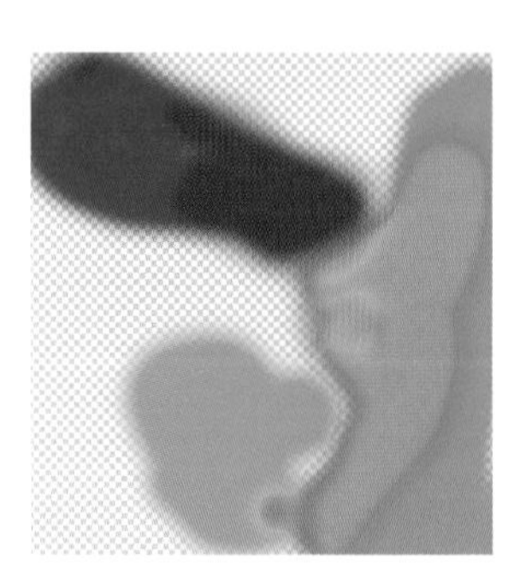

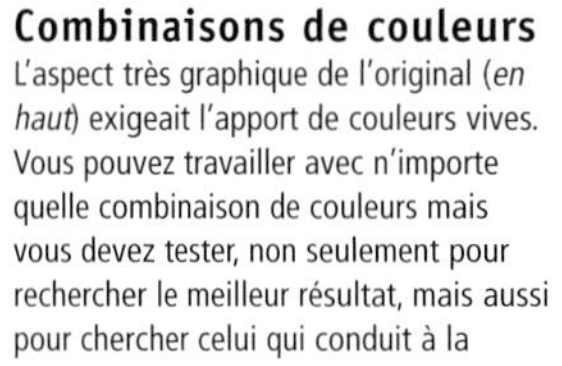

Combinaisons de couleurs

L'aspect très graphique de l'original (*en haut*) exigeait l'apport de couleurs vives. Vous pouvez travailler avec n'importe quelle combinaison de couleurs mais vous devez tester, non seulement pour rechercher le meilleur résultat, mais aussi pour chercher celui qui conduit à la meilleure impression. N'oubliez pas qu'une zone blanche ne prendra pas de couleur si le mode est défini en Couleur. Ajoutez de la densité dans ces zones en faisant glisser le curseur des blancs dans la fenêtre des Niveaux afin d'éliminer les pixels de blanc pur. Vous serez ensuite en mesure de les colorer. Pour traiter les zones noires, réduisez la quantité de noir toujours *via* les Niveaux. Même si la « peinture » est appliquée librement (*ci-dessus à gauche*), notez que dans le tirage final (*ci-dessus à droite*) les couleurs n'apparaissent pas dans les zones complètement noires.

permettront de tester différentes formes ou d'être ensuite fusionnés.

Les nuances pastel ou les couleurs très claires – avec une faible saturation et beaucoup de blanc – étant souvent non imprimables (*voir page 41*), méfiez-vous du résultat imprimé qui risque d'être surprenant. La finition type porcelaine d'un tirage colorisé de qualité sera hors de portée, par exemple, des imprimantes à jet d'encre. Testez aussi les papiers avec des bases teintées. La couleur de fond devrait réduire la plage dynamique et adoucir le contraste de l'image.

Tablettes graphiques

L'outil idéal pour la coloration à la main est la tablette graphique, équipée de son stylet. Une souris standard peut diriger le curseur ou le pinceau avec beaucoup de précision et sera pratique pour maintenir une position fixe. Le stylet permet cependant de faire varier la pression avec laquelle vous appliquez la « peinture ». Celle-ci agit à la fois sur la taille de l'outil et sur le flux de couleur. Certains stylets produisent également un résultat différent en fonction de leur inclinaison. Leur manipulation est moins fatigante que celle de la souris, mais une large tablette graphique est plus encombrante.

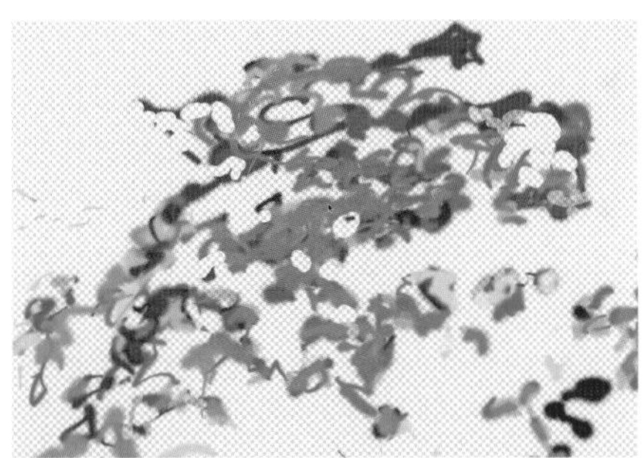

Peinture et opacité

Quand vous colorez une image, vous appliquez la peinture assez librement comme dans cette illustration (*ci-dessus à droite*). Pour que l'effet soit réaliste, servez-vous d'une plage de couleurs. Le feuillage printanier (*ci-dessus*) a été mis en valeur par l'éclaircissement des feuilles *via* l'outil Densité couleur + (*voir pages 106-107*). J'ai introduit la couleur sur un nouveau calque en mode de fusion Couleur (*ci-dessus à droite*) pour colorer uniquement les zones de densité non nulle. J'ai terminé en réduisant l'opacité de 40 % dans l'image finale (*à droite*) de sorte que le feuillage puisse apparaître sous la couche de couleur.

Travailler sur les couleurs

Les images en couleurs n'ont pas besoin d'être fortement colorées pour être percutantes. Vous pouvez vous servir, par exemple, de teintes désaturées (principalement constituées de gris) pour combiner plus subtilement vos couleurs. La suppression de couleur sélective peut aussi servir à réduire les distractions d'une scène (*voir pages 116-117*).

Pour réduire globalement les couleurs, il suffit d'exécuter la commande Saturation des couleurs, souvent reliée à d'autres commandes telles que Teinte, afin de réduire la saturation ou d'augmenter le gris. En sélectionnant une zone, vous appliquez la désaturation uniquement à cette partie de l'image.

Procédure de travail

Pendant ces opérations, je vous conseille de ne pas regarder l'écran au moment de la modification, car il est difficile d'évaluer visuellement des changements de couleur continus. Si vous regardez la transformation s'effectuer, vous risquez de rater le résultat recherché et vous devrez repartir en arrière. De plus, l'aspect d'une image est souvent désastreux quand vous supprimez brutalement la couleur – examinez-la de nouveau après une seconde ou deux et votre regard sera plus objectif.

Pour un contrôle poussé, tous les logiciels de retouche possèdent un outil Désaturation. Il s'agit d'un pinceau qui supprime toute couleur uniformément à mesure que vous le passez sur les pixels. Travaillez avec des réglages très larges (mais pas 100 %) pour supprimer rapidement la couleur tout en gardant un peu de finesse.

Une autre façon d'obtenir des nuances est de sélectionner les couleurs ou les gammes chromatiques. Si vous augmentez la saturation de certaines couleurs, sans toucher aux autres, puis que vous désaturez globalement, les couleurs très saturées conserveront davantage de couleur que le reste de l'image, qui semblera gris en comparaison.

Notez que de nombreux pixels vont contenir la couleur sur laquelle vous travaillez, même s'ils donnent l'impression d'être différents. Par conséquent, il ne sera peut-être pas possible de sélectionner précisément et de travailler sur une petite plage chromatique. Photoshop permet d'effectuer une sélection précise *via* Remplacement de couleur associé à Teinte/Saturation.

Désaturation globale

Pour obtenir une désaturation sélective de l'original (*ci-dessus à gauche*), pris à Samarkand, en Ouzbékistan, j'ai légèrement désaturé l'image complète en conservant un peu de couleur sur les pommes et les mains (*ci-dessus à droite*). Une étape a consisté à sélectionner les pommes et les mains puis à inverser la sélection, avec une forme d'outil de 22. C'était plus facile que de sélectionner tout sauf les pommes et les mains. La désaturation a ensuite été appliquée de nouveau, mais uniquement à la zone sélectionnée.

Couleur sélective

L'image originale prise dans un parc au Kirghizistan (*ci-dessus à gauche*) présentait trop de couleurs par rapport à l'ambiance que je voulais lui donner. Pour préparer une désaturation sélective basée sur une plage chromatique, j'ai saturé au maximum les bleus en sélectionnant cette couleur dans le sous-menu Désaturation. J'ai ensuite ouvert Saturation de nouveau et j'ai renforcé les jaunes (pour garder de la couleur dans les feuilles sur le sol et les arbres distants). Le résultat de ces deux opérations a produit une version assez voyante (*ci-dessus à droite*). Une désaturation globale de 40 % aurait normalement dû supprimer la quasi-totalité des couleurs, mais seuls les verts ont disparu, les autres couleurs ayant été préalablement renforcées (*à droite*).

Désaturation partielle

La meilleure façon de désaturer cette image originale (*ci-dessus à gauche*) était d'utiliser l'outil Désaturation (nommé aussi Éponge dans le mode Désaturation), parce qu'il a permis d'appliquer l'effet graduellement et à des points bien précis. L'objectif initial était de désaturer complètement les arbres pour faire ressortir les couleurs des vêtements des femmes, mais une suppression partielle du vert s'est révélée beaucoup plus efficace (*ci-dessus à droite*). La touche finale a consisté à assombrir les habits blancs avec l'outil Densité couleur +.

Effets de filtre

Un des avantages les plus spectaculaires de la photographie numérique était la possibilité de créer des effets visuels fantastiques en quelques clics. Certains effets étaient réellement étonnants, d'autres un peu ridicules. Nous savons aujourd'hui que de nombreux effets de filtre spéciaux permettent de résoudre certains problèmes visuels. Les filtres font maintenant complètement partie du répertoire des techniques du photographe, mais l'objectif de leur utilisation doit rester artistique. Dans cette optique, le photographe numérique se doit de connaître les possibilités de son logiciel en la matière.

Filtres de netteté

Les filtres de netteté se différencient des autres par le fait qu'ils sont rarement utilisés pour des effets spéciaux, mais plutôt pour améliorer la qualité visuelle de l'image. Ils agissent sur les contours dans l'image. Les filtres de netteté augmentent les différences de luminosité ou le contraste au niveau de ces contours. Le filtre Accentuation est parfait pour augmenter la netteté d'une image (*voir pages 110-111*).

En coulisse

Les filtres d'image sont des groupes d'opérations mathématiques répétées. Certains fonctionnent en travaillant sur de petites parties de l'image, d'autres sur la globalité de cette dernière. Le filtre Accentuation, par exemple, travaille sur des carrés de 200 pixels de côté alors que le filtre Rendu charge l'image complète en mémoire. Mosaïque est un filtre simple. Il travaille sur un groupe de pixels, en fonction de la taille définie, et calcule la valeur moyenne de ces derniers. Il affecte ensuite cette moyenne à tous les pixels du groupe de façon à obtenir un « pixel » élargi. Le filtre se déplace ensuite sur le jeu de pixels suivant et répète l'opération. La plupart des filtres Mosaïque travaillent sur de petits segments d'image à la fois, mais certains analysent l'image complète pour chaque calcul. Dans ce cas, vous devez disposer de beaucoup de mémoire et de puissance de calcul. Toutes ces opérations produisent l'effet pixellisé du filtre Mosaïque.

Filtres Distorsion et Pixellisation

Les filtres Distorsion changent la forme du contenu d'une image (en globalité ou par petites portions) en modifiant la position relative des pixels, sans toucher aux couleurs et tonalités globales. Ces filtres sont très difficiles à contrôler et doivent être employés avec modération. Les effets de flou ressemblent aux effets de distorsion sauf que l'image perd des détails. Les filtres Pixellisation, qui regroupent les pixels de même couleur en cellules, représentent un autre type de distorsion.

Filtre Océan

Ce filtre ajoute des ondulations à la surface de l'image pour donner l'illusion qu'elle est sous l'eau. Pour rendre l'effet plus réaliste, ajoutez des reflets de surface qui vont séparer « l'eau » de l'image située en dessous.

Utiliser les filtres

- Entraînez-vous sur de petits fichiers.
- Testez le même filtre sur différentes images afin d'identifier les filtres adaptés à certains types de photos.
- Les filtres sont particulièrement efficaces sur des zones sélectionnées.
- Le résultat de plusieurs applications d'un filtre est imprévisible.
- Il faut souvent régler le contraste et la luminosité après l'application d'un filtre.
- Visualisez l'image dans sa taille finale à l'écran pour contrôler l'effet des filtres.

Coordonnées polaires

Cette déformation extrême s'obtient en transformant les coordonnées cartésiennes en coordonnées polaires. Les positions sont définies en fonction de l'angle qu'elles présentent par rapport à une référence.

Sphérisation

Ce filtre donne à des objets un effet 3D en bouclant la sélection autour d'une forme sphérique. Sa taille étant limitée à celle de la zone de travail, vous devrez d'abord augmenter cette zone, puis appliquer le filtre, si vous souhaitez déformer toute l'image.

Lueur diffuse

L'application de ce filtre donne l'impression que l'image est visualisée au travers d'un filtre de diffusion. Le filtre ajoute du bruit blanc transparent, la lueur étant diffusée depuis le centre de l'image ou de la sélection.

Lueur diffuse répété

Si vous appliquez le filtre deux fois, vous cumulez l'effet. Si l'effet original n'est pas assez fort, une seconde application peut nettement l'améliorer. Il faudra éventuellement régler *via* les Niveaux ou les Courbes pour éclaircir les tons foncés comme ici.

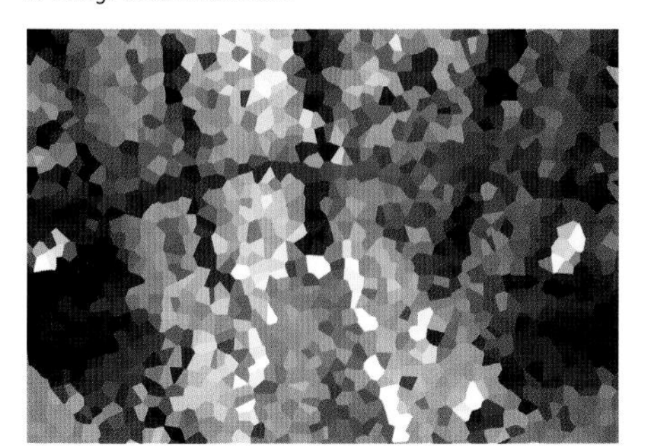

Cristallisation

L'image est découpée en petites zones, dont vous pouvez régler la taille, qui sont colorées à partir de la teinte moyenne qu'elles contiennent. Avec une palette de couleurs limitée, l'effet produit peut être intéressant.

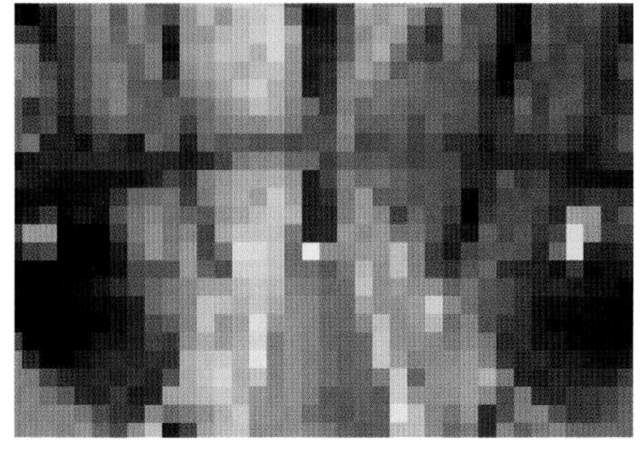

Mosaïque

Ce filtre de pixellisation classique regroupe les couleurs moyennes en carrés de taille réglable. Il semble déformer l'image en raison du remplissage des plus grands « pixels ». Vous pouvez l'utiliser pour masquer certains détails d'une image *via* une sélection.

Effets de filtre suite

Artistiques et Contours

Les filtres artistiques dans Photoshop, comme les effets de pinceaux artistiques dans Corel Painter, simulent les matériaux des artistes. Vous pouvez obtenir des effets imitant les crayons de couleur, le dessin à la craie ou la peinture au pinceau. Ces filtres combinent les informations de l'image avec des effets de distorsion locale programmés. Comme les filtres Artistiques, les filtres Contours imitent la peinture *via* différents effets de contours et d'encre, et les filtres Esquisse produisent les mêmes effets en monochrome.

Crayon de couleur
Pour simuler un dessin réalisé au crayon de couleur, les contours du sujet principal se transforment en lignes brutes et les couleurs d'arrière-plan unies prennent l'apparence d'une texture ressemblant au papier à dessin.

Aérographe
Ce filtre réduit rapidement une image à sa forme essentielle. L'utilisateur choisit la direction des traits, ce qui le rend assez polyvalent mais il convient mieux aux images peu contrastées. Ici les réglages sont longueur 6, rayon 24, diagonale à gauche.

Découpage
Ce filtre transforme les formes de l'image en blocs de couleurs unies déterminées par la moyenne des couleurs échantillonnées dans ces zones. Ici, les niveaux sont réglés à 5, la simplicité à 6 et la fidélité à 2.

Barbouillage – Net large
L'épaisseur a été réglée à son maximum de 50 et la netteté à la valeur 0 minimum pour produire ces formes dans lesquelles on reconnaît facilement les composants de l'image, mais dont tous les détails sont floutés.

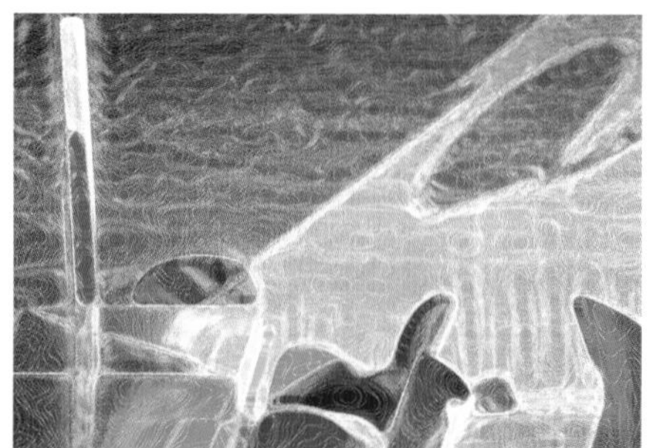

Barbouillage – Touches
Bien plus qu'un simple barbouillage de peinture, ce filtre ajoute de fausses lignes de contour partiellement liées à la luminosité. L'effet est agréable quand le type est réglé en Touches. Ici, l'épaisseur est réglée à 26 et la netteté à 32.

Contour postérisé

Ce filtre imite une bande dessinée, en exagérant toute texture détectée et en dessinant tous les contours. Pour ce résultat, l'épaisseur était réglée à 6, l'intensité des contours à 5 et la postérisation à 1.

Craie & Fusain

Ce filtre produit des images avec des textures et tonalités incroyables. Il fonctionne bien même avec des originaux détaillés. Le fusain a été réglé dans une valeur moyenne de 8, la zone craie à une valeur élevée de 15, et la pression à son minimum de 0.

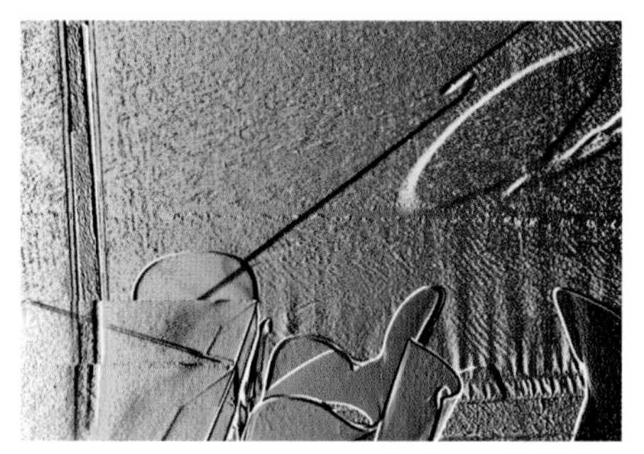

Bas Relief

Ce filtre fait apparaître un relief sur l'image en fonction de la luminosité. Il peut se révéler très utile combiné à l'image originale, *via* les calques. Ici, les détails sont réglés à 13, le lissage à 3, avec la lumière entrante depuis la gauche.

Chrome

Ce filtre applique une fluidité à l'image, en fonction de la luminosité locale, c'est pourquoi les zones comprenant le plus grand nombre d'ondulations sont celles qui varient le plus en luminosité. Ici, les détails sont réglés à 3 et le lissage à sa valeur maximum 10.

Néon

Efficace pour faire briller les bordures des objets, ce filtre est aussi pratique pour colorer une image tout en adoucissant son aspect. Dans Photoshop, vous sélectionnez la couleur dans le sélecteur proposé dans la galerie des filtres.

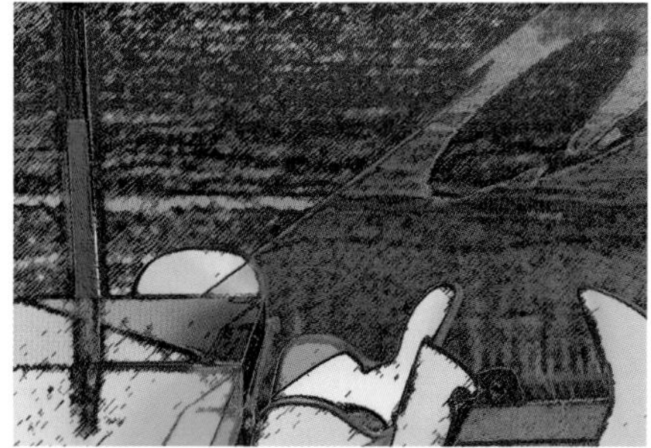

Fusain plus mode Différence

Cette image est le résultat de l'application du filtre Fusain à l'image originale, puis de la fusion avec une copie de cette dernière en mode Différence (*voir page 171*). (*Voir aussi la section Multiplication des effets page 161.*)

Effets de filtre suite

Rendu, Esthétiques et Textures

Les filtres Rendu et Esthétiques simulent des effets d'éclairage dans une scène, alors que les filtres Textures semblent animer la surface d'une image. Ces familles de filtres sollicitent beaucoup l'ordinateur et de gros fichiers risquent d'être plus longs à traiter que d'habitude. Après avoir utilisé des filtres comme Courbes de niveaux et Tracé des contours, vous pouvez appliquer la commande Inverser pour dessiner les bordures précédemment accentuées en lignes colorées ou blanches selon que l'image est en couleurs ou en niveaux de gris.

Craquelure

Ce filtre combine un changement de texture qui imite les craquelures d'une peinture à l'huile avec un petit effet d'éclairage. Cette image a été obtenue avec un espacement de 15, une profondeur de 6, et une luminosité de 9.

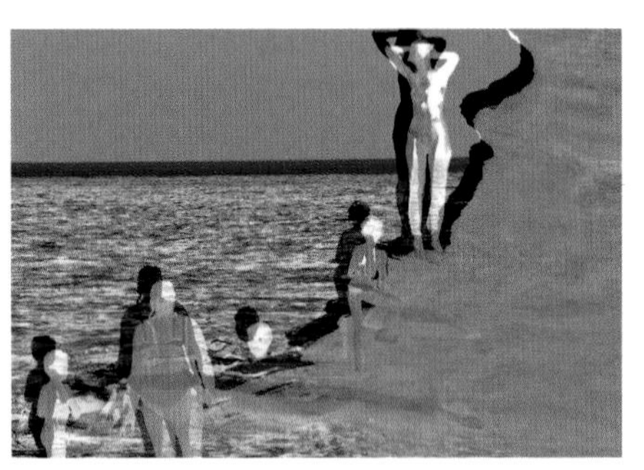

Estampage

Ce filtre produit des déformations impressionnantes avec des formes géométriques, et le masque gris qui l'accompagne permet de compléter les effets. Ici, tous les paramètres sont élevés : angle –49°, hauteur 43 pixels, facteur 98 %.

Contours lumineux

Ce filtre fonctionne bien sur les contours larges, comme autour des rochers ici, mais le résultat est également intéressant sur des zones plus texturées comme la mer, dont la couleur a changé. L'épaisseur était réglée à 3, la luminosité à 17, et le lissage à 4.

Solarisation

Ce filtre inverse les tons et les couleurs en même temps. Il décale aussi généralement le contraste global et la saturation dont il faut ensuite rétablir les niveaux.

Courbes de niveaux

Les filtres qui définissent les bordures fonctionnent à toutes les échelles de l'image. L'effet est prévisible à une large échelle mais il peut devenir très surprenant avec un niveau de détails élevé. Ici, la mer est texturée alors que les personnages sont clairement détourés.

Nuages par différence

Utilisé seul, le filtre Nuages redistribue les données de luminance pour masquer complètement les détails de l'image. Le filtre Nuages par différence combine le premier avec le mode de fusion Différence. Les résultats sont imprévisibles et souvent étonnants.

Extrusion

Le filtre Extrusion vaut la peine d'être testé pour son étrangeté. Vous définissez le type et la taille des extrusions, et si la profondeur est aléatoire ou dépendante. Pour cette image, des pyramides de 30 pixels ont été choisies, avec une profondeur de 30 aléatoire.

Grain – Touffu

Le filtre Grain propose plusieurs effets différents, ou types de grain. Il imite assez bien le grain photo. Cependant, des logiciels spécialisés tels que DxO FilmPack imitent beaucoup mieux le grain photo naturel.

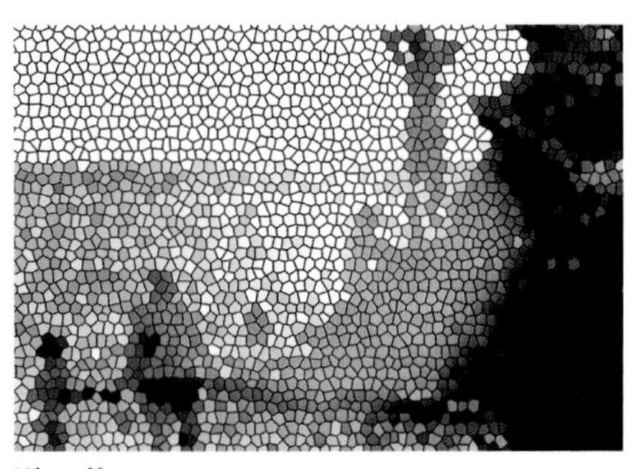

Vitrail

Ce filtre est pratique pour définir l'échelle des détails importants et simplifier la gamme de couleurs. Réglez la taille des cellules pour laisser apparaître les détails clés du sujet. Ici, la taille des cellules est 10, l'épaisseur du plomb 4 et l'intensité lumineuse 3.

Placage de texture – Toile

Dans Photoshop, ce filtre propose quatre textures différentes ainsi que le réglage de l'échelle, du relief et de la direction de l'éclairage. La texture Toile imite assez bien l'impression sur tissu.

Multiplication des effets

Voici comment augmenter le potentiel des filtres :

- Appliquez les filtres sur un ou plusieurs calques.
- Appliquez une séquence de filtres puis servez-vous de l'outil Forme d'historique pour fusionner les résultats.
- Appliquez les filtres sur les couches de couleur individuelles avec des réglages différents.
- Appliquez le même effet de filtre sur différentes images pour rapprocher leurs caractéristiques.
- Créez des effets de filtre à l'aide du filtre optimisé pour pouvoir modifier ces effets par la suite.
- Créez des masques ou des sélections sur les calques pour fusionner les effets.

Plage dynamique étendue

La plage dynamique fait référence à la différence entre les niveaux d'énergie maximum et minimum dans un système. En photographie numérique, la plage dynamique est la différence entre les lumières les plus claires et les ombres les plus sombres d'une scène, c'est-à-dire sa plage de luminance. La plage dynamique varie selon le support sur lequel elle se présente. Dans la pratique, une plage dynamique étendue (HDR) signifie que la plage de tons clairs d'une scène est trop importante pour enregistrer tous les détails souhaités, à partir d'un équipement donné.

Plages dynamiques typiques

En pratique, la plage dynamique se mesure en nombre de diaphragmes. Selon cette mesure, la plage dynamique d'un tirage couleur s'étend sur 7 diaphragmes. Celle des pellicules diapositives couleur s'étend seulement sur 4 diaphragmes. Les compacts numériques sont équivalents aux tirages couleur, mais la plage des reflex numériques peut dépasser les 10 diaphragmes.

Imagerie HDR

Une scène dont la plage dynamique dépasse les capacités d'enregistrement de l'équipement peut se décomposer en un réglage d'exposition pour les hautes lumières et un autre réglage pour les zones sombres. La plage tonale complète est obtenue en fusionnant plusieurs expositions différentes : au moins une optimisée pour les tons moyens et une pour les tons les plus clairs.

Effet Tons foncés/tons clairs
Les commandes qui révèlent les détails à la fois dans les tons foncés et les tons clairs simulent l'apparence du HDR. En réalité, elles compressent la plage tonale d'une image. L'effet manque souvent de naturel et des halos apparaissent autour du sujet.

La simple fusion d'expositions a évolué vers des versions plus sophistiquées – souvent nommées elles-mêmes HDR (*High Dynamic Range*). Les techniques HDR ont pour objectif d'étendre les limites de la plage dynamique de l'appareil photo pour se rapprocher de celle de l'œil humain.

Mode d'emploi du HDR

Pour créer des séquences HDR, vous devez faire un bracketing sans bouger l'appareil.

1. Réglez en ISO 200, ou ISO 400 avec le mode d'exposition en Priorité ouverture.
2. Réglez plusieurs expositions.
3. Activez la stabilisation d'image si elle est disponible.
4. Réglez le bracketing sur un décalage d'exposition de 1 diaphragme si le soleil est de côté, ou de 2 si le soleil est de face.
5. Avec l'appareil photo bien en main, réalisez le bracketing. Vous pourriez aussi enregistrer l'image en format Raw, créer plusieurs variantes à différentes expositions puis les fusionner en HDR, mais les résultats seront moins bons.
6. Ouvrez les images dans un logiciel tel que Photomatix ou Photoshop (Fichier > Automatisation > Fusion HDR), puis fusionnez-les. Pour de meilleurs résultats, choisissez des sensibilités inférieures, enregistrez en Raw, réglez le bracketing sur une série de sept ouvertures et utilisez un trépied.

Les limites de la fusion

L'image Raw d'une chambre orientée vers l'extérieur ensoleillé peut être assombrie pour faire apparaître la couleur dans la fenêtre (*en haut à gauche*), alors qu'une autre version sera éclaircie pour les détails des fleurs (*ci-dessus à gauche*). La fusion des images (*voir page 150*) donne un résultat acceptable (*ci-dessus*), mais des défauts apparaissent dans les tons moyens comme autour de la fenêtre.

Fusion HDR

L'image originale de ces deux amies discutant sur une plage représentait initialement des silhouettes avec très peu de détails dans les ombres. Je voulais conserver le caractère silhouette tout en débouchant les ombres. À partir du fichier Raw, j'ai créé des versions avec assombrissement des hautes lumières sur la mer, et d'autres pour déboucher les tons foncés. Après fusion HDR, un réglage des niveaux a amélioré le contraste global (*voir ci-dessous*).

Dans Photoshop, Fusion HDR propose quatre algorithmes de combinaison des images : le meilleur dépend des caractéristiques de l'image. Exposition et gamma est généralement le plus intéressant, et il offre des réglages qui lui sont propres. Des adaptations locales produisent des résultats très graphiques et offrent un réglage basé sur le rayon.

Image originale

Sous-exposée de 1 diaphragme

Surexposée de 1 diaphragme

Sous-exposée de 2 diaphragmes

Égaliser Histogramme

Exposition et gamma

Compression des tons clairs

Adaptations locales

Sélection des pixels

Il existe deux façons de cibler l'action d'un effet de retouche. La méthode directe consiste à utiliser un outil qui applique l'effet sur une zone limitée, comme l'outil Densité couleur – ou un pinceau. L'autre méthode consiste à sélectionner d'abord une zone ou des pixels, puis à appliquer l'effet. Seuls les pixels sélectionnés seront affectés.

Effectuer une sélection

Vous avez deux options pour sélectionner certaines parties d'une image. Vous sélectionnez tous les pixels contenus dans la zone définie à l'aide d'outils tels que Lasso ou Rectangle de sélection. Ces pixels peuvent avoir n'importe quelle valeur ou couleur, ils sont contigus. Vous pouvez aussi sélectionner des pixels sur toute l'image à partir de leur couleur, à l'aide d'outils tels que Baguette magique ou Plage de couleurs. Dans ce cas, il s'agit d'une sélection non contiguë. Si vous réglez la Baguette magique en pixels contigus, vous sélectionnez uniquement les pixels voisins du pixel source, de couleur identique.

Une option importante consiste à sélectionner partiellement les pixels en bordure de sélection. Vous créez ainsi une transition « progressive » entre les pixels complètement sélectionnés et ceux qui ne le sont pas. L'effet appliqué s'en trouve adouci. Un contour progressif de 0 signifie que la transition sera brutale ; au-delà d'un pixel, la transition est plus graduelle. Notez que l'objectif d'un contour progressif est d'adoucir les angles d'une sélection.

Sélections et masques

Le principe de la sélection d'un ensemble bien défini de pixels pour retoucher ces derniers est analogue à l'utilisation de masques (*voir pages 328-329*), avec des différences importantes. Tout d'abord, une sélection est un masque temporaire ; elle disparaît dès que vous cliquez ailleurs (certains programmes proposent d'enregistrer une sélection, pour un emploi ultérieur ou dans une autre image). Ensuite, en présence de calques, la sélection s'applique au calque actif. Enfin, vous pouvez copier et déplacer les pixels sélectionnés, opération impossible avec un masque.

Image originale
Cette vue d'une église en Nouvelle-Zélande est l'image originale. J'ai voulu éclaircir la fenêtre pour réduire le contraste avec l'extérieur clair.

Effectuer une sélection
Avec le Lasso de Photoshop et un contour progressif de 11 pixels, j'ai sélectionné les vitres des fenêtres. Pour commencer la sélection d'une nouvelle zone, maintenez la touche Commande (Mac) ou Contrôle (PC) enfoncée. La zone sélectionnée est définie par des pointillés en mouvement. Quand la commande Niveaux est exécutée, elle s'applique uniquement aux sélections.

Effet final
Dans certains cas, le résultat un peu gauche d'une sélection au lasso peut produire un effet plus réaliste qu'une sélection trop parfaite. Les zones sombres dans le bas et la partie droite des fenêtres correspondent aux zones oubliées dans la sélection de l'image précédente (*ci-dessus à gauche*).

CONSEILS ET ASTUCES

- Étudiez les différentes méthodes de sélection – certaines sont évidentes, comme les outils Lasso ou Rectangle de sélection, mais certains logiciels proposent des méthodes plus complexes comme la commande Plage de couleurs de Photoshop.
- Choisissez de préférence un contour progressif sauf si un contour net se justifie. Une largeur moyenne de 10 pixels convient dans la plupart des cas. Le contour doit correspondre à la tâche – pour un effet vignette, choisissez un contour très progressif, mais si vous souhaitez isoler un objet de l'arrière-plan, un contour net conviendra mieux. Réglez le contour avant d'effectuer la sélection.
- Notez que le contour progressif a tendance à déborder de la sélection : des changements brusques de direction vont ainsi être arrondis. Dans le cas du rectangle de sélection, par exemple, vous obtenez un rectangle à coins arrondis.
- La zone sélectionnée est signalée par des tirets animés. Si leur présence vous perturbe, la plupart des applications offrent la possibilité de les masquer sans perdre la sélection.
- Dans de nombreux logiciels, vous avez la possibilité d'étendre ou de réduire la sélection initiale en utilisant l'outil de sélection avec une touche particulière enfoncée. La maîtrise de cette technique vous évitera de recommencer le processus de sélection à chaque fois que vous devrez la modifier.
- N'hésitez pas à zoomer sur la sélection pour détecter les défauts au niveau de la bordure. Corrigez-les à l'aide de l'outil Gomme ou Goutte d'eau.
- Les sélections sont plus faciles à effectuer à partir d'une tablette graphique.

Image originale

Les magnifiques feuilles rouges de cet érable du Japon ne demandent qu'à être isolées de leur arrière-plan. Toute méthode de sélection qui consisterait à les détourer avec un outil serait évidemment extrêmement fastidieuse. Vous pourriez choisir la Baguette magique, mais une commande telle que Plage de couleurs est beaucoup plus puissante et souple.

Capture d'écran Plage de couleurs

Dans sa version Photoshop, vous pouvez étendre les couleurs sélectionnées *via* la pipette avec le signe + ; en cliquant sur la pipette avec le signe –, vous affinez la plage de couleurs sélectionnée. Le curseur Tolérance contrôle aussi la plage de couleurs choisie : un réglage assez élevé, comme ici, garantit la sélection des pixels en bordure des feuilles, qui ne sont pas complètement rouges.

Image retouchée

Après le réglage des options dans la boîte de dialogue Plage de couleurs (*ci-dessus à gauche*), vous sélectionnez les couleurs en cliquant sur OK – uniquement les feuilles rouges. En inversant la sélection, vous sélectionnez tout l'arrière-plan que vous effacez pour obtenir l'image présentée ici. Ce type d'image peut être enregistré dans votre bibliothèque pour de futures compositions.

Dépannage Effacer l'arrière-plan

La suppression de l'arrière-plan fait partie des retouches les plus courantes. Il y a deux méthodes principales : la première consiste à effacer directement l'arrière-plan (très long), l'autre consiste à le masquer.

Problème

Le principal problème est d'isoler l'objet en premier plan sans perdre les détails du contour, comme des cheveux, ou de conserver la transparence d'un verre ainsi que des ombres et des contours flous.

Analyse

La plupart des bordures dans une image sont légèrement progressives, il s'agit plus d'une transition de couleur et de luminosité. Si une transition est un peu plus forte et plus évidente, elle est considérée comme une bordure. Si vous sélectionnez le premier plan en traçant des bordures nettes, il aura un aspect artificiel et « découpé ». Tout dépend de la taille finale prévue pour l'avant-plan. S'il doit être utilisé petit et masqué par d'autres détails, vous pouvez vous permettre une sélection approximative. Sinon, vous devrez sélectionner plus soigneusement.

Solution

Réalisez vos sélections en choisissant une transition appropriée au sujet à extraire. Les méthodes habituelles (Lasso ou Baguette magique) conviennent la plupart du temps, mais des sujets compliqués exigeron des outils plus spécialisés comme Corel KnockOut, Extensis Mask Professional ou la commande Extraire de Photoshop.

Contourner le problème

Quand vous avez besoin d'isoler des objets, il est préférable de travailler sur un fond uni. Un fond blanc ou noir sera préférable à un fond plus varié, mais le fond coloré est idéal. Il faut choisir une couleur qui n'apparaît pas sur le sujet – si celui-ci est blond, avec une peau mate et qu'il porte du jaune, un fond bleu est parfait. Évitez d'utiliser un projecteur d'appoint, qui risque d'entourer le sujet d'un halo coloré. Évitez tout flou dû au mouvement du sujet et maintenez une bonne profondeur de champ de sorte que les détails, comme les cheveux à l'arrière du sujet, restent nets.

Faible tolérance
Pour des tâches simples, comme la suppression du ciel dans cette image, la Baguette magique ou un outil analogue sélectionnant les pixels en fonction de leur couleur et disponible dans la plupart des logiciels de retouche donne un résultat rapide. Il suffit de régler la tolérance, qui définit la plage de couleurs à sélectionner. Si la tolérance est trop

Suppression du ciel
En commençant avec une petite tolérance, puis en incrémentant peu à peu, vous pourrez voir quelle valeur supprime exactement la bonne zone. Cliquez alors sur OK pour supprimer la sélection. Les bordures de cette dernière peuvent être difficiles à discerner dans une petite image, mais elles seront parfaitement visibles sur un écran

Tolérance élevée
Si la tolérance est trop élevée, vous allez capturer la partie du bâtiment qui rejoint le ciel. Notez ici le résultat d'un large contour progressif (111 pixels) – des pixels assez éloignés du pixel cible sont sélectionnés. On obtient une sélection avec une bordure très floue.

1 Image originale

Cette jeune Afghane, experte en tissage de tapis, 'apprête à monter sur la piste de danse. L'arrière-plan eu esthétique n'apporte malheureusement rien à 'image.

2 Définition du premier plan et de l'arrière-plan

Dans Corel KnockOut, j'ai d'abord dessiné à l'intérieur du contour de la fillette pour définir l'avant-plan, puis à l'extérieur pour définir l'arrière-plan. La zone située entre les deux contours masque progressivement la bordure.

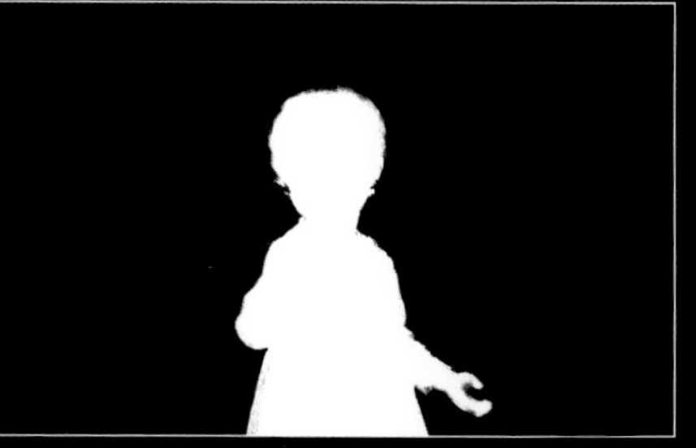

3 Création du masque

À partir des informations de l'étape précédente, un nasque est créé. Celui-ci révèle le premier plan tout en nasquant l'arrière-plan. Le noir représente la zone nasquée et le blanc la zone où l'image peut apparaître.

4 Suppression de l'arrière-plan

À présent, puisque le masque cache une partie de l'image sur son propre calque, il n'affecte pas les images sur un autre (*ci-dessous à gauche*). Si vous placez une image sous le masque, vous la verrez apparaître.

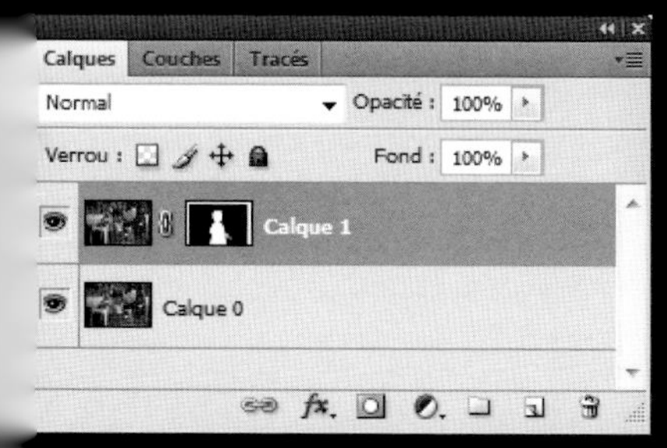

5 Capture d'écran Calques

La boîte de dialogue Calques montre la petite fille t le masque associé placé au-dessus de l'image riginale. Ce masque étant le résultat de l'extraction de fille, l'arrière-plan original a disparu, permettant au ouvel arrière-plan d'apparaître.

6 Combinaison avec masque

L'arrière-plan a été éclairci pour s'accorder aux couleurs de la fillette. Le masque a préservé l'aspect progressif du contour de la fille et elle semble maintenan danser devant la tapisserie. On pourrait adoucir davantage l'arrière-plan pour qu'il apparaisse moins net

Modes de fusion des calques

La métaphore des « calques » est fondamentale dans de nombreux domaines comme l'édition de bureau, l'animation vidéo et la photographie numérique. Le principe est celui de « l'empilage » des images, dans un ordre interchangeable. Vous pouvez les considérer comme une pile de feuilles d'acétate ; quand le calque est transparent, vous voyez les images situées au-dessous. Cependant, ces calques n'ont pas tous la même résolution, le même nombre de couches ou le même mode d'image. Le résultat dépend de la façon dont les calques sont fusionnés lorsqu'ils sont « aplatis », avant l'impression finale. Avant cette étape, ils vous permettent d'effectuer des modifications sans altérer les données originales, chaque calque étant indépendant des autres.

Couleur sous forme de calque

Il faut bien comprendre qu'une image couleur de base est constituée de calques rouge, vert et bleu – normalement nommés couches. Par nature, les termes de « calque » et de « couche » sont interchangeables. Les masques font aussi partie des calques et modifient l'apparence du calque situé au-dessous.

Par analogie, si vous voyez un visage au travers d'une vitre embuée, l'image est adoucie ou diffuse. Si vous nettoyez une partie de la vitre, la partie située sous cette zone va devenir clairement visible. La vitre est donc un calque au-dessus du calque sous-jacent – le visage – et en agissant sur une partie de celle-ci, vous appliquez un masque qui joue le rôle d'un autre calque.

Utilisation des calques

L'usage principal des calques (également nommés « objets » dans certaines applications) est de composer des images à partir de plusieurs images distinctes. Vous pouvez les placer les unes au-dessus des autres, en faisant varier l'ordre dans la pile ; dupliquer les plus petites et les positionner autour de la zone de travail ; ou changer la taille des composants individuels. Vous pouvez aussi modifier la façon dont chaque calque interagit ou fusionne avec le calque inférieur : ce sont les modes de fusion. Vous pouvez enfin contrôler leur transparence et les rendre parfaitement opaques (ou très peu transparents) ou à peine visibles, quand vous définissez une forte transparence (ou une faible opacité).

Original 1
Les flèches d'une université à Cambridge, en Grande-Bretagne, offrent la simplicité de forme et de ligne idéale pour la composition d'images. Le ciel très nuageux apporte aussi de la variété sans accumulation de détails. En guise de préparation, les couleurs de l'image ont été renforcées en augmentant la saturation et les tours ont été redressées.

Original 2
Le contour de ces arbres sans feuilles en France fournit des silhouettes fascinantes et compliquées pour travailler l'image. Photographié un jour maussade, le ciel ne présentait aucun intérêt pour cet exercice. Nous avons donc appliqué un dégradé de couleurs sur la totalité de l'image. Ces couleurs ont finalement été renforcées et le contour des arbres a été accentué pour augmenter l'impact graphique.

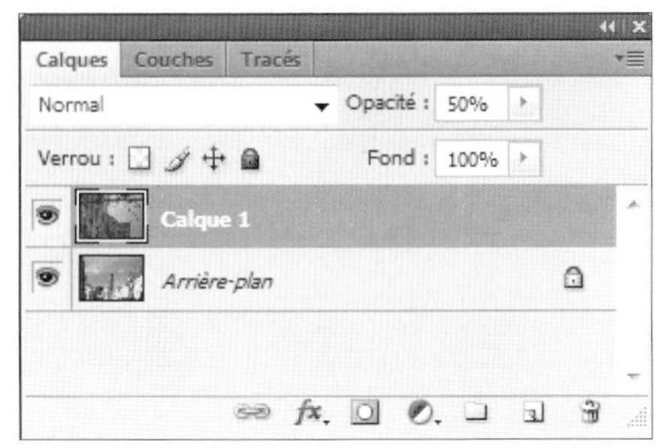

Normal

La fusion normale est souvent négligée mais c'est un mode de fusion approprié – si vous réduisez l'opacité du calque supérieur sous les 100 %, le calque inférieur devient progressivement visible. Ici, le calque supérieur à 50 % montre l'intérêt de la fusion – impossible à obtenir à partir d'un autre mode – et l'ordre des images n'a pas d'importance.

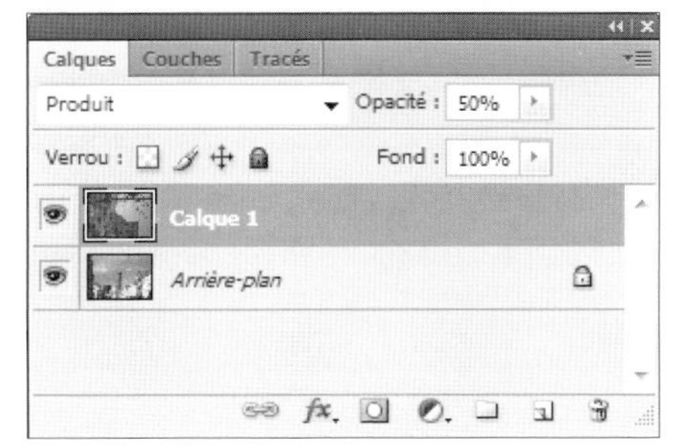

Produit

Ce mode est l'équivalent numérique de la superposition de deux diapositives couleur – les densités sont multipliées et l'image est assombrie. Ici, l'opacité de 60 % du calque supérieur réduit la noirceur des arbres. Ce mode corrige des images trop claires (des diapositives surexposées ou des négatifs sous-exposés). Dupliquez l'image sur un autre calque et réglez celui-ci en mode Produit.

Superposition

Quand vous ajoutez les luminosités de pixels, c'est comme si vous projetiez une diapositive sur une autre diapositive projetée – le résultat est toujours plus clair. En réduisant l'opacité du calque supérieur, vous contrôlez les tons de l'image. Ce mode est pratique pour déboucher une image excessivement sombre (l'inverse de Produit). Dupliquez l'image sur un autre calque, réglez-le en mode Superposition, puis ajustez l'opacité.

Incrustation

Ce mode mélange les couleurs de deux calques, et il réagit très bien aux changements d'opacité. Il fonctionne en superposant les zones claires et en multipliant les zones sombres du calque supérieur sur le calque inférieur, ce qui produit l'effet opposé à Lumière crue (*voir page 170*). En réduisant l'opacité, son effet est comparable à la fusion normale mais avec des couleurs plus intenses. Il est pratique pour ajouter des textures.

Modes de fusion des calques suite

Lumière tamisée
Ce mode assombrit ou éclaircit les couleurs de l'image, selon la couleur de fusion. L'effet revient à diriger un spot de lumière diffuse sur l'image. Si vous peignez en noir ou en blanc pur, vous produirez des zones plus sombres ou plus claires mais pas dans ces couleurs. C'est une méthode très efficace pour effectuer des réglages de tons locaux. C'est une version atténuée et plus pratique du mode de fusion Lumière crue.

Lumière crue
Ce mode est analogue à Lumière tamisée. Il assombrit les couleurs de l'image si le calque de fusion est foncé et il éclaircit si la fusion est claire, mais en augmentant le contraste. Il simule la projection d'une image sur une autre. Il est moins utilisé que Lumière tamisée mais il est efficace pour renforcer le contraste local – si vous l'appliquez avec une forme de faibles pression et opacité.

Modes de fusion

Les interactions entre calques sont assez complexes et leurs effets dépendent de la valeur d'un pixel au niveau du calque source (ou supérieur) par rapport à celle du pixel correspondant sur le calque destination (ou inférieur). La meilleure façon de connaître les modes d'interaction est de les tester un par un (maintenez la touche Maj enfoncée et appuyez sur « + » ou « – » pour parcourir le menu). Vous pouvez ainsi découvrir des alternatives et dévier de votre vision initiale, et c'est tout le plaisir de travailler avec un logiciel puissant. Avec l'expérience, vous apprendrez à connaître les modes de fusion les plus efficaces et vous orienterez en conséquence vos prises de vue.

Le point clé à retenir est que l'efficacité d'un mode dépend beaucoup de l'opacité définie sur le calque source – un tout petit changement d'opacité peut quelquefois faire toute la différence. Par conséquent, si un effet n'est pas satisfaisant, modifiez l'opacité et observez le résultat.

Voici les modes de fusion les plus intéressants disponibles dans des logiciels tels qu'Adobe Photoshop ou Corel Painter :

- **Lumière tamisée.** Ce mode est très pratique pour effectuer des réglages de ton localement (*voir ci-dessus*).
- **Couleur.** Ajoute de la couleur sur le calque récepteur sans modifier sa luminance – très pratique pour colorer les images en niveaux de gris.
- **Différence.** Ce mode inverse les tons et les couleurs.
- **Densité couleur +/–.** Il est efficace pour augmenter le contraste et la saturation des couleurs ou, en mode transparence, pour changer globalement de ton et d'exposition (*voir ci-contre*).

• Normal
Dissolve

Darken
Multiply
Color Burn
Linear Burn

Lighten
Screen
Color Dodge
Linear Dodge

Overlay
Soft Light
Hard Light
Vivid Light
Linear Light
Pin Light

Difference
Exclusion

Modes d'interaction
Les modes d'interaction des calques concernent aussi d'autres situations, comme la peinture, l'atténuation d'une commande et le clonage. En testant les différents effets, vous pourrez prévisualiser les résultats.

Densité couleur –

À première vue, Densité couleur – ressemble au mode Superposition (*voir page 323*) parce qu'il éclaircit l'image, mais son effet est plus spectaculaire. Le noir sur le calque supérieur n'a aucun effet sur le calque cible, mais toutes les autres couleurs vont teinter les couleurs sous-jacentes en augmentant leur saturation et leur luminosité. Notez qu'en changeant l'ordre des images, vous obtenez des effets très différents.

Densité couleur +

Ce mode de fusion augmente la saturation des couleurs et le contraste. Il produit des images plus foncées en remplaçant les pixels cible les plus clairs par les pixels plus foncés du calque supérieur. Attention, les modes Densité couleur + et Densité couleur – produisent souvent des couleurs extrêmes qui ne font pas partie de la plage de couleurs imprimables (*voir page 41*).

Obscurcir

Le mode Obscurcir applique uniquement les pixels les plus sombres du calque supérieur sur le calque inférieur. Ici, les branches noires des arbres masquent tout ce qui se trouve au-dessous. Ce mode affecte très peu les couleurs. Si les pixels correspondants sur les calques supérieur et inférieur sont pratiquement identiques, par exemple, il n'y aura aucune modification – ce mode ne peut donc pas être utilisé pour assombrir une image (*voir Produit page 169*).

Différence

Le mode Différence fait partie de ceux qui offrent les effets les plus intéressants, parce qu'il inverse à la fois les tons et les couleurs – plus les pixels sont différents, plus le résultat est clair. Notez le rendu des formes sombres des arbres en version négative et le bleu du ciel qui est devenu magenta. Quand les pixels supérieur et inférieur sont identiques, le résultat est noir, et si l'un est blanc et l'autre noir, le résultat est blanc.

Modes de fusion des calques suite

Exclusion

Version atténuée du mode Différence (*voir page 171*), le mode Exclusion transforme en gris les pixels de couleur moyenne à forte plutôt que de renforcer leur couleur. Une variante consiste à dupliquer le calque supérieur puis à le fusionner aussi en Exclusion. Vous obtenez un effet analogue à l'effet Sabattier (*voir pages 146-147*).

Teinte

Dans ce mode, les couleurs du calque supérieur sont combinées avec les valeurs de saturation et de luminosité du calque inférieur. Selon l'image utilisée, l'effet peut être très tonique, comme ici, ou relativement fade. Je vous conseille de comparer l'effet de ce mode avec celui du mode Couleur (*ci-dessous*).

Saturation

Ici, la saturation du calque inférieur est changée par celle du pixel correspondant sur le calque supérieur, ou source. Quand la saturation est élevée, l'image inférieure renvoie une couleur plus profonde. Ce mode fait ressortir ou atténue les couleurs dans une forme. Créez la forme sur un nouveau calque supérieur, changez la saturation dans cette forme, puis appliquez le mode Saturation.

Couleur

La teinte et la saturation du calque supérieur sont transférées sur le calque inférieur, la luminosité de ce dernier étant conservée. Ce mode simule l'effet d'une coloration à la main sur un tirage noir et blanc. Notez que le calque cible ne doit pas forcément être en niveaux de gris pour que le mode soit efficace. Comparez-le avec le mode Teinte (*ci-dessus*).

Luminosité

Ce mode est une variante de Teinte et Couleur. Cette fois, la luminosité du calque supérieur est conservée alors que la couleur et la saturation du calque inférieur sont appliquées. Il faut toujours tester différents ordres d'empilage des calques avec ces modes, surtout quand vous appliquez les modes Teinte, Couleur et Luminosité. Dans cette image, la réduction de l'opacité du calque supérieur produit une image esthétique, différente du contraste plus élevé obtenu quand les deux calques sont complètement opaques.

Lumière vive

Ce mode accentue ou réduit le contraste local : le contraste des couleurs les plus claires est réduit sur le calque cible, alors que le contraste des plus sombres est augmenté.

Lumière ponctuelle

Les couleurs du calque supérieur éclaircissent ou assombrissent le calque inférieur en fonction de la couleur qui s'y trouve. Les résultats sont difficilement prévisibles, mais ils sont souvent séduisants.

Densité linéaire +

Les couleurs cible sont assombries pour correspondre à la couleur source. Le contraste n'est pas augmenté. L'assombrissement prononcé peut être modéré en réglant l'opacité.

Lumière linéaire

Ce mode assombrit ou éclaircit selon la couleur du calque supérieur. Le contraste est accentué puisque les couleurs foncées sont assombries et les plus claires sont éclaircies.

Densité linéaire –

Comparable à Densité couleur – (*voir page 171*), ce mode éclaircit le calque cible pour correspondre au calque source, la fusion avec du noir ne produisant aucune modification. C'est une méthode efficace pour obtenir une image en high-key, mais elle a tendance à fabriquer trop de blanc.

Éclaircir

Ce mode choisit la plus claire des deux couleurs à fusionner. L'opération a tendance à réduire le contraste mais elle est efficace pour produire des tons pastel. Les images originales possédant déjà des tons doux conviennent particulièrement bien à l'application de ce mode.

Masques

Les masques protègent certaines zones de l'image des modifications de couleur ou des effets de filtre appliqués au reste de l'image. Les masques sont très polyvalents : vous pouvez, par exemple, modifier leur opacité pour voir plus ou moins « au travers ». Un masque créé dans un logiciel de retouche peut être enregistré pour être ensuite réutilisé. Dans ce cas, il devient une « couche alpha », qui peut ensuite être convertie en sélection. Techniquement, les masques sont des couches en niveaux de gris 8 bits, exactement comme celles qui représentent les couleurs. Vous pouvez donc les modifier avec les outils de peinture et de modification standard.

Ne soyez pas trop déçu si votre logiciel ne propose pas les masques, les sélections offrent un potentiel de travail assez conséquent. Retenez cependant que les sélections montrent les données à changer alors que les masques fonctionnent à l'inverse, ils protègent les pixels des effets appliqués.

Il existe deux méthodes pour créer des masques : le mode Masque de Photoshop, avec lequel vous créez directement votre masque en visualisant l'effet des zones progressives, ou la création d'une sélection, que vous transformez ensuite en masque. C'est rapide mais vous ne visualisez pas les zones progressives.

Le mode Masque

Dans Photoshop et Photoshop Elements, la touche Q fait passer en mode Masque. Vous dessinez sur le calque, vous appuyez de nouveau sur Q pour quitter, et le dessin se transforme en sélection. Vous pouvez aussi inverser la sélection : pour sélectionner un ciel clair derrière une silhouette, par exemple, il est quelquefois plus facile de sélectionner cette dernière puis d'inverser la sélection. Vous transformez ensuite la sélection en masque en ajoutant un masque de calque.

Le masque de calque fait disparaître tous les pixels situés au-dessous, sauf ceux que vous lui indiquez. Quand vous appliquez un tel masque, vous choisissez de masquer la zone sélectionnée, ou tout sauf cette dernière. L'avantage du mode Masque est qu'il est souvent plus facile de visualiser l'effet sur une zone dessinée qu'en faisant de multiples sélections. De plus, un clic accidentel en dehors de la sélection ne risque pas d'annuler votre travail, il va juste étendre le masque. Choisissez ce mode quand vous avez de nombreux éléments à masquer.

Utilisation du mode Masque

1 Calque inférieur
Le mode Masque, ou toute autre méthode qui implique de peindre sur le masque, est à privilégier quand il faut isoler une forme bien définie, comme une silhouette. Commencez par placer l'image qui doit apparaître sous le masque, ici une peinture islamique.

2 Création du masque
Le masque est ensuite appliqué sur les feuilles principales dans cette image en négatif. Le rouge représente le masque créé à main levée. C'est dans cette zone que l'image de base apparaîtra.

Transformer des sélections en masques

Je vous ai déjà présenté certaines méthodes de sélection des pixels (*voir pages 164-165*). Si vous avez besoin d'une sélection à contours nets pour laquelle il est possible de modifier l'échelle, vous devez créer un masque vectoriel.

Même si vous pouvez faire avec des sélections presque tout ce que vous pouvez faire avec des masques, la transformation d'une sélection en masque permet de l'enregistrer et de la réutiliser.

Couches alpha

Les couches alpha sont des sélections enregistrées en tant que masques sous la forme d'images en niveaux de gris. Les zones sélectionnées apparaissent en blanc, les zones non sélectionnées en noir, et les sélections progressives en niveaux de gris. Une couche alpha a le même statut qu'une couche de couleur, simplement au lieu de fournir une couleur, elle masque une partie des pixels. On peut transformer une couche alpha en sélection en « chargeant » la sélection pour cette couche. Le terme « alpha » fait référence à la variable d'une équation qui définit la fusion d'un calque avec un autre.

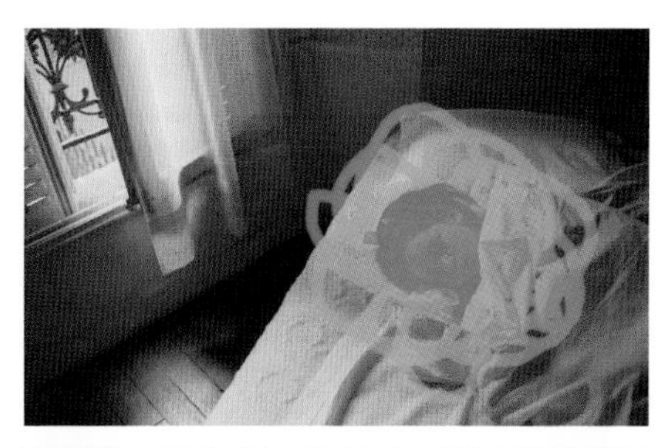

Limiter les effets de filtre

Ici (*en haut*), le masque a été appliqué pour « protéger » le visage de l'enfant des effets du filtre Esthétiques/Extrusion. Notez qu'après la transformation de la zone dessinée en sélection, vous devez inverser cette sélection avant de la transformer en masque. Quand le filtre est appliqué (*ci-dessus*), il agit uniquement sur les pixels non protégés.

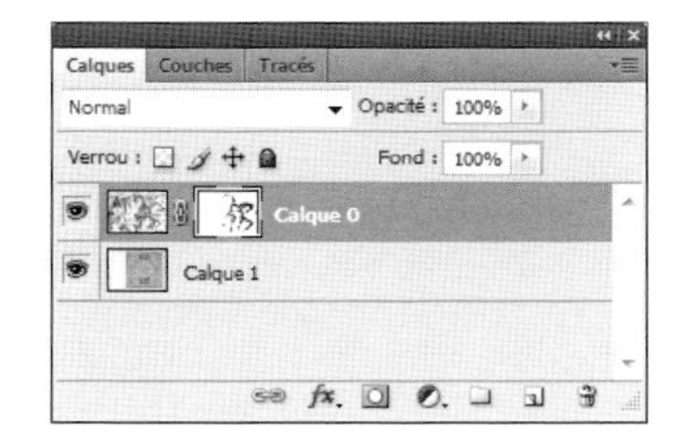

3 Capture d'écran Calques en mode Masque

Cette boîte de dialogue montre la peinture en calque de base (qui n'est pas l'arrière-plan puisqu'un masque ne peut être appliqué sur l'arrière-plan). Le calque supérieur, avec son masque à droite, contient les plantes.

4 Effet final

Déplacez l'image du dessous jusqu'à ce que le résultat convienne – c'est-à-dire lorsque les zones les plus percutantes apparaissent au travers du masque.

Techniques de clonage

Le clonage consiste à copier, répéter ou dupliquer des pixels d'une image pour les insérer dans une autre partie de l'image, ou dans une autre image. Vous commencez par sélectionner, ou échantillonner, une zone désignée comme source du clonage, puis vous appliquez cette zone à l'emplacement requis. C'est un outil de retouche classique et vous en aurez constamment besoin pour recouvrir, par exemple, un grain de poussière dans le ciel avec des pixels voisins ou une mèche de cheveux disgracieuse sur un visage par de la texture de peau.

Et ce n'est qu'un début. Ce type de clonage effectue une copie exacte des pixels, mais d'autres techniques sont beaucoup plus avancées. Avec des applications telles que Corel Painter, vous pouvez inverser, déformer ou appliquer toute autre transformation à l'image clonée.

Image originale
Des réparations ont enlaidi cette portion de route pavée à Prague. Une petite opération de clonage va la transformer.

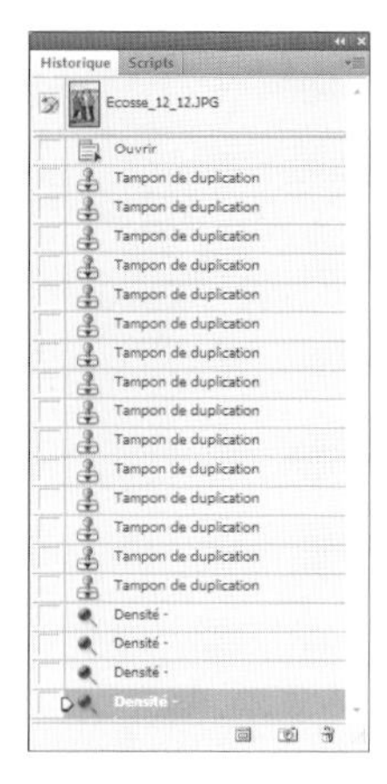

Fenêtre Historique
Cette capture d'écran de la fenêtre Historique montre les différentes étapes de clonage nécessaires pour la transformation.

Image retouchée
Le résultat n'est pas parfait, puisqu'il ne reflète pas la régularité des motifs du revêtement initial, mais il est beaucoup plus esthétique que l'image originale. Une accentuation et quelques réglages de tons ont complété la retouche.

CONSEILS ET ASTUCES

Voici quelques conseils pour éviter les pièges les plus évidents en clonage :

- Dupliquez avec l'outil réglé à la pression maximum, soit 100 %. Une pression plus légère produit un clone à l'aspect flou.
- Dans les zones unies, choisissez une forme à contour progressif pour l'outil de clonage ; dans les zones détaillées, choisissez une forme au contour net.
- Travaillez avec méthode, de gauche à droite, par exemple, de la zone nette vers la zone à retoucher pour éviter de cloner des défauts.
- Si le résultat de la retouche n'est pas naturel, essayez d'introduire du bruit pour lisser l'image. Sélectionnez la zone concernée puis appliquez le filtre Bruit.
- Vous pouvez réduire l'effet de flou apporté par le clonage en diminuant l'espacement. La plupart des pinceaux numériques sont réglés de façon à appliquer la « peinture » par touches qui se chevauchent, tous les quarts du diamètre du pinceau. Vous pouvez peut-être régler un espacement nul dans votre logiciel.
- Si vous avez prévu d'effectuer des corrections tonales sur l'image *via* les courbes, par exemple, faites-le avant de cloner. Des tonalités extrêmes risquent de faire ressortir les frontières entre zones clonées et non clonées.

Image originale

Supposons que vous vouliez supprimer la lampe de gauche dans cette image pour ne pas « couper » le ciel. Vous pourriez utiliser le Tampon de duplication, mais l'opération est trop compliquée et des zones floues pourraient apparaître dans le ciel.

1 Rectangle de sélection

Le rectangle de sélection a été réglé avec un contour de 10 pixels (pour une bordure floue) et positionné près de la lampe pour respecter au mieux le ton du ciel.

2 Suppression de la lampe

En appliquant le rectangle de sélection, vous remplacez la lampe par le rectangle de ciel. D'autres opérations de duplication ont permis de lisser les différences de ton et de rendre la zone retouchée complètement naturelle.

3 Finitions

La suppression du dernier élément de la lampe a été réalisée avec un plus petit rectangle de sélection, de contour zéro. Pour terminer, la lampe située derrière a été restaurée en clonant soigneusement ses parties visibles.

4 Résultat final

En dernière touche, une petite zone de nuages a été dupliquée au-dessus de la lampe et son couvercle a été assombri pour s'accorder avec les autres.

Techniques de clonage suite

Clonage spécial

En complément de l'aspect correctif étudié aux pages 176-177, le clonage peut aussi être envisagé de façon créative.

Dans la plupart des logiciels, il y a deux façons de cloner. La méthode de base est dite non alignée, ou normale : la première zone échantillonnée est insérée à chaque nouvelle application de l'outil. Les autres méthodes de clonage conservent une relation spatiale constante entre le point échantillonné et l'emplacement de la première duplication. Un décalage est donc maintenu de sorte que le clone soit aligné sur le point source.

Des logiciels tels que Corel Painter offrent jusqu'à neuf façons différentes d'aligner le clone avec la source. Vous pouvez déformer, étirer, pivoter, réfléchir, agrandir ou diminuer, et ainsi de suite. La procédure est plus compliquée parce que vous devez préciser l'échelle originale et la position avant de dupliquer. Vous commencez par définir les points de référence dans l'image source, puis vous définissez les points de transformation (dans l'image originale ou dans un nouveau document). Cette fonction est particulièrement efficace dans Painter.

Notez que l'image que vous clonez peut devenir elle-même la source d'une autre opération de clonage.

Les exemples ci-dessous illustrent la puissance et la diversité du clonage. N'oubliez jamais de toujours effectuer ce type d'opération sur une copie de l'image originale.

Images originales

Ces deux images (*à gauche*) ont été prises en Nouvelle-Zélande. Notez que les images n'ont pas besoin d'être de même taille ou au même format pour effectuer un clonage, mais recherchez des sujets aux formes simples. Comme il est conseillé de le faire, la netteté et les couleurs ont été retouchées avant le clonage.

Images retouchées

Les originaux ont été dupliqués dans un nouveau fichier, mais avec des textures et sur plusieurs calques. La première image (*ci-dessous*) est censée apporter une touche de modernité au caractère chinois « bonne fortune » ; l'autre (*à droite*) exprime plutôt la souffrance.

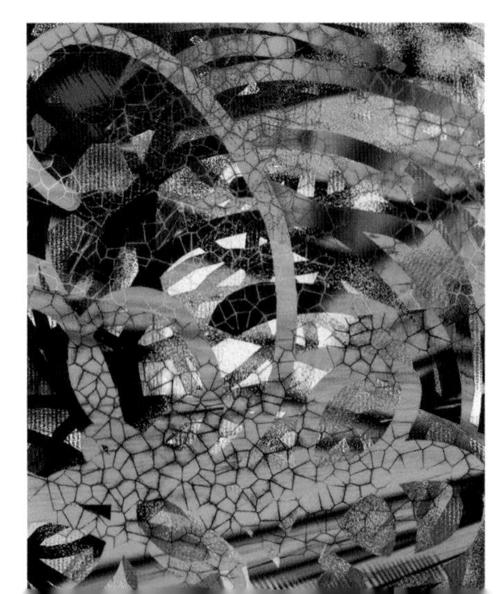

Image originale

Une image originale peut être clonée sur elle-même pour créer un enchevêtrement de lignes et de formes. Le clonage d'une image avec des lignes claires et des couleurs simples, comme celle-ci, peut créer un résultat difficile à obtenir avec une autre méthode.

Rotation et homothétie

Le clonage par rotation et homothétie exige la définition de deux points pour définir la source et de deux points correspondants pour déterminer le clone. En testant différentes positions pour ces points source et cible, vous obtenez une large gamme d'effets.

Perspective

Ici, le garçon a été cloné deux fois en perspective sur différentes parties de l'image. Il a fallu définir quatre points source et quatre points pour le clone. En inversant les positions des points de référence, on obtient d'étranges distorsions en perspective, qui pourraient provenir d'une bande dessinée de science-fiction.

Photomosaïques

Les images numériques étant composées de pixels, on peut facilement imaginer constituer une image à partir d'autres images. C'est le principe des photomosaïques : vous remplacez les pixels par de petites images individuelles, comme les carreaux d'une mosaïque traditionnelle.

Préparation

Comme avec un jet d'images, vous devez préparer les images constituantes. Il peut s'agir de versions réduites d'une plus grande image ou d'images différentes. Le logiciel de photomosaïque traite les images individuelles comme s'il s'agissait de pixels, en faisant correspondre au mieux la densité et la couleur.

Les logiciels de photomosaïque spécialisés fournissent généralement des bibliothèques de pièces, mais c'est plus amusant de créer les vôtres. Vu le nombre d'images nécessaires, le processus peut être très long. Les utilisateurs les plus avancés peuvent créer des macros d'automatisation du rendu des fichiers dans les dimensions de pixel spécifiques à la mosaïque à créer. Certaines collections de CD libres de droits proposent aussi des vignettes (petits fichiers) destinées à cet usage.

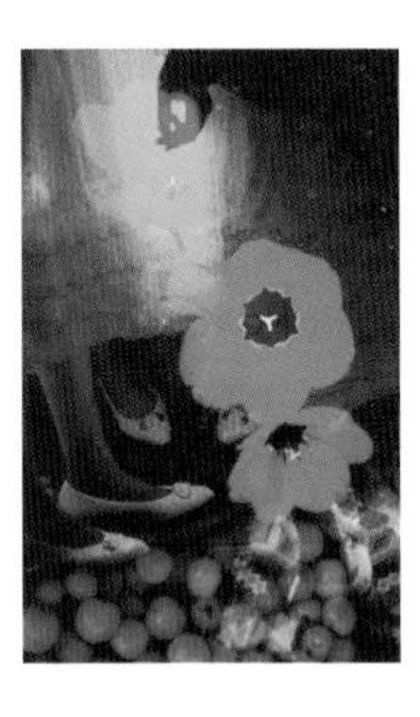

Photomosaïque composite

L'image originale était relativement compliquée, mais ses lignes et formes simples ainsi que les éléments répétés qui la constituent en font une bonne candidate pour cette technique. En choisissant une petite taille pour les « carreaux » de mosaïque, l'image obtenue conserve suffisamment de détails, et la richesse de sa texture invite à une observation plus rapprochée. L'agrandissement (*ci-dessous*) montre un fascinant mélange d'images. En changeant les images composantes, vous obtiendrez divers caractères d'images tout en conservant les formes des originaux.

CONSEILS ET ASTUCES

Voici les informations à prendre en compte pour la création d'une photomosaïque :

- Constituez une grande quantité d'images pour les pièces de la mosaïque.
- Plus les pièces seront petites, plus la photomosaïque sera détaillée.
- Choisissez des sujets avec des formes claires ou reconnaissables. Évitez les sujets compliqués, le processus ne reproduit pas les petits détails.
- Si vous créez des images très détaillées à partir de mosaïques de grande taille, les fichiers obtenus seront énormes.
- Le processus de création de la photomosaïque peut prendre du temps sur votre ordinateur.

Photomosaïque en high-key

Les grandes plages de tons unis sont difficiles à représenter pour un logiciel de photomosaïque, car un alignement d'images identiques risque de produire un motif inesthétique. Cependant, la photomosaïque a créé une texture intéressante sur cette image. La vue agrandie (*ci-dessous*) est vraiment excellente.

Assemblage d'images

On peut construire un panoramique en assemblant, ou superposant, des images bord à bord (*voir pages 78-81*). Il suffit de prendre une série d'images d'un côté à l'autre de la scène (ou de haut en bas). Les images sont ensuite superposées pour créer une image unique sans défaut.

Vous n'avez pas besoin d'un logiciel spécialisé si les prises de vue originales sont correctement réalisées. Il vous suffit de créer une large zone de travail puis de copier les images en les superposant. De petites erreurs de cadrage risquent cependant de ralentir le processus puisque vous devez fusionner pour masquer les jonctions.

Logiciel approprié

Un logiciel spécialisé simplifie énormément la recomposition des prises de vue, surtout si elles ont été prises sans trépied. Les logiciels disponibles offrent différentes approches. Certains tentent de superposer automatiquement puis fusionnent en floutant les zones de jonction. Le résultat est assez grossier, mais suffisant en basse résolution. Certains logiciels détectent quand les superpositions ne correspondent pas et tentent de régler le problème soit en déformant l'image, soit en corrigeant la perspective. De nombreux numériques sont équipés d'une fonction de création de panoramas.

Vous pouvez obtenir des effets inhabituels en superposant des images incongrues ou en déformant délibérément la perspective ou la bordure pour perturber la fusion. Les possibilités sont assez larges.

Photographies © Louise Ang

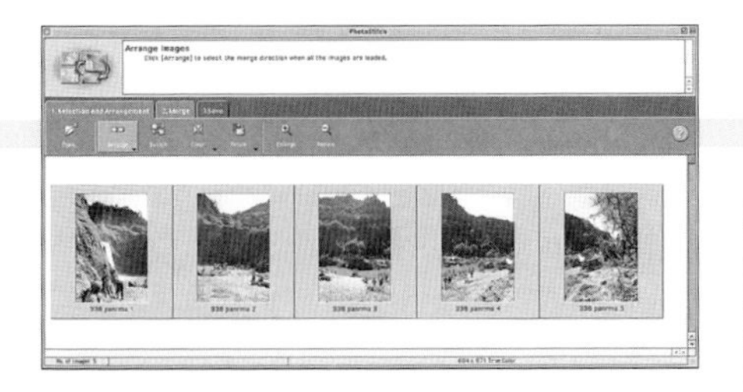

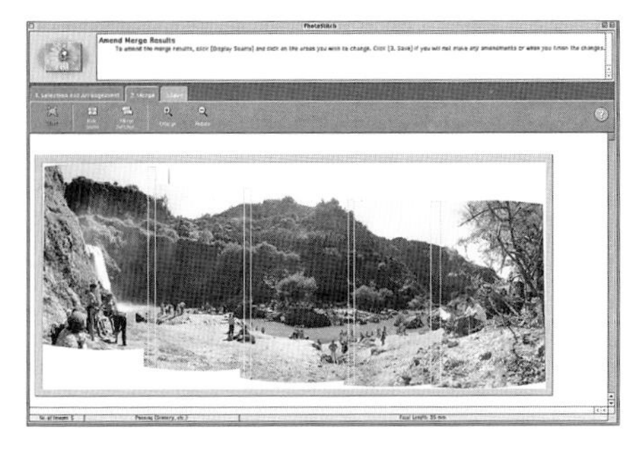

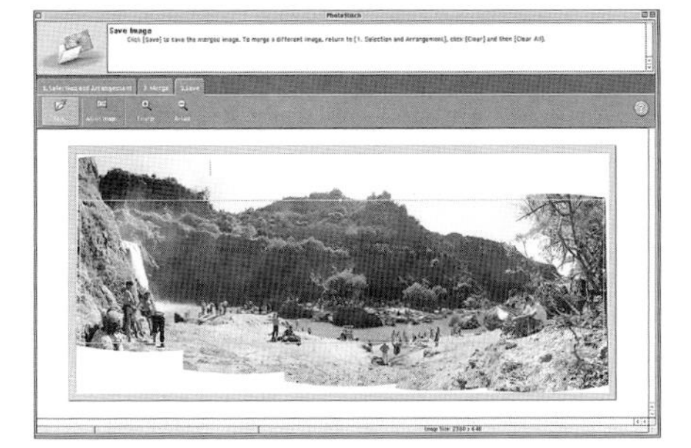

CONSEILS ET ASTUCES

- Notez qu'un panorama constitué de six images de taille moyenne, par exemple, produira un fichier de grande taille. Vous devez d'abord réduire la taille des composants pour améliorer les performances de l'ordinateur.
- Si vous prévoyez de créer un panorama très large, il est préférable de procéder par étapes. Assemblez trois ou quatre images à la fois puis réunissez les panoramas obtenus. Vérifiez la taille de l'image.
- Regroupez toutes les images composantes dans le même dossier. Certains logiciels ne sont pas capables d'assembler des images depuis différents dossiers.

Assemblage

Pour commencer l'assemblage (*à gauche*), regroupez toutes les images dans le même dossier. Avec certains logiciels, vous devrez éventuellement changer l'ordre des images alors qu'avec d'autres, il suffit de les ouvrir dans le bon ordre. Pour la fusion, vous devrez peut-être fournir des instructions supplémentaires, comme la longueur focale équivalente de l'objectif utilisé.

Version finale

La superposition des images s'effectue sur une zone assez large, ce qui permet au logiciel de créer une fusion progressive. Une fois que toutes les images sont combinées sur la zone de travail, vous exploitez les fonctions de votre logiciel qui fusionne et masque les bordures pour créer l'image finale (*ci-dessous*). Quand le résultat est satisfaisant, enregistrez le fichier au format TIFF, de meilleure qualité que le format JPEG.

Le choix de la sortie

4

Aperçu et tirage

C'est un moment excitant. Vous avez passé des heures à travailler sur votre ordinateur, en utilisant tout votre savoir-faire pour créer une image qui vous satisfait et vous êtes maintenant prêt à l'imprimer. Inspirez profondément avant d'appuyer sur le bouton qui envoie le fichier à l'imprimante. Si le résultat vous convient sans aucune intervention ou paramétrage, vous avez de la chance (notez les paramètres afin de pouvoir vous y référer ultérieurement). Malheureusement, dans de nombreux cas, les résultats sont décevants.

Il est important de déterminer si la différence entre l'image qui apparaît sur le moniteur et celle que vous obtenez au tirage n'est pas due à un dysfonctionnement de votre imprimante ou de votre moniteur. Le problème est que l'écran produit des couleurs en émettant un mélange de lumière rouge, verte et bleue alors qu'une imprimante reproduit un mélange de lumière pour obtenir les couleurs que vous percevez. Cette distinction fondamentale entraîne une différence dans le gamut, qui est la plage de couleurs susceptible d'être reproduite par un périphérique *(voir page 41)*.

Deux approches principales s'offrent à vous. Ajuster l'image de façon à compenser les différences entre ce qui apparaît à l'écran et au tirage, puis répéter le processus jusqu'à obtenir un résultat satisfaisant. Non seulement cette méthode n'est pas très scientifique, mais les réglages ne s'appliquent qu'à une seule image. Il est préférable d'utiliser un logiciel, tel que Photoshop, qui permet de gérer les couleurs.

Gestion des couleurs

Pour gérer les couleurs, vous devez d'abord étalonner votre écran (*voir pages 94-95*). Pour plus de fiabilité, les paramètres ne s'appliquent que pour le papier et les encres avec lesquels vous effectuez le test. L'idée est de spécifier dans un premier temps l'espace colorimétrique source contenant les couleurs à envoyer à l'imprimante, celles qui sont liées à l'écran. Vous spécifiez ensuite l'espace colorimétrique de l'imprimante, généralement lié au matériel utilisé. Le logiciel reçoit ainsi l'information dont il a besoin pour effectuer les conversions nécessaires.

Une tâche standard consiste à afficher une image dans l'espace RVB du moniteur telle qu'elle apparaîtra sur une imprimante (commerciale). L'espace couleur source utilise un profil logiciel alors que celui de l'imprimante est l'espace dédié à celle-ci. Voici la marche à suivre pour une version récente de Photoshop.

Le menu Imprimer contient un volet dédié à la gestion des couleurs. Choisissez Gestion des couleurs dans la première liste déroulante puis cochez Document pour obtenir les couleurs du profil incorporé au document. Sinon, cochez Épreuve pour émuler la sortie vers le périphérique courant ou le profil d'épreuve, c'est-à-dire la combinaison imprimante/papier. Vous pouvez aussi modifier les repères d'impression comme les traits de coupe en choisissant Sortie

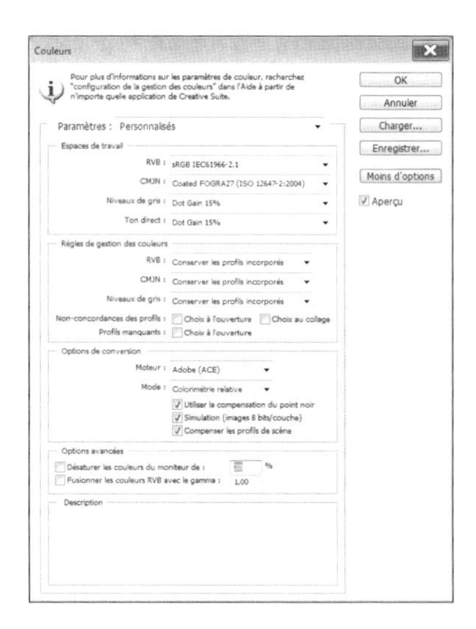

Paramètres de couleur
La boîte de dialogue qui permet de contrôler les paramètres de couleur semble complexe et son exploitation nécessite une attention particulière. De nombreux guides devraient cependant vous aider – tels que ceux fournis dans les manuels d'imprimantes et de logiciels. Mais, à moins que vous ne destiniez votre travail à un marché de masse, vous n'avez pas à vous préoccuper de ces paramètres. Vous obtiendrez un travail acceptable sans les modifier. Il vous sera toutefois beaucoup plus facile d'obtenir des tirages fiables avec votre imprimante de bureau si vous les maîtrisez.

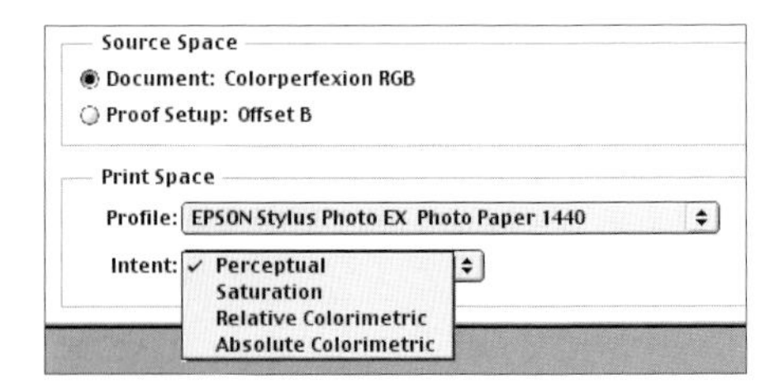

Paramètres d'imprimante

Un pilote conforme au protocole ColorSync pour la gestion des couleurs offre une boîte de dialogue telle que celle qui est présentée ici. L'Espace source est le profil ou l'espace de couleur de l'image. J'ai choisi ici un standard commercial qui définit un espace RVB optimisé pour l'impression. L'Espace d'impression concerne non seulement l'imprimante, mais aussi le papier utilisé et la qualité du tirage. Le mode « Perceptive » a été choisi. Il s'agit de la préférence pour les conversions de couleurs en dehors du gamut, option qui est la plus susceptible de fournir un tirage acceptable.

Les profils de sortie ?

Souvent nommés à tort profils « imprimante », les profils de sortie contiennent la description des données de couleur en termes de comportement non seulement de l'imprimante, mais aussi des encres choisies avec le papier spécifié. Il s'agit d'un fichier texte conforme à la norme ICC (*International Colour Consortium*), qui décrit au système comment interpréter les données de couleur de l'image. Pour un résultat très pointu, il vaut mieux créer des profils de sortie personnalisés adaptés à une combinaison imprimante, encre et papier spécifique. Ils sont créés en analysant les patchs de couleur imprimés des chartes de couleur standards : plus on utilise de patchs pour l'étalonnage, plus le profil est précis. Un mode de rendu approprié (*voir page 188*) permet d'exploiter au mieux ces profils.

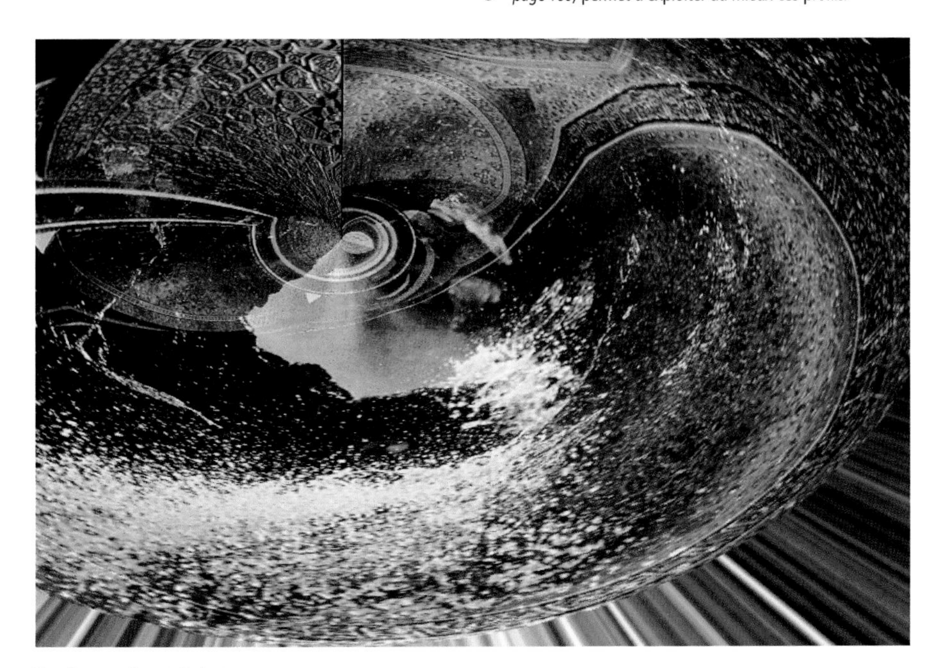

Couleurs fantaisistes

Dans le cas d'images fortement retouchées, même une grosse erreur de couleur ne nuit pas forcément à leur efficacité, la plupart des observateurs ne connaissant pas les couleurs initiales. Bien sûr, l'honnêteté artistique doit vous pousser à faire votre maximum pour reproduire la couleur correcte, mais l'impact d'images telles que celle présentée ici, avec ses couleurs artificielles et son contenu fantaisiste, ne dépend pas de la précision de reproduction des couleurs.

Aperçu et tirage suite

dans la première liste : un choix n'annule pas l'autre.

Dans le menu déroulant Gestion des couleurs, vous choisissez entre laisser l'imprimante ou Photoshop gérer les couleurs. Si c'est l'imprimante, vérifiez que vous avez bien activé la gestion des couleurs dans sa boîte de dialogue. Si c'est Photoshop, vous devez définir le profil de sortie ou d'imprimante approprié.

Vous êtes maintenant prêt à imprimer. Avant de vous lancer, vérifiez que :

- Le type de papier correspond bien au profil de sortie, et c'est celui prévu pour la sortie finale.
- Vous utilisez le côté correct du papier.
- Vous avez une bonne réserve d'encre (vérifiez sur l'imprimante).
- Les dimensions de l'image sont bonnes.

Aperçu

Pour imprimer efficacement, vous devez recourir autant que possible à l'aperçu – qui consiste à vérifier et à confirmer le maximum d'éléments sur le moniteur avant de lancer l'impression. Si vous avez implémenté la gestion des couleurs suggérée dans ce livre (*voir pages 120-123*),

Couleur du textile
Quand vous devez soigner l'enregistrement, comme avec cette étoffe (*ci-dessus*), un contrôle précis des couleurs est essentiel. Les rouges sont visuellement très importants, mais des variations subtiles dans les nuances foncées risquent d'être perdues sur un tirage trop sombre.

Qu'est-ce que le mode de rendu ?

La conversion d'un espace colorimétrique vers un autre implique un réglage pour s'adapter au gamut de l'espace de couleur de destination. Le mode de rendu détermine les règles d'ajustement des couleurs. Les couleurs sources qui ne se trouvent pas dans le gamut peuvent être ignorées ou réglées de façon à conserver l'aspect visuel. Les imprimantes compatibles avec ColorSync offrent un choix de modes de rendu qui détermine la façon dont la couleur est reproduite.

- Perceptive vise à préserver la relation visuelle entre les couleurs de sorte qu'elles apparaissent naturelles, même si la luminosité change. Ce mode est plus adapté aux photographies.
- Saturation conserve l'éclat des couleurs en préservant la saturation relative, ce qui risque de produire une variation des tonalités. Il est adapté aux images professionnelles, où la présence de couleurs vives et saturées est importante.
- La Colorimétrie absolue conserve les couleurs qui appartiennent au gamut de destination. Ce mode conserve les couleurs, mais pas les relations entre elles (deux couleurs de l'espace source – généralement hors gamut – peuvent correspondre à la même couleur dans l'espace de destination).
- La Colorimétrie relative est analogue à la Colorimétrie absolue, mais elle compare le point noir ou blanc de l'espace de couleur source à celui de l'espace de destination de façon à modifier toutes les couleurs en conséquence. Pour les images photographiques, il est préférable de sélectionner Compensation du point noir.

l'image à l'écran sera très proche du tirage que vous obtiendrez.

Prenez l'habitude de contrôler les couleurs avec le mode Aperçu d'impression qui applique le profil de sortie aux données de l'image, et affiche les couleurs telles qu'elles seront interprétées par le périphérique de sortie.

Un autre élément d'aperçu important est la taille de sortie : les applications de retouche et les pilotes d'imprimante vont afficher un aperçu de la taille et/ou de la position de l'image sur la page avant l'impression. Il est préférable de toujours demander cet aperçu avant d'imprimer. L'aperçu de Photoshop présenté ci-dessous montre que l'image est trop grande : ses coins se situent au-delà des marges du papier. La capture d'écran (voir en bas) montre une image agrandie à 300 pourcent mieux adaptée au papier.

Image originale

Toutes les images numériques sont virtuelles, elles n'ont donc pas de taille définie avant d'être dimensionnées pour la sortie. Dans l'idéal, les pixels présents dans l'image sont suffisants pour la taille et la résolution de sortie. Dans le cas contraire, l'interpolation (*voir pages 114-115*) est nécessaire pour augmenter la résolution.

Aperçu d'impression Photoshop

Certains logiciels fournissent un moyen rapide de comparer la taille d'impression à celle du papier fourni pour l'imprimante. L'image de droite illustre la façon dont Photoshop présente les choses. Les coins de l'image se trouvent à l'extérieur du papier, comme le montrent les diagonales qui n'atteignent pas les coins du rectangle blanc. L'image est manifestement trop grande pour la feuille.

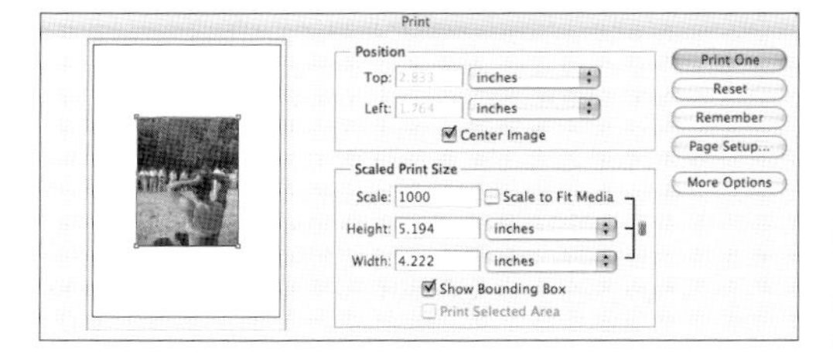

Aperçu des options d'impression

Cette capture d'écran (*à gauche*) illustre comment une imprimante procède pour produire un fichier donné. L'image a été agrandie de 300 % pour exploiter au mieux le papier et a été centrée (vérifiez la résolution de l'image pour cet agrandissement). L'aperçu affiche l'image sur le papier et fournit des fonctions utiles, telles que la possibilité de positionner l'image ainsi qu'un choix d'unités de mesure. Les imprimantes modernes sont capables de positionner une image avec une grande précision.

Sortie sur papier

Un avantage des imprimantes à jet d'encre est qu'elles peuvent travailler sur une grande variété de surfaces. En fait, certains modèles de bureau acceptent tout, du papier au carton fin.

Pour le photographe numérique, plusieurs types de papier sont disponibles. La plupart des papiers sont blancs ou presque, mais certains matériaux artistiques peuvent s'approcher de la couleur crème.

Types de papier

Le papier à lettres est adapté aux lettres, aux notes ou aux brouillons. La qualité est inférieure à celle requise par les standards photographiques. La résolution ou la saturation des couleurs seront limitées. Le papier à jet d'encre 360 dpi ou 720 dpi est généralement d'un bon rapport qualité/prix.

Les papiers de qualité quasi photographique sont adaptés aux sorties finales ou aux tirages de masse. Ces papiers vont du très brillant à celui dont la surface présente un léger grain. L'épaisseur du papier varie du très fin (adapté au collage dans un album) à celle du papier photographique de qualité supérieure. Avec ces papiers, la qualité de l'image sera optimale par rapport à la capacité de l'imprimante, avec une excellente netteté et saturation des couleurs. Les coûts en papier et en encre risquent cependant d'être élevés.

Les papiers d'art conviennent aux effets spéciaux et aux tirages destinés à être exposés. Ils incluent les papiers artisanaux, les papiers pour l'aquarelle ou des papiers avec des surfaces de type jute ou toile, qui ne nécessitent pas des images de haute résolution ou de gros fichiers très détaillés.

Qualités de papier

Si vous souhaitez tester différents papiers, veillez à ce qu'ils ne soient pas trop fragiles et qu'ils n'endommagent pas votre machine ainsi que les buses de votre cartouche à jet d'encre. Si vous utilisez de tels papiers, il est préférable de les placer sur un carton fin ou sur du papier plus rigide de la même taille ou légèrement plus grand. Le principal problème des papiers non conçus pour les imprimantes à jet d'encre est que l'encre s'étale trop à leur contact ou sèche difficilement.

Les imprimantes à sublimation n'imprimeront que sur du papier spécial – certaines refusant même toute impression sur du papier non adapté. Les imprimantes laser ne sont conçues que pour du papier classique.

Couleur cruciale

Le bleu de cette scène teste non seulement l'équilibre du tirage, mais également l'exactitude des couleurs. De très légères variations dans le bleu vont déséquilibrer les couleurs de l'image et détourner l'attention de la scène paisible et ensoleillée. En fait, le bleu constitue avec les tons chair les couleurs les plus importantes. Une impression incorrecte de ces couleurs dénaturera l'image.

Sujets sombres

Plus une image est sombre, plus il faudra d'encre pour l'imprimer. Si votre sujet contient de nombreuses zones très sombres, comme cette scène, le papier risque d'être surchargé d'encre. Cette encre risque alors de s'étaler ou le papier peut se gondoler. Pour minimiser ce problème, utilisez un papier de bonne qualité et diminuez autant que possible la densité du noir en réduisant le niveau de sortie dans le contrôle des Niveaux.

À TESTER

Pour définir la résolution minimum offrant des résultats acceptables sur votre imprimante, vous devez effectuer une série de tests avec la même image, imprimée dans la même taille, mais enregistrée sous différentes résolutions. Commencez par imprimer une image de bonne qualité d'environ 25 × 20 cm ou de taille A4 à une résolution de 300 dpi (la taille du fichier est d'environ 18 Mo). Réduisez maintenant la résolution à 200 dpi (la taille du fichier sera plus petite, mais celle de sortie restera identique) et imprimez le fichier sur le même papier. Répétez l'opération avec des résolutions de 100 et 50 dpi. Comparez vos résultats et vous serez peut-être agréablement surpris. Selon le papier et l'imprimante, les fichiers de faible résolution peuvent avoir la même qualité que des fichiers de résolution plus élevée. Avec du matériel d'art ou de qualité inférieure, des résolutions très basses peuvent donner des résultats identiques à ceux que vous obtiendriez avec des résolutions élevées.

Tons proches

Des sujets avec de grandes étendues comprenant des nuances subtiles de tons sont un véritable défi pour les imprimantes à jet d'encre. Les irrégularités et effets de rupture sont difficiles à éviter avec une seule couleur. Cependant, dans cette image d'un lac gelé du Kazakhstan, le défi n'est pas insurmontable car la couleur est pratiquement grise. L'imprimante puisera donc dans tous ses réservoirs d'encre.

Dépannage Problèmes d'impression

De nombreux calculs sont nécessaires pour qu'une imprimante reproduise l'image à l'écran ou capturée dans un numérique. Les pixels doivent non seulement être traduits en points individuels ou en ensembles de points de couleur, mais le tirage doit aussi avoir la bonne taille et l'orientation correcte. Les problèmes avec les imprimantes sont donc relativement fréquents.

Dépannage

Les causes les plus courantes de problèmes en matière d'impression sont souvent faciles à identifier. Il convient dans un premier temps de vérifier que les câbles sont bien insérés aux deux extrémités, que l'imprimante n'est pas à court d'encre et que le papier est correctement disposé, sans bourrage.

Problème	Causes et solutions
Les tirages sont de mauvaise qualité – couleurs ternes ou résultats flous.	Si le test de diagnostic de l'imprimante ne révèle aucun problème mécanique, ce sont les réglages de l'utilisateur qui sont en cause. Il est possible que vous ayez défini un mode brouillon ou rapide. Dans ce cas, choisissez plutôt un mode haute qualité. Vous utilisez peut-être un papier de mauvaise qualité ou inadapté, ou vous l'avez placé du mauvais côté : changez-le et voyez le résultat. La cartouche d'encre doit être de la marque du fabricant.
Les tirages ne correspondent pas à l'image affichée par le moniteur.	L'imprimante et l'écran ne sont pas étalonnés, faites-le (*voir pages 94-95*). Si votre image contient très peu de données sur les couleurs, contrôlez les Niveaux, et éventuellement recommencez la numérisation.
Le tirage d'un grand fichier est vraiment petit.	La taille du fichier ne détermine pas à elle seule celle du tirage. Changez les dimensions de sortie au moyen de la boîte de dialogue Taille de l'image.
L'image n'est pas totalement imprimée. Une ou deux bordures sont manquantes.	La taille de sortie est supérieure à la zone imprimable. Les imprimantes ne peuvent généralement pas travailler sur la bordure du document. Réduisez cette taille et essayez de nouveau.
Le tirage des images est très lent.	Vous avez peut-être demandé quelque chose de complexe à l'imprimante. Simplifiez les tracés si vous en avez, et aplatissez les calques avant le tirage. Pour imprimer des images au format paysage, faites-les pivoter d'abord dans le logiciel de retouche. Si vous définissez un agrandissement différent de 100 %, l'imprimante doit redimensionner l'image entière. Changez la taille de l'image dans le logiciel de retouche avant le tirage.
Le tirage change soudainement de couleur.	Une des couleurs de la cartouche est épuisée ou s'est bloquée durant l'impression. Nettoyez les buses au moyen des utilitaires du pilote et essayez de nouveau. Il est possible que vous ayez à répéter le cycle de nettoyage plusieurs fois.

Problème	Causes et solutions
L'imprimante fonctionne lentement, même pour du texte.	Vous avez choisi d'imprimer en haute qualité, le mode brouillon ou rapide a été désactivé, vous avez réglé l'imprimante en mode unidirectionnel ou vous imprimez sur du papier de qualité supérieure. Réglez l'imprimante en mode rapide, bidirectionnel, réduisez la résolution et choisissez un papier standard ou normal.
L'imprimante n'est pas reconnue et rien ne se passe lorsque vous appuyez sur OK dans la boîte de dialogue d'impression.	Il est possible que vous ayez un conflit, surtout si vous venez d'installer un nouveau périphérique. Réinstallez le pilote de l'imprimante et procurez-vous les pilotes les plus récents pour les ports USB sur le site web du fabricant.
Des bavures apparaissent sur les tirages et les couleurs se chevauchent.	Le papier est humide, les réglages ne correspondent pas au type de papier, ou de l'encre est présente sur les rouleaux de l'imprimante. Stockez le papier au sec dans son emballage d'origine. Réglez le bon type de papier. Nettoyez les rouleaux et activez les feuilles de nettoyage fournies par le fabricant.
L'ordinateur affiche un message d'erreur ; l'imprimante est longue à démarrer ou n'imprime pas.	Le logiciel qui stocke les tâches d'impression dans une file d'attente est peut-être en panne. Redémarrez l'ordinateur ou l'impression. Il est possible que vous ayez à supprimer des tâches en attente.
Il manque des lignes et vous observez des espaces vides.	Les buses des têtes d'impression ont certainement été bloquées par de l'encre ou la tête de l'imprimante doit être recalibrée. Nettoyez les buses *via* les utilitaires du pilote et essayez de nouveau. Il est possible que vous ayez à répéter le cycle de nettoyage plusieurs fois.
L'imprimante produit du texte altéré.	L'imprimante n'est pas sur le bon port ou vous utilisez le port de l'imprimante pour envoyer un fichier, un fax ou autre. Ce problème surgit aussi quand vous venez d'annuler une autre impression. Dans ce cas, éteignez l'imprimante, attendez quelques secondes, rallumez-la et procédez à un nouvel essai. Sous Windows, vérifiez si des tâches d'impression sont en attente, supprimez-les et essayez de nouveau.
L'imprimante produit des rayures dans les zones de même ton.	Le mouvement du papier n'est pas correctement synchronisé avec la tête d'impression, ce qui peut être un défaut de l'imprimante. Sinon, essayez de modifier le réglage du poids ou de l'épaisseur du papier sur l'imprimante. Essayez aussi d'ajouter du bruit à l'image (*voir pages 112-113*) pour masquer les irrégularités de ton.
Les impressions apparaissent floues et ternes malgré une haute résolution sur du papier de qualité	Vous utilisez peut-être le mauvais côté du papier. Les fabricants emballent souvent leur papier avec le côté récepteur d'encre orienté vers le dessous de la pile.

Tirages d'art

Il est toujours saisissant de voir vos images affichées en grand format comme une œuvre d'art. Le sujet ne doit pas nécessairement être très original (l'image la plus simple est quelquefois la plus efficace) et il n'est pas toujours indispensable que la résolution d'origine soit très élevée. Les grands tirages étant généralement observés à distance, le rendu des détails n'est pas forcément problématique.

Pérennité

Les deux principaux facteurs qui conditionnent la pérennité des images photographiques sont les caractéristiques des matériaux utilisés et les conditions de stockage. Les deux composantes majeures des matériaux – l'encre qui constitue l'image et le papier ou support – sont essentielles.

Pour que l'encre soit stable, ses couleurs doivent être résistantes et ne pas passer à la lumière ou à l'air. En règle générale, les encres basées sur les pigments sont plus stables que celles qui sont basées sur les teintures. Pour que le papier soit stable, il doit être neutre avec une réserve alcaline (pour rester neutre quand il est attaqué par de petites quantités de produits acides) et ne doit pas dépendre de produits chimiques volatils pour sa couleur ou son état physique. Les matériaux utilisés vont du coton à l'alpha-cellulose et au bambou. Le substrat joue sur la longévité : les papiers se décolorent ou se fragilisent ; une structure laminée est sujette aux craquelures ou au décollement.

Certaines couleurs passent plus rapidement que d'autres. Les matériaux en noir et blanc souffrent moins de décoloration. Ils apparaissent donc plus stables.

De bonnes conditions de stockage permettent de conserver des images même très instables. Idéalement, les images doivent être conservées dans le froid (presque au degré zéro), dans une atmosphère sèche et dans

Décoloration
La moitié du tirage était protégée, et la partie exposée s'est décolorée après seulement une semaine d'exposition constante à la lumière du soleil. De plus, certaines couleurs étant plus ou moins résistantes, une variation dans les tonalités a pu être observée.

Stockage

Les photographes numériques disposent de deux stratégies pour stocker des images. La première consiste à les stocker dans les meilleures conditions possibles – dans des conteneurs d'archives où elles seront dans l'obscurité totale, dans un environnement sec et froid (températures proches de zéro) et avec une légère circulation d'air. Ces conteneurs ne doivent émettre ni substances chimiques ni radiations, et doivent avoir un pH neutre et de préférence une réserve alcaline (substance destinée à maintenir la neutralité chimique). Ces conditions sont idéales pour tout film ou tirage à base d'argent ou de gélatine.

L'autre stratégie consiste à stocker les images sous la forme de fichiers informatiques sur un support d'archives sûr. Le disque MO (magnéto-optique) est actuellement en vogue, mais personne ne sait encore réellement quelle sera sa longévité. Viennent ensuite des supports comme les CD ou les DVD, généralement plus sûrs que les supports magnétiques (cassettes ou disques durs), mais un champignon qui se développe avec la chaleur et l'humidité pourrait très bien les rendre inutilisables.

l'obscurité complète. Pour assurer une stabilité optimale de la couleur, l'exposition à la lumière et aux produits chimiques volatils doit être minimum, la température basse et l'humidité faible mais pas nulle. Dans des conditions normales, la plupart des matériaux dureront plusieurs années.

Tirages de grande taille

Pour réaliser des tirages supérieurs au format A3, le maximum susceptible d'être réalisé sur une imprimante de bureau, deux solutions existent. La première consiste à utiliser une imprimante grand format : certaines sont capables d'imprimer des publicités de la taille d'un côté entier de bus. Si vous ne pouvez pas vous offrir une telle machine, il faut faire appel à un laboratoire spécialisé.

Avant de préparer votre fichier, demandez au service quel est son format préféré (généralement TIFF RVB non compressé) et quel doit être le profil de couleur de l'image. Déterminez le type de support amovible accepté – tous lisent les CD et DVD, et nombre d'entre eux acceptent les disques durs externes. Vous devez également régler la taille de sortie du fichier (même si certains laboratoires se chargent eux-mêmes de cette tâche).

Plusieurs modèles de machines produisent des tirages adaptés aux différents marchés. Dans le cadre du marché de l'art, il faut privilégier les encres basées sur les pigments plus pérennes. Les encres basées sur les teintures peuvent néanmoins produire des résultats plus subtils. Gardez à l'esprit que, dans les grandes tailles, le choix du papier reste limité. Les meilleures imprimantes à jet d'encre de marque Mimaki, Epson, Roland, Canon ou Hewlett-Packard, par exemple, produisent des tirages de très grande qualité qui conviennent aux expositions d'art.

La seconde approche est hybride. Elle repose sur l'exposition numérique de véritables matériaux photographiques. Votre fichier est utilisé pour contrôler un laser qui expose un rouleau de papier photographique. Les couleurs sont alors traitées de façon normale afin d'obtenir un tirage photographique. De nombreux services d'impression hors ligne utilisent cette méthode pour produire de petits tirages à partir de fichiers d'images numériques. Le résultat peut être excellent et comparable à des images traditionnelles. De plus, avec cette méthode, il est possible d'obtenir de très bons résultats avec de petits fichiers d'image : 20 Mo de détails peuvent être suffisants pour un tirage de format A2.

Imprimer en mosaïque

Pour obtenir des tirages plus grands que ce que votre imprimante est capable de réaliser, vous pouvez les imprimer par sections que vous assemblerez ensuite. C'est facile avec une application telle que QuarkXPress et InDesign. Vous créez la mosaïque d'un document de grande taille en définissant les dimensions du papier disponible, puis en demandant au logiciel d'imprimer chaque section. Coupez ensuite les chevauchements et assemblez les feuilles bord à bord afin d'obtenir une image de grande taille. Si le coût doit être minimum et que la qualité d'image n'est pas essentielle, la mosaïque est une solution à envisager.

Options de mosaïque

Les imprimantes modernes travaillent avec précision et régularité. Il est donc possible d'assembler des mosaïques de façon quasi parfaite. Choisissez des papiers lourds, du plastique ou des matériaux de type film qui retiennent la forme. Les chevauchements seront alors suffisants pour vous permettre de couper les excès et d'assembler les images bord à bord avant de les fixer.

Publication sur le Web

Internet est devenu le principal support pour distribuer, afficher et utiliser des photographies, ce qui a ouvert des perspectives intéressantes pour les photographes du monde entier. Le nombre d'images sur le Web est astronomique, et en visitant simplement deux des principaux sites de partage de photos, vous avez accès à plus d'un milliard d'images.

Cette situation est imputable à trois facteurs : la possibilité pratiquement infinie d'expansion du Web ; de nouvelles applications puissantes pour gérer les images en ligne ; et un large accès à une bande passante élevée pour permettre le téléchargement d'images de bonne qualité.

Partage et stockage

Des sites web permettent de stocker, de partager ou de promouvoir des images.

Le stockage d'images sur une batterie de disques durs externes offre la sécurité et un accès mondial, mais cet accès est ralenti. Le partage d'images est parfait pour promouvoir votre travail, mais il l'expose à une exploitation sans scrupules. Vérifiez les termes et conditions de tout site web vers lequel vous téléchargez vos images. Il est possible que l'on vous demande de renoncer à tous vos droits ou de fournir des garanties qui vous sembleront inacceptables. Il est préférable de ne pas s'engager avec ce genre de service.

Préparation des images

La taille des images présentées sur un site web résulte toujours d'un compromis entre qualité et vitesse de chargement. La qualité dépend à la fois de la dimension de l'image en pixels et du niveau de compression : moins les pixels sont nombreux et plus la compression est élevée, plus les fichiers sont petits et rapides à charger ; la qualité n'est cependant pas au rendez-vous. L'utilisation d'images de haute qualité (au moins 1 024 pixels sur un côté) risque également de les exposer à une utilisation sans licence.

La préparation d'images pour le Web est un processus en quatre étapes :

- **Évaluation.** Vérifiez la qualité de l'image. Si elle est photographique, convertissez-la en JPEG ; s'il s'agit d'un graphique avec quelques nuances, convertissez-le en GIF. Réglez également les couleurs et la luminosité de sorte qu'elles s'affichent correctement sur une grande variété d'écrans.
- **Redimensionnement.** Faites des copies des images et modifiez leur taille en fonction des dimensions d'affichage visées. Les images peuvent être minuscules (10 × 10 pixels pour des boutons), ou plus grandes.
- **Conversion.** Convertissez les photographies en JPEG. Définissez une compression légèrement supérieure au strict nécessaire (ce qui n'entraîne qu'une légère dégradation de l'image) afin d'optimiser la vitesse de chargement. (*Voir également l'encadré ci-dessous.*)
- **Nomination.** Attribuez à vos fichiers un nom descriptif composé de lettres et/ou de nombres. Les seules marques de ponctuation acceptées sont les tirets (-) et les soulignés (_). Insérez toujours un point avant le suffixe jpg (.jpg).

Optimiser vos images sur Internet

Il est préférable que les visiteurs de votre site reçoivent vos images rapidement et connaissent la meilleure expérience possible. Voici quelques astuces pour optimiser le téléchargement de vos images sur Internet.

- Utilisez Progressive JPEG si vous le pouvez. L'image est d'abord affichée dans une faible résolution, qui s'améliore au fur et à mesure du téléchargement du fichier. L'objectif est d'afficher quelque chose en attendant que l'image apparaisse en pleine résolution.
- Utilisez les attributs WIDTH et HEIGHT pour forcer une petite image à apparaître plus grande à l'écran.
- Utilisez moins de couleurs – par exemple, les fichiers en couleurs indexées sont beaucoup plus petits que les autres. Ils n'utilisent qu'une palette limitée (généralement 256 couleurs ou moins) et il est surprenant de constater la qualité de nombreuses images quand elles ne sont reproduites qu'avec une soixantaine de couleurs (*voir page 130*).

Original

Compression JPEG

Compression JPEG

Une compression JPEG minimum permet d'obtenir une qualité maximum. En fait, au niveau d'agrandissement le plus élevé, il est très difficile de constater des pertes de détails. Mais un examen attentif de l'image de droite permet de discerner une légère atténuation des détails par rapport à l'original, présenté à gauche. Le fichier est compressé d'environ la moitié de sa taille initiale : il passe de 7 à 3,7 Mo.

Original

Qualité minimum

Réglage de la qualité

En qualité minimum, le fichier est réduit d'environ cinquante fois. Il passe de 7 Mo à 100 Ko, c'est-à-dire à 2 % de sa taille initiale ! Le temps de téléchargement a été réduit à 16 secondes. La perte de qualité est plus évidente : remarquez le manque de finesse du grain par rapport à l'original (*extrême gauche*) et la modification du bras de la fille, avec des bordures légèrement exagérées. Affichée en taille normale à l'écran, l'image est cependant parfaitement acceptable.

Original

Qualité moyenne

Qualité moyenne

Avec un réglage en qualité moyenne, appliqué ici sur une partie différente de l'image, on obtient une réduction importante et utile de la taille du fichier (de vingt fois environ). Il passe de 7 Mo à 265 Ko, soit 5 % de sa taille initiale. Le temps de téléchargement passe de 15 minutes à 50 secondes, ce qui est encore trop long. La qualité de l'image est incontestablement supérieure à celle strictement nécessaire pour l'affichage à l'écran, mais tout juste suffisante pour l'impression sous la forme d'une carte postale.

Créer votre site web

Les sites web de partage de photos tels que Flickr, Fotki et Webshots ont écarté pratiquement tous les obstacles à la publication d'images à grande échelle. Cependant, ils représentent essentiellement une collection d'albums photo : votre travail est présenté sur des pages identiques à des millions d'autres. Les possibilités d'individualisation sont inexistantes ou très limitées. S'il s'agit d'une contrainte pour vous, créez votre propre site web.

Hébergement

Il existe des milliers de services susceptibles d'héberger votre site. Vos fichiers se trouvent physiquement sur leurs ordinateurs, qui transmettent les pages aux visiteurs. Des centaines d'entre eux offrent un hébergement gratuit. Vérifiez les termes et conditions du service. Vous ne devez ni avoir à inclure de publicité ni perdre vos droits d'image. Il faut également disposer de moyens sûrs de communication *via* votre site. Assurez-vous que l'hôte dispose d'une capacité suffisante pour stocker vos images et que la limite mensuelle de transfert de données est appropriée.

Conception du site

Voici les avantages d'un site personnel : contrôle de l'aspect, aucune restriction d'utilisation des documents (dans les limites légales) et possibilité d'organiser les images comme vous le souhaitez. Le principal inconvénient de cette solution est qu'elle nécessite un peu plus d'efforts.

Une aide considérable est néanmoins disponible pour la conception et la construction des sites web. Des applications gratuites sont téléchargeables, des centaines de didactitiels et certains services peuvent vous aider à construire des sites directement en ligne. En outre, des logiciels majeurs de retouche (tels qu'Adobe Photoshop) et de gestion (comme iView, FotoStation, Lightroom, Apple Aperture) offrent des modèles pour la conception. La publication d'un site (c'est-à-dire le téléchargement des ressources et des pages HTML vers le serveur d'hébergement) peut être réduite à un seul clic.

Pour des sites plus sophistiqués où vous présentez du contenu animé ou Flash, des logiciels de conception web tels qu'Adobe Dreamweaver (Mac OS et Windows), CoffeeCup (Windows) et Serif WebPlus (Windows) vous aideront.

Une fois le site créé, n'oubliez pas de prévenir toutes les personnes concernées. Envoyez des liens à tous vos amis et collègues et publiez des publicités sur les blogs.

Sites professionnels

Les sites web tels que Digital Railroad, DigiProofs et Zenfolio fournissent un hébergement d'images payant et des fonctionnalités adaptées à des marchés aussi variés que le photojournalisme et la photographie de mariage. En échange d'une cotisation, vous pouvez stocker un grand nombre de fichiers haute résolution et individualiser vos pages. En outre, ces sites commercialisent activement votre travail et peuvent aussi se charger de la gestion des droits d'image. Ils ne vous épargneront cependant pas le travail nécessaire pour ajouter des mots-clés, des légendes et autres métadonnées aux images, puis pour les télécharger vers le site d'hébergement.

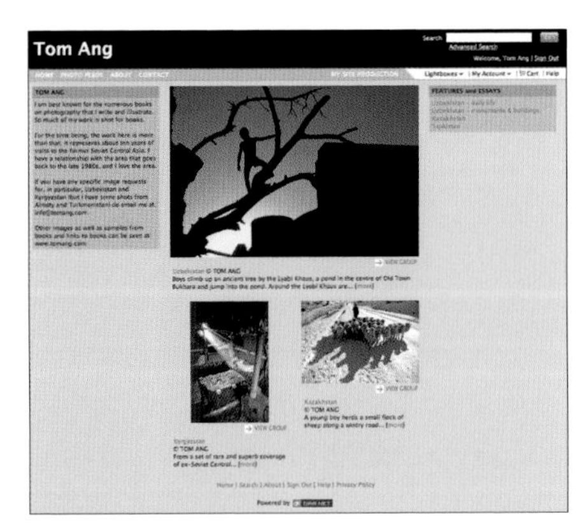

Voie numérique
La page d'accueil d'un photographe comprend des détails et des liens vers d'autres images de la collection. Les visiteurs cliquent sur une image pour l'afficher en grand et effectuer une recherche par mots-clés. S'ils souhaitent acquérir des droits d'utilisation, ils sélectionnent les images et effectuent la transaction en ligne.

Modèles Adobe Lightroom

Bien qu'il soit principalement une application de gestion et de retouche d'image, Lightroom offre des fonctionnalités de conception de site web, dont toute une gamme de modèles, ainsi que la possibilité de choisir un schéma de couleurs et certains autres détails de conception, tels que du contenu Flash. Apple Aperture offre des fonctionnalités comparables, mais beaucoup plus limitées.

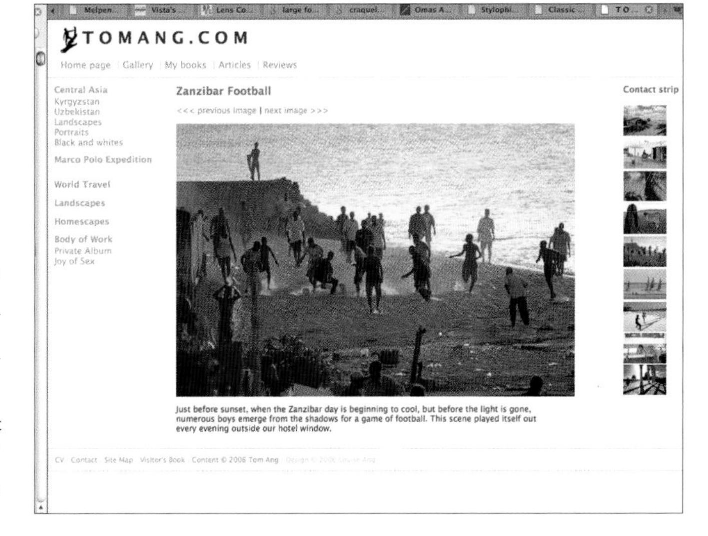

Site web personnel

Un site personnel peut être simple en apparence mais difficile à mettre à jour et à gérer. La tendance est de ne pas opérer des mises à jour régulières. Tout dépend de savoir si vous estimez qu'il est plus important d'avoir un site mis à jour régulièrement mais pas personnel, ou bien un site personnel où la mise à jour sera plus aléatoire.

Guide d'achat

5

Choisir un numérique

La gamme actuelle d'appareils photo numériques satisfait presque toutes les exigences, des besoins les plus simples à des tâches spécialisées comme l'astronomie et la photographie infrarouge.

Pour choisir un appareil, vous pouvez suivre les conseils d'un connaisseur. Vous pouvez aussi consulter des critiques sur le Web, mais sachez que vous trouverez de tout et qu'il est donc délicat d'essayer de comparer les diverses opinions. Étant donné la concurrence implacable entre les fabricants de renom, vous pouvez considérer que tous les modèles modernes fonctionneront correctement et de façon fiable.

Conseils

Pour éviter les déconvenues, testez l'appareil photo choisi et faites-vous conseiller par un vendeur qualifié dans un magasin spécialisé. Notez que les hautes résolutions (en mégapixels, ou Mpx) n'offrent aucune garantie quant à la qualité d'image. Un téléphone avec appareil photo de 8 Mpx produira de moins bonnes images qu'un compact de 5 Mpx. Les appareils photo de cette gamme fonctionnent aussi plus lentement que les appareils de prix comparable affichant des caractéristiques inférieures. En général, les appareils avec des puces de capteur plus grandes, ainsi que les zooms de plus faible rapport (24-60 mm comparé à un 35-350 mm), produisent une qualité d'image supérieure.

Compacts avec autofocus

Ces petits appareils photo proposent une combinaison gagnante de performances élevées dans un boîtier compact et stylé. La tendance consiste à proposer uniquement un écran d'affichage au dos comme viseur.

Assurez-vous toujours que le flash peut être désactivé.

Un zoom 5x de haute qualité pour un appareil photo polyvalent.

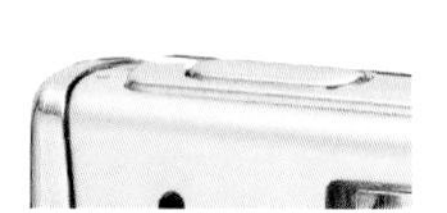

Le déclencheur est toujours adapté aux droitiers.

Taille du capteur et angle de champ

L'objectif d'un appareil photo projette une image circulaire au centre de laquelle le capteur « découpe » une zone rectangulaire. Si le rectangle dépasse le bord du cercle de lumière, le capteur capture tout l'angle de champ. Mais si la zone de capture n'atteint pas le bord, l'angle de champ est plus petit. De nombreux reflex numériques acceptent des objectifs 35 mm traditionnels, mais sont équipés de capteurs plus petits que ce format (APS ou 24 x 16 mm). L'angle de champ est donc réduit, et la longueur focale augmente, généralement d'un facteur de 1,5 environ. Par exemple, un objectif 100 mm utilisé sur un plein format 35 mm est équivalent à un objectif 150 mm si le capteur est au format APS. Il est d'usage de faire correspondre la longueur focale réelle à son équivalent en format 35 mm.

Appareils photo sur téléphones portables

Les appareils photo numériques des téléphones portables résultent de nombreux compromis entre ingénierie et coûts. En général, vous sacrifiez la qualité d'image, les capacités de mise au point et de zoom, la vitesse d'exécution et la polyvalence des contrôles pour miniaturiser l'appareil photo. La puissance du flash, s'il y en a un, est aussi limitée. Quelques-uns utilisent une véritable optique de zoom, mais il s'agit généralement d'un zoom numérique. Le téléphone permet cependant d'envoyer facilement vos images, mais aussi de plus en plus de collecter des actualités.

Compacts d'entrée de gamme

Grâce aux constantes améliorations en termes de qualité et à la compétition relative aux prix, les appareils photo compacts d'entrée de gamme offrent un bon rapport qualité/prix. Leurs caractéristiques ne sont pas forcément inférieures, mais ils peuvent être moins robustes, moins compacts, avec des écrans LCD plus petits et des fonctions plus limitées. Ils peuvent aussi réagir moins vite que des appareils de haute qualité, mais leur qualité d'image reste honorable.

Les compacts à la mode et de poche

Comme les appareils photo numériques n'ont plus besoin de contenir de film, les concepteurs peuvent créer des formes stylées et se concentrer sur la réduction de la taille. Celle-ci est limitée uniquement par la nécessité d'englober un écran et des boutons de contrôle. De très nombreux appareils photo ultra-compacts, ultra-plats et pratiques ont ainsi vu le jour. Dans cette catégorie, vous trouverez des modèles protégés – contre la poussière et l'eau – avec d'excellentes capacités.

Les performances de ce genre de compacts très colorés peuvent être comparées aux compacts d'entrée de gamme, mais leur coût est un peu plus élevé. C'est le prix à payer pour une technologie moderne. Toutefois, avant de débourser une telle somme, manipulez l'appareil pour vous assurer que sa petite taille n'est pas un handicap.

Résolution et qualité

Le terme « résolution » a plusieurs significations en photographie. Appliquée aux capteurs, la résolution mesure le nombre de photosites utilisés pour capturer l'image. La résolution de l'image est souvent équivalente à la taille de l'image, ou son nombre de pixels. Dans le domaine des performances des objectifs ou de la qualité d'image, elle mesure jusqu'où un système est capable de séparer des détails.

Ces mesures sont liées, mais pas directement. Par exemple, la résolution d'un capteur définit la limite supérieure de la qualité d'image, mais pas la limite inférieure.

Appareils photo de poche
Pour devancer leurs concurrents, certains fabricants protègent leurs appareils contre la poussière et l'eau, tout en offrant les fonctions compactes habituelles. Ces modèles sont parfaits pour vous accompagner partout.

Appareils photo à la mode
Les compacts sont presque tous équivalents en termes de fonctionnalités et de qualité, vous choisirez donc souvent un modèle d'après son apparence – et la couleur a son importance. La gamme de couleurs s'étend du blanc au pourpre.

Appareils photo tropicalisés
Il est possible de rendre un compact plus résistant en le recouvrant de caoutchouc, de le rendre étanche pour l'utiliser sous l'eau, et de l'utiliser dans le froid avec des gants grâce à ses boutons surdimensionnés.

Choisir un numérique suite

Compacts pour passionnés

Pour les passionnés de photographie dont le budget est assez serré, ces compacts sont performants, polyvalents et abordables. Les appareils de cette gamme offrent des angles de vue plus grands (24 mm), des zooms à longueur focale plus longue, la possibilité d'enregistrer des images au format Raw, la synchronisation avec le flash accessoire, une plus grande solidité et un large choix d'accessoires.

Encore plus important, ces appareils photo proposent une gamme complète de contrôles de l'exposition, de la balance des couleurs et de la mise au point. La conception de l'objectif et du processeur d'image est également plus soignée, avec une amélioration marquée de la qualité d'image par rapport aux compacts polyvalents. Équipés de 8 Mpx et plus, ces appareils photo restent très polyvalents. Certains sont conçus pour des tâches particulières, comme ceux qui sont capables de prendre 60 images par seconde et ceux qui sont adaptés à la lumière infrarouge ou à l'astronomie.

Quand vous choisissez un appareil photo, vérifiez que vos fonctionnalités favorites sont faciles

Effets de moiré

Le « moiré » est un défaut qui peut affecter des images enregistrées par un appareil photo numérique. Il apparaît quand le motif régulier de la matrice de capteurs dans l'appareil photo interagit avec des motifs tout aussi réguliers dans une zone de l'image, comme le mouvement des vêtements portés par le sujet. Le chevauchement de deux motifs, qui ne sont ni similaires ni parfaitement alignés, entraîne la création d'un nouveau motif – le moiré – qui se traduit souvent par des bandes de couleurs ou des lignes claires et sombres. Certains reflex numériques (*voir pages 206-207*) proposent une solution optique sophistiquée, le filtre « anticrénelage », alors que d'autres fabricants utilisent un filtre connu sous le nom de filtre « passe-bas », qui atténue les détails de l'image.

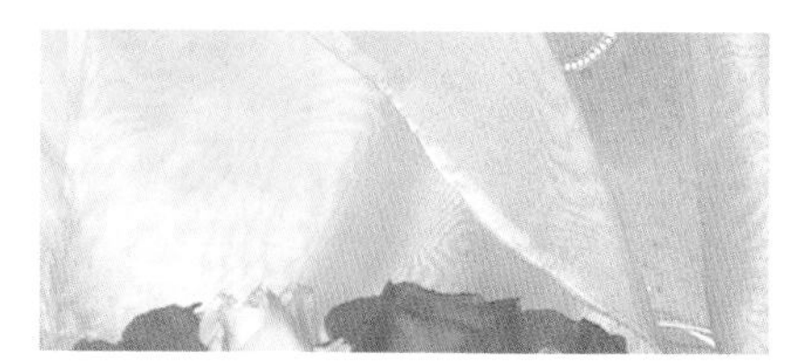

L'effet moiré est facilement perceptible dans le mouvement de ce tissu.

Compacts grand-angle

Les petits numériques avec une longueur focale maximum équivalente à un 24 mm et une ouverture maximale de *f*/2 offrent un réel potentiel pour la photographie documentaire. Un viseur optique est disponible en option.

Compacts pour passionnés

Les compacts destinés aux photographes expérimentés peuvent inclure de nombreuses caractéristiques avancées comme la géolocalisation par GPS, l'enregistrement au format Raw, un objectif de qualité et un nombre de pixels élevé.

Compacts à zoom de grande amplitude

Les compacts modernes peuvent être équipés de zooms 10x ou plus, ainsi que d'une ouverture relativement rapide, d'une résolution élevée et d'autres fonctions comme l'enregistrement de vidéos et la stabilisation de l'image.

d'accès, de préférence en appuyant sur un bouton. La taille d'un appareil peut être difficile à évaluer d'après photo, consultez ses dimensions réelles avant de l'acheter. Si la vitesse de déclenchement est importante, testez directement l'appareil photo, car certains modèles sont vraiment très lents, notamment quand ils enregistrent au format Raw.

Appareils photo pour amateurs éclairés

Ces modèles peuvent produire des résultats de qualité professionnelle, mais ils n'ont pas d'objectifs interchangeables et n'atteignent pas les standards professionnels en matière de robustesse et de durabilité. Il en existe deux types. Les modèles compacts – comme le haut de gamme de Ricoh, Panasonic/Leica, Canon et Nikon – pour le photojournalisme et la photographie de rue ; et les modèles équipés d'un viseur électronique (également appelés bridges) et de zooms grand-angle – comme les modèles de Fujifilm, Panasonic et Olympus – adaptés aux voyages et à la photographie de paysage. Pour les passionnés de photographie non professionnels, ces appareils offrent une excellente qualité à des prix abordables.

Modèles pour amateurs éclairés

Faciles à transporter, mais équipés d'un zoom de 18x ou plus (soit l'équivalent d'un 27-486 mm), ces appareils photo sont polyvalents. Leur conception, à base d'objectif fixe, est parfaite pour les photos de voyage puisqu'ils sont relativement bien protégés contre la poussière.

Le « clic » du déclencheur confirme que la photo a été prise.

Le sélecteur de modes cranté est le plus facile à utiliser.

L'emplacement des connecteurs facilite la manipulation.

Compacts avec objectif à focale fixe

Le puriste qui n'a pas besoin de zoom choisira un compact comme ce modèle avec un zoom fixe (l'équivalent d'un 28 ou d'un 35 mm). Il est facile à utiliser et privilégie la qualité de l'image.

Compacts avec objectifs interchangeables

Ce type d'appareil photo (et les modèles comparables d'Olympus) accepte des objectifs interchangeables qui se fixent sur un petit boîtier. Il utilise un écran LCOS comme viseur électronique.

Appareils photo rapides

La vitesse et les fonctions vidéo des numériques sont de plus en plus performantes. Ce modèle peut prendre des images fixes de 6 Mpx à 6 images par s et des vidéos de définition standard jusqu'à 1 000 images par s.

Choisir un numérique suite

Reflex numériques d'entrée de gamme

Les appareils photo reflex numériques d'entrée de gamme sont aussi destinés aux amateurs éclairés puisqu'ils offrent des résultats de qualité professionnelle et de nombreuses fonctions, mais à un prix réduit. Tous les fabricants sont présents dans ce secteur. Ces appareils sont compatibles avec la quasi-totalité des objectifs et accessoires de la gamme supérieure, mais ils sont plus petits, plus légers et proposent généralement des caractéristiques inférieures à leurs homologues professionnels.Cependant, ils peuvent offrir des fonctions plus modernes, comme la fonction Live view (*voir encadré ci-contre*). Ces appareils photo constituent de bons boîtiers de rechange pour les professionnels. Ils sont généralement équipés de capteurs APS-C, qui possèdent un facteur de conversion de focale de 1,5× en 35 mm.

Reflex numériques professionnels

Il n'existe pas de frontière claire entre les reflex d'entrée de gamme et les modèles professionnels, ils sont autant utilisés par les amateurs que par les professionnels. Les plus grands – comme les EOS-1

Reflex numériques

Certains reflex numériques à objectifs interchangeables sont plus petits que les appareils à viseur électronique à objectifs fixes. Ce type d'appareil propose une bonne qualité d'image avec des puces APS de 10 Mpx ou plus, une bonne réactivité et une grande polyvalence.

Des déclencheurs rapides permettent de capturer instantanément.

Le capot du prisme dissimule un flash escamotable.

Avec les objectifs interchangeables, la polyvalence est optimale.

Appareils photo pour passionnés

Très performants pour leur prix, ils atteignent une qualité professionnelle, proposent 15 Mpx ou plus, 6 images par s, de grands écrans d'affichage et une sensibilité qui frôle les 12 800 ISO.

Appareils photo avec stabilisateur d'image

Certains appareils haute résolution proposent un stabilisateur d'image dans le boîtier et non dans l'objectif. La stabilisation est ainsi indépendante de l'objectif, et vous obtenez plus d'images nettes.

Appareils photo semi-professionnels

Des modèles semi-professionnels abordables peuvent atteindre des normes élevées. Certains offrent un excellent rapport qualité/prix en incluant un stabilisateur et un bon traitement de l'image.

de Canon, D3 de Nikon et certains modèles de Sony et Olympus – sont conçus pour les professionnels. Ils ont de meilleurs obturateurs, un boîtier solide, des protections antipoussières et antimoisissures, de même qu'une meilleure qualité de viseur et de fonctions. Certains appareils utilisent un capteur plein format de 36 × 24 mm ; d'autres en utilisent de plus petits, avec des résolutions de 10 à 25 Mpx voire plus, selon que l'on recherche la qualité ou la vitesse d'exécution. Le Leica M8 est exceptionnel, il produit des images professionnelles avec une mise au point manuelle *via* un télémètre.

Reflex numériques haut de gamme

Les appareils photo moyen format représentent le haut de gamme de la photo numérique. Leur boîtier moyen format est équipé d'un capteur d'une taille plus de deux fois supérieure à celle d'un reflex numérique. Les résolutions s'étendent de 22 à plus de 60 Mpx. Ces appareils photo respectent des normes très pointues et sont équipés d'excellents objectifs (certains sont pilotés depuis un ordinateur connecté à l'appareil photo), mais ils coûtent plusieurs fois le prix des reflex numériques plein format les plus onéreux.

Fonction Live view

Normalement, sur un reflex numérique, vous examinez l'image reflétée par le miroir sur un verre dépoli. Sur certains modèles, vous pouvez voir l'image *via* l'écran LCD, comme sur un compact : c'est la fonction Live view, qui offre bien plus de possibilités. Pour y accéder, soit le miroir est levé et l'obturateur ouvert pour permettre à la lumière d'atteindre les capteurs, soit l'image du verre dépoli se reflète sur un capteur. Selon le modèle, l'écran LCD peut être fixe ou orientable, comme sur l'illustration.

Viseur Live view

Les écrans les plus pratiques sont orientables, ce qui permet de faire facilement varier l'angle et donc de tenir l'appareil photo dans différentes positions.

Appareils photo professionnels

Les modèles conçus pour les milieux hostiles sont bien protégés contre la poussière et la moisissure, ils sont robustes et réagissent très rapidement. Mais ils sont lourds et encombrants.

Appareils photo plein format à haute résolution

Leurs capteurs de 24 x 36 mm permettent de prendre des photos très grand-angle à partir d'objectifs 35 mm. Ils offrent des résolutions de 24 Mpx ou plus, la stabilisation d'image et des réactions rapides.

Numérique moyen format

Pour des exigences très élevées, il existe les objectifs moyen format et les grands capteurs avec des résolutions de 37 Mpx ou plus. Les résultats peuvent être époustouflants, mais ils exigent de grandes compétences et une bonne maîtrise informatique.

Accessoires

Les accessoires sont essentiels pour la qualité et la créativité en photographie. Il ne faut cependant pas en abuser car un trop grand nombre risquerait au contraire de vous encombrer.

Trépieds

Les trépieds sont essentiels pour améliorer la qualité de vos images. Les meilleurs sont lourds, grands et rigides, mais les plus légers n'apportent quasiment rien. Pour être efficace, un trépied doit peser le double du poids de l'élément le plus lourd que vous placez dessus.

Les trépieds en fibre de carbone offrent le meilleur compromis entre poids et stabilité. Les modèles télescopiques à trois sections ou plus sont plus compacts une fois repliés, mais moins rigides que les autres. Les rondelles qui se vissent pour verrouiller une section sont compactes, mais moins rapides que les fermetures à levier. Un bon compromis moins onéreux est un trépied en alliage d'aluminium. Les petits trépieds de table sont pratiques pour stabiliser l'appareil photo, ainsi que les bandoulières pour le caler sur votre épaule.

Le choix de la tête du trépied est tout aussi important. Choisissez-en une qui soit rapide et facile à utiliser, mais qui maintienne fermement l'appareil photo. Les têtes à rotules sont faciles à ajuster, mais difficiles à utiliser avec du matériel lourd. Les têtes à rotules 3D sont plus précises, mais plus complexes à manipuler que les rotules simples. Les têtes les moins pratiques sont les têtes à axes, mais le réglage de la précision est un jeu d'enfant. Dans le cas d'objectifs très lourds, utilisez des têtes pendulaires, comme la tête Wimberley. Fixez l'appareil photo à la tête à l'aide d'un raccord rapide, plus pratique, même s'il est plus difficile ensuite de manipuler l'appareil.

Posemètres

Presque tous les appareils photo modernes sont équipés de posemètres intégrés, mais les posemètres externes sont toujours meilleurs pour mesurer la lumière incidente (la lumière arrivant sur le sujet). Certains posemètres externes sont également beaucoup plus précis, notamment en

Trépieds
Même s'il est souvent encombrant et lourd, le trépied est la meilleure garantie contre les images floues. Les modèles en fibre de carbone sont plus onéreux, mais plus légers que les modèles métalliques.

Tête de trépied 3D
Une tête de trépied qui s'ajuste dans les trois dimensions est parfaite pour les appareils lourds.

Tête à rotules
Compact et léger, ce type de tête de trépied est idéal pour la photographie de voyage.

Tête Wimberley
Une tête pendulaire équilibre des téléobjectifs lourds sur leur centre de gravité, ce qui facilite la prise de vue.

Posemètre combiné
Les posemètres professionnels mesurent l'éclair du flash et la lumière ambiante et acceptent toute une gamme d'accessoires.

Spotmètre
Pour mesurer précisément la lumière, il faut un spotmètre externe.

Posemètre simple
Un posemètre simple est parfait pour vérifier les performances de l'appareil photo et pour vous apprendre à évaluer l'éclairage.

Sacs
Les sacs traditionnels ou les sacs à dos sont pratiques pour transporter et organiser votre équipement.

Sacs rigides
Les sacs rigides peuvent être étanches et offrent une bonne protection en conditions difficiles, mais ils sont souvent très lourds même quand ils sont vides.

Housse étanche
Les housses plastiques peu chères vous permettent d'utiliser votre numérique sous l'eau.

cas de faible lumière. Les spotmètres, qui mesurent la lumière réfléchie à partir d'un petit angle de vue – généralement 1° ou moins – offrent une précision inégalée en cas d'éclairage difficile.

Les flashmètres sont destinés à mesurer l'exposition du flash électronique. La plupart des flashmètres externes modernes mesurent aussi la lumière ambiante et indiquent l'équilibre entre les deux. Un flashmètre est un accessoire incontournable pour les natures mortes et les portraits.

Sacs

Les sacs souples, modernes, rembourrés associent protection et légèreté. Les sacs de Lowepro, Think Tank, Tamrac, Tenba, Domke et Billingham sont excellents.

Pour transporter de lourdes charges sur de longues distances, les sacs à dos protègent votre dos, mais l'accès à l'équipement est moins facile. Les sacs à porter sur l'épaule sont faciles d'emploi, mais sont mauvais pour le dos. Un bon compromis est un sac à bandoulière avec une ceinture qui entoure votre taille pour qu'une partie du poids repose sur les hanches.

Si vous travaillez dans des conditions difficiles ou si vous craignez pour vos objectifs et votre ordinateur portable si précieux lors de voyages en cale de bateau ou en camion, équipez-vous d'un sac rigide protégé contre la poussière et l'eau, comme le sac Pelican Case. Comme ils sont déjà très lourds à vide, attendez-vous à payer des frais d'excédent de bagages.

Étanchéité

Une housse étanche est nécessaire si vous prenez des photos sur un canoë ou en mer – pas uniquement en cas d'immersion totale. Ces housses protègent aussi de la poussière, pour les milieux industriels ou les déserts. Elles se présentent sous la forme de pochettes plastiques souples pour les eaux peu profondes, et sous forme de boîtes rigides pour les eaux profondes. Elles existent pour tous les modèles, du compact au professionnel, mais elles sont presque aussi chères que l'appareil photo qu'elles protègent.

Accessoires numériques

Les appareils photo numériques modernes ont besoin d'une large gamme d'accessoires pour leur alimentation et l'enregistrement des images.

Cartes mémoire

Les cartes mémoire sont équipées de registres qui stockent leur état – actif ou inactif – sans besoin d'alimentation pour conserver les données indéfiniment. Leur taille compacte, leurs faibles besoins énergétiques et leur grande capacité les rendent incomparables. Quand vous enregistrez une image, les registres sont activés/désactivés selon les données. Lors de la lecture, les registres sont transformés en flux de données. Les cartes modernes peuvent contenir plus de 16 Go d'informations et les opérations sont 300 fois plus rapides qu'avec un CD standard.

Il existe plusieurs types de cartes : certaines très compactes pour les téléphones portables, d'autres optimisées pour la vitesse ou la robustesse. Si vous possédez plusieurs appareils photo ou d'autres périphériques, assurez-vous qu'elles sont compatibles.

CompactFlash

La carte mémoire CompactFlash est la plus utilisée en photographie numérique. Toutes les cartes doivent être introduites dans l'appareil photo pour que les images puissent y être sauvegardées. Vous pouvez les retirer à tout moment et les insérer dans un lecteur afin de transférer les fichiers vers un ordinateur, mais surtout pas pendant une opération de lecture, signalée par une lumière rouge. En supprimant des images, vous gagnez de la place.

Utiliser la carte mémoire

Les cartes mémoire peuvent facilement être remplacées dans un appareil photo, mais jamais pendant l'écriture ou la lecture, signalées par une lumière.

Stockage des images numériques

Quand vous voyagez avec un appareil photo numérique, il n'est pas pratique de transporter un

CompactFlash

Très répandue entre autres dans les reflex numériques, cette carte robuste propose une large gamme de capacités (jusqu'à 32 Go) et de vitesses adaptées à tous les budgets.

Cartes SD (*Secure Digital*)

Très utilisées dans les compacts et les reflex numériques, les cartes SD (et SDHC) sont très petites, avec jusqu'à 32 Go de capacité et peu de besoins en énergie. Elles sont également très robustes.

Micro SD

Ces cartes jusqu'à 8 Go équipent souvent les téléphones portables. Avec un adaptateur, elles remplacent les cartes Mini SD et SD.

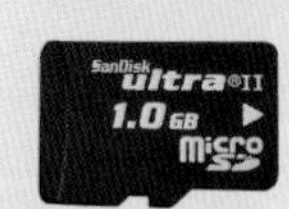

Cartes xD-Picture

Ces très petites cartes avec des capacités allant jusqu'à 8 Go sont très performantes et peu gourmandes en énergie, mais c'est le format propriétaire d'Olympus et Fujifilm.

MemoryStick

Propriété de Sony, cette famille de cartes équipe divers équipements numériques, comme les caméscopes Sony, ce qui les rend multi-usage avec de bonnes capacités et performances.

ordinateur portable pour y stocker les images. Un disque dur externe équipé d'un écran LCD et de lecteurs de cartes constitue une meilleure solution. L'écran peut être en couleurs pour visionner directement les images ou afficher simplement l'état des opérations et des données basiques sur le fichier. Certains de ces périphériques hébergent plus de 100 Go de données et sont munis de plusieurs lecteurs de cartes. Les données peuvent être copiées directement à partir de la carte sur le disque, puis du disque vers l'ordinateur à votre retour chez vous.

Entretien des cartes

- Conservez les cartes mémoire éloignées de tout champ magnétique, comme les téléviseurs, les haut-parleurs, etc.
- Conservez vos cartes dans une atmosphère sèche, hors de la poussière et dans des housses de protection si vous ne les utilisez pas.
- Ne pliez pas vos cartes.
- Évitez de toucher les contacts avec vos doigts.

Cadres photo

Ces appareils, pratiques pour les magasins et les expositions d'art, affichent une image ou un diaporama d'images à partir d'une carte mémoire ou une banque d'images.

Stockage portable

Ces petits disques durs externes, qui évitent d'emporter partout votre ordinateur, permettent de sauvegarder les images en déchargeant les cartes mémoire et de les visionner à mesure que vous les prenez.

Clés USB

Les clés USB avec leurs impressionnantes capacités de stockage représentent le moyen le plus pratique de transférer des fichiers d'une machine vers une autre.

Lecteurs de cartes

Il existe deux moyens de transférer des images prises avec votre numérique vers votre ordinateur. Vous pouvez raccorder l'appareil photo à votre ordinateur et lancer le transfert des images, ou retirer la carte mémoire de l'appareil photo et la lire sur l'ordinateur. Dans ce cas, il faut un lecteur de cartes, un périphérique capable d'envoyer les données à l'ordinateur *via* un câble USB, USB 2.0 ou FireWire – les deux dernières options étant les plus rapides. Il existe de nombreux modèles de lecteurs sur le marché, qui peuvent lire presque tous les types de carte mémoire.

Lecteur de cartes

Utiliser un lecteur de cartes

Le lecteur ouvre la carte comme un disque pour copier les images sur l'ordinateur.

Lecteur de cartes CompactFlash

Flash externe

L'invention du flash externe, compact et facilement transportable, a eu un impact considérable sur la photographie : il a ouvert le monde nocturne aux appareils photo. De nos jours, tous les compacts numériques sont équipés d'un flash électronique, ainsi que les téléphones portables et la majorité des reflex numériques. Alors quelle est l'utilité d'un flash externe ?

Alimentation et recyclage

Le flash intégré à un appareil photo est alimenté par les propres batteries de l'appareil. Pour réduire leur forte consommation, les flashs ont une puissance limitée, généralement juste suffisante pour éclairer sur une distance de 1 à 2 mètres. Les temps de recyclage – la vitesse à laquelle le flash peut être déclenché en rafale – sont également limités. Un emploi excessif de ces flashs peut rapidement vider la batterie de l'appareil photo.

Puissance du flash

Les flashs externes dépassent les limites du flash intégré puisqu'ils ont leur propre source d'énergie et leurs propres circuits ; ils sont donc plus grands que les appareils photo compacts. Avec ces flashs, vous contrôlez mieux la puissance, la direction et l'angle de couverture.

Les flashs externes se raccordent sur la griffe de l'appareil photo qui combine des contacts électriques et une rainure sur laquelle vient se glisser le sabot du flash. Alors que les griffes sont généralement standard, les contacts peuvent être spécifiques au fabricant de l'appareil photo. Certains d'entre eux, comme Sony, utilisent même des conceptions de griffe spécifiques.

Angle ajustable

Le flash est généralement monté sur un support orientable pour pouvoir être dirigé sur les côtés, ou même vers l'arrière, selon le choix de la surface pour le flash indirect (*voir page 51*). Certains proposent une tête à rotules pour pouvoir pointer le flash vers le haut ou le bas pour des gros plans. Une tête totalement ajustable augmente la flexibilité, c'est donc un incontournable pour les mariages et pour les paparazzis.

Couverture ajustable

Sur de nombreux flashs, vous pouvez aussi ajuster la couverture, ou l'angle suivant lequel la lumière

Petit flash supplémentaire

Un flash comme celui-ci peut augmenter la puissance des flashs intégrés. Il est déclenché par le propre flash de l'appareil photo qu'il renforce. C'est une solution peu onéreuse aux problèmes de luminosité, mais difficile à contrôler.

Flash esclave

Il renforce le flash intégré. Il est synchronisé avec le flash de l'appareil photo pour une exposition précise, puis le fonctionnement est totalement automatique. Placez-le sur un côté de l'appareil pour contrôler la direction de l'éclair.

Flash externe puissant

Un flash externe monté sur la griffe de l'appareil photo convient pour un fonctionnement ordinaire, proposant une tête à rotules et à axes, plusieurs expositions et des aides à la mise au point pour travailler dans l'obscurité totale.

est diffusée. Ceci vous assure que, lorsque vous utilisez un réglage ou un objectif grand-angle, le flash couvre l'angle de champ : ceci réduit la puissance maximale du flash. Quand vous faites une photo au téléobjectif ou quand vous utilisez un objectif à longue focale, la couverture est réduite pour correspondre, approximativement, à l'angle de champ. Vous gagnez donc en puissance maximale du flash, puisque la lumière est concentrée dans un faisceau plus petit.

Les réglages peuvent être effectués manuellement ou automatiquement, l'appareil photo adaptant le flash au zoom de l'objectif. Les zooms dans le tube-éclair du flash modifient la couverture et un diffuseur peut être utilisé pour en élargir l'angle.

Les yeux rouges

Le point rouge disgracieux au milieu des yeux provoqué par le flash – couramment appelé les yeux rouges – est dû à deux facteurs : le flash est si près de l'axe optique que la lumière est réfléchie par la rétine de l'œil, la pupille étant dilatée dans l'obscurité. Les flashs montés sur la griffe ou sur un côté déplacent la source du flash loin de l'axe optique pour éviter les yeux rouges.

Nombre guide

L'éclair des flashs externes est généralement mesuré par le nombre guide (NG). Ce chiffre est donné pour une vitesse spécifique film/capteur – habituellement 100 ISO – en mètres (m) ou en pieds et pour un angle de couverture particulier. Le NG d'un flash sera plus élevé pour une couverture faible – téléobjectifs moyens – et plus bas pour une couverture importante – objectifs grand-angle. On le cite par exemple sous la forme NG45 (m), où la distance se mesure en mètres. Le NG typique d'un petit appareil photo est 5-10 (m) ; les flashs externes proposent 30-50 (m). En général, le NG correspond à l'angle de couverture d'un objectif standard.
Voici comment calculer le nombre guide :

Nombre guide = distance du sujet x ouverture

L'ouverture pour une bonne exposition est égale à la division du NG de votre flash par la distance entre le flash/appareil photo et le sujet. L'ouverture sera généralement plus précise si elle est calculée à partir du NG plutôt que par des systèmes automatiques.

Flash annulaire macro

Pour des photographies au flash sans ombres d'insectes et autres petits objets, le flash annulaire est idéal. Le bref éclair peut stopper un mouvement involontaire et de très petites ouvertures procurent une profondeur de champ maximum.

Flash macro ajustable

Pour contrôler l'éclairage en mode macro, les boîtiers équipés de plusieurs petites unités de flash autour de l'objectif vous assurent une flexibilité optimale. Vous pouvez choisir plusieurs niveaux de puissance et pointer dans différentes directions.

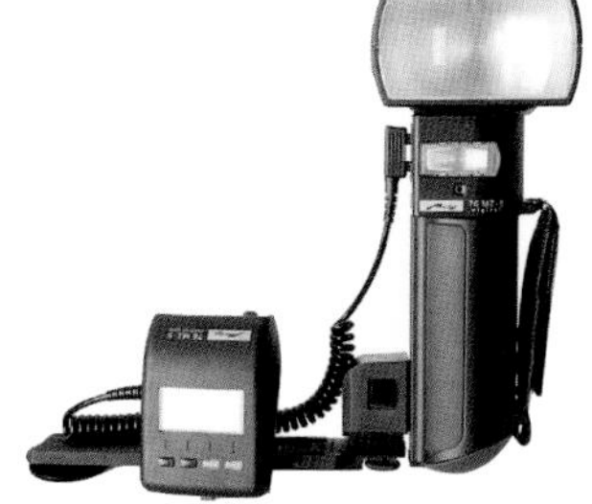

Flash torche

Les flashs torches avec poignée sont puissants et robustes. Ils peuvent être utilisés de différentes façons, comme des adaptateurs pour des opérations spéciales, des réflecteurs de zoom, des lampes pilotes et des déclenchements en rafale.

Glossaire

133x (vitesse). Le périphérique lit ou écrit les données à 133 fois le débit d'un CD (1x équivaut à 150 Ko/s). On trouve aussi 24x, 48x, etc.
24 bits. Mesure de la taille ou de la résolution des données exploitées par un ordinateur, programme ou composant. Une profondeur de couleur de 24 bits produit des millions de couleurs différentes.
6 500. Balance standard des blancs correspondant à la lumière normale du jour. C'est un blanc chaud comparé à 9 300.
9 300. Balance standard des blancs proche de la lumière normale du jour. Généralement utilisée pour des écrans.

A

Aberration. Dans le domaine optique, il s'agit d'un défaut dans l'image dû à l'impossibilité pour l'objectif de créer une image parfaite.
Aberration chromatique. C'est un défaut dans l'image qui se présente sous forme de franges colorées quand un sujet est éclairé avec de la lumière blanche, et qui est provoqué par la dispersion de cette lumière quand elle passe à travers les éléments en verre de l'objectif.
Accentuation. Technique de retouche d'image qui consiste à améliorer la netteté apparente d'une image.
Adressable. Propriété d'un point dans l'espace qui lui permet d'être identifié et référencé par certains périphériques, comme une imprimante à jet d'encre.
Affichage. Périphérique, comme un moniteur, un projecteur LCD ou l'écran d'un appareil photo, qui fournit une représentation visuelle temporaire des données.
Alias. Représentation, ou « doublure », d'un signal original continu. C'est le produit de l'échantillonnage et de la mesure du signal pour le convertir au format numérique.
Amélioration/retouche. *(1)* Changement d'une ou plusieurs qualités dans une image, comme la saturation des couleurs ou la netteté, pour améliorer son apparence ou modifier certaines propriétés visuelles. *(2)* Effet produit par un périphérique ou un logiciel destiné à augmenter la résolution apparente d'un téléviseur.
Anticrénelage. Lissage de crénelage, ou des dentelures, dans une image ou une composition informatique.
Aplatir. Combiner plusieurs calques et d'autres éléments d'une image composée ou retouchée numériquement pour n'en former qu'un. C'est généralement la dernière étape dans le traitement des calques avant d'enregistrer une image dans un format standard. Sinon, l'image doit être enregistrée en format natif.

B

Bichrome. Mode de travail dans un logiciel de retouche d'image qui simule l'impression d'une image avec deux encres.
Bit. Unité fondamentale des données informatiques. Seules deux valeurs sont possibles – 1 ou 0 – représentant par exemple arrêt ou marche.
Bokeh. Terme japonais faisant référence au flou d'arrière-plan.
Bracketing ou **Fourchette d'expositions.** Prise de plusieurs photos de la même image avec des expositions légèrement différentes pour s'assurer qu'au moins une image est bien exposée.
Bruit. Signaux ou perturbations indésirables dans un système qui ont tendance à réduire la quantité d'informations enregistrées ou transmises.

C

C. Abréviation de cyan. Couleur complémentaire obtenue en associant deux couleurs primaires, le rouge et le bleu.
CAN (ADC pour *Analogue-to-Digital*). Conversion analogique-numérique. Processus de conversion ou de représentation d'un signal qui varie continuellement en un ensemble de codes ou valeurs numériques.
CDD (*Charge Coupled Device*). Dispositif de couplage de charge utilisé comme capteur d'image.
Cellule demi-ton. Unité utilisée par un système de reproduction ou une impression demi-ton pour simuler une gamme de gris ou une reproduction en tons continus.
Chroma. Valeur chromatique d'une source ou d'une tache lumineuse. Elle est presque équivalente à la tonalité perçue d'une couleur.
CIE Lab. Commission internationale de l'éclairage LAB. Modèle de couleur où l'espace chromatique est sphérique. L'axe vertical correspond à la luminosité (L) pour des couleurs achromatiques, le noir étant en bas et le blanc en haut. L'axe *a* est horizontal et s'étend du rouge (valeurs positives) au vert (valeurs négatives). Aux angles droits, l'axe *b* s'étend du jaune (valeurs positives) au bleu (valeurs négatives).
CMJN. Cyan Magenta Jaune Noir. Les trois premières sont les couleurs principales d'un mélange soustractif, qui constitue le principe sur lequel se basent les encres pour créer une couleur. Un mélange des trois couleurs produit une couleur sombre proche du noir, mais pour obtenir des noirs de bonne qualité, il est nécessaire d'utiliser une encre noire distincte.
CMOS *(Complementary Metal Oxyde Semiconductor)*. Type de détecteur d'image utilisé dans les appareils photo numériques.
Colorimétrie absolue. Méthode de correspondance des gamuts de couleur qui essaie de préserver autant que possible des valeurs de couleur proches des originales.

Glossaire suite

Coloriser. Ajouter une couleur à une image en niveaux de gris sans changer la luminosité.

ColorSync. Système logiciel propriétaire de gestion des couleurs qui garantit par exemple que les couleurs à l'écran correspondent à celles qui seront reproduites par une imprimante.

Composition. Technique qui combine une ou plusieurs images dans l'image de base. Également appelée montage.

Compression. *(1)* Processus de modification du codage des données permettant de réduire la taille des fichiers numériques. *(2)* Réduction de la plage des tonalités.

Compression avec perte. Programme informatique, comme JPEG, qui réduit la taille d'un fichier numérique mais qui perd aussi des informations ou des données.

Compression sans perte. Programme informatique, comme LZW, qui réduit la taille d'un fichier numérique sans perte d'informations dans le fichier.

Contour progressif. Flou d'une bordure ou limite obtenu en réduisant la netteté ou la soudaineté du changement de valeur de couleur par exemple.

Contraste. *(1)* De la lumière ambiante : la plage de luminance d'une scène. Autrement dit, la différence entre la luminance la plus élevée et la plus faible. Un contraste important indique une vaste plage de luminance. *(2)* De la couleur : des couleurs opposées dans le cercle chromatique sont dites contrastantes – par exemple le bleu et le jaune, le vert et le rouge.

Couche alpha. Partie normalement non utilisée d'un format de fichier. Elle est conçue de sorte que la modification de sa valeur change les propriétés – transparence/opacité par exemple – du reste du fichier.

Couleur. Désigne la qualité de la perception visuelle des choses, caractérisée par la tonalité, la saturation et la luminosité.

Couleur achromatique. Couleur qui se distingue par des différences de clarté, mais qui est dépourvue de tonalités, comme le noir, le blanc ou les gris.

Couleur primaire. Une des couleurs (rouge, vert ou bleu) auxquelles l'œil humain est sensible.

Couleurs chaudes. Terme subjectif se référant aux rouges, oranges et jaunes.

Couleurs complémentaires. Paires de couleurs qui produisent du blanc quand elles sont additionnées. Par exemple, le cyan, le magenta et le jaune sont complémentaires des couleurs primaires rouge, vert et bleu.

Couleurs froides. Terme subjectif se référant aux bleus et aux cyans.

Couper et coller. Supprimer d'un fichier une partie sélectionnée d'un graphique, d'une image ou d'un texte et la stocker temporairement dans un presse-papiers (« couper »), avant de l'insérer ailleurs (« coller »).

Courbe. Graphique mettant en relation des valeurs d'entrée et de sortie pour une image retouchée.

Crénelage. Apparence des artéfacts en forme de dentelures.

D

D65. Point blanc standard utilisé pour étalonner les moniteurs. Il est généralement utilisé pour les téléviseurs. Le blanc correspond à une température de couleur de 6 500 K.

Définition. Évaluation subjective de la clarté et de la qualité des détails visibles dans une image ou une photo.

Densité. *(1)* Mesure de l'assombrissement, ou de la « force » d'une image en termes de capacité à stopper la lumière – autrement dit, son opacité. *(2)* Nombre de points par surface unitaire produit par une impression.

Distorsion des tonalités. Propriété d'une image où le contraste, la plage de luminance ou les couleurs semblent être très différents de ceux du sujet.

Dmax. *(1)* Mesure de la densité la plus élevée, ou maximale, d'argent ou de colorant atteinte par un film ou un tirage dans un échantillon donné. *(2)* Point au sommet d'une courbe de caractéristiques d'un film négatif ou en bas de la courbe d'un film positif.

Dominante de couleur. Teinte ou touche de couleur présente uniformément dans une image.

Droits d'auteur. Droits dans le domaine littéraire, théâtral, musical ou artistique concernant la modification, la reproduction, la publication ou la diffusion des œuvres. Les travaux artistiques englobent la photographie – des enregistrements de la lumière ou d'autres rayonnements sur un support sur lequel une image est produite ou à partir duquel une image peut être produite par n'importe quel moyen.

E

Éclaircissement sélectif *(dodging)*. Technique de manipulation d'image numérique qui permet de contrôler le contraste local en éclaircissant de façon sélective les parties d'un tirage qui auraient été trop foncées.

Effacer. Supprimer un enregistrement d'un disque, d'une cassette ou d'un autre support (habituellement magnétique) de sorte qu'il soit impossible de recréer l'enregistrement d'origine.

Épreuvage. Contrôle ou confirmation de la qualité d'une image numérique avant l'impression finale.

Épreuvage écran. Utilisation d'un écran pour vérifier ou confirmer la qualité d'une image.

Espace colorimétrique. Définit une plage de couleurs reproductible par un périphérique de sortie donné ou visible par l'œil humain dans certaines conditions. Il permet généralement de gérer la capture et la reproduction des couleurs de chaque photo.

Étalonnage. Faire correspondre à un standard les caractéristiques ou le comportement d'un appareil.

Exposition. *(1)* Processus par lequel la lumière atteint un matériau photosensible ou un capteur pour créer une image latente. *(2)* Quantité d'énergie lumineuse qui atteint un matériau photosensible.

Exposition de l'appareil photo. Quantité totale de lumière qui atteint le film photosensible (dans un appareil argentique) ou les capteurs (dans un appareil numérique). Elle est déterminée par l'ouverture effective de l'objectif et la durée de l'exposition à la lumière.

F

Filigrane. *(1)* Marque faite sur du papier pour identifier le fabricant ou le type de papier. *(2)* Élément dans une image numérique utilisé pour identifier le détenteur des droits d'auteur.

Fill-in. *(1)* Technique d'éclairage des ombres créées par la lumière principale en utilisant une autre source lumineuse ou un réflecteur pour faire rebondir la lumière de la source principale vers les ombres. *(2)* Lumière utilisée pour éclaircir ou illuminer les ombres créées par la lumière principale. *(3)* S'agissant de la retouche d'image, recouvrir une zone d'une couleur – comme avec l'outil Pot de peinture.

Filtre. *(1)* Accessoire optique utilisé pour supprimer une certaine gamme d'ondes de lumière et transmettre les autres. *(2)* Partie d'un logiciel de retouche d'image destinée à produire des effets spéciaux.

FireWire. Standard qui permet une communication rapide entre des ordinateurs et des périphériques, comme des appareils photo numériques et des graveurs CD.

Flash. *(1)* Création d'une illumination à l'aide d'un éclair très bref de lumière. *(2)* Équipement utilisé pour émettre un éclair bref de lumière.

Format de fichier. Méthode ou structure de données informatiques. Les formats de fichiers peuvent être génériques – partagés par différents logiciels – ou propres à une application particulière.

G

Gamma. Pour les moniteurs, mesure de la correction du signal chromatique avant sa projection à l'écran.

Gamut de couleur. Plage des couleurs reproductibles par un périphérique ou un système de reproduction.

Gestion des couleurs. Processus de contrôle de la sortie de tous les périphériques dans une chaîne de production pour vérifier la fiabilité des résultats.

H

Hautes lumières. Valeurs les plus claires dans une image ou un fichier d'image.

HDR (*High Dynamic Range*). Image créée en mélangeant plusieurs expositions différentes de la même scène pour permettre à une image de capturer la plage dynamique de la scène.

Histogramme. Représentation graphique statistique montrant les nombres relatifs de variables dans une plage de valeurs.

Hors gamut. Couleur(s) qui ne peuvent pas être reproduites dans un espace de couleur, mais qui sont visibles ou reproductibles dans un autre.

IEEE 1394. Voir FireWire.

Interpolation. Insertion de pixels dans une image numérique en fonction des données existantes. Elle permet de redimensionner un fichier d'image par exemple, d'augmenter la résolution et de pivoter ou animer une image.

Interpolation bicubique. Type d'interpolation où la valeur d'un nouveau pixel est calculée à partir des valeurs de ses huit voisins proches. Vous obtenez de meilleurs résultats qu'avec l'interpolation bilinéaire ou du plus proche voisin, avec davantage de contraste pour compenser le flou produit par l'interpolation.

Interpolation bilinéaire. Type d'interpolation où la valeur d'un nouveau pixel est calculée à partir des valeurs de ses quatre voisins proches : gauche, droite, haut et bas. Les résultats sont moins satisfaisants qu'avec l'interpolation bicubique, mais le traitement est moins lourd.

ISO. Organisation internationale de normalisation. Échelle de sensibilité des appareils photo numériques.

JPEG *(Joint Photographic Experts Group).* Technique de compression des données qui réduit les tailles de fichiers avec une perte d'informations.

k. *(1)* Abréviation de kilo, un préfixe désignant 1 000. *(2)* Un millier binaire : autrement dit 1 024, dans le sens où 1 024 octets est abrégé en Ko.

Longueur focale (ou **Focale**). Pour un objectif simple, distance entre le centre de l'objectif et l'image nette d'un objet à l'infini que l'objectif projette.

Glossaire suite

Lpp (ou **lignes par pouce**). Mesure de la résolution ou de la finesse d'une reproduction photomécanique.

Luminosité. *(1)* Qualité de perception visuelle qui varie avec la quantité ou l'intensité de la lumière qu'un élément donné semble diffuser ou transmettre. *(2)* L'éclat d'une couleur, en rapport avec la tonalité ou la saturation des couleurs – par exemple, un rose vif comparé à un rose pâle. *(3)* Quantité de blanc dans une couleur. Elle affecte la perception de la saturation d'une couleur. Plus la couleur est claire, moins elle semble saturée.

M

Macro. *(1)* Plage des plans rapprochés proposant des rapports de reproduction entre 1:10 et 1:1 (à l'échelle). *(2)* Petit programme au sein d'un logiciel qui effectue une série d'opérations. On l'appelle aussi Script ou Action.

Masque. Technique utilisée pour obscurcir de façon sélective ou masquer des parties d'une image tout en affichant d'autres parties.

Mégapixel. Un million de pixels. Mesure de la résolution du capteur d'un appareil photo numérique.

Mémoire tampon. Composant mémoire dans un périphérique de sortie, comme une imprimante, un graveur de CD ou un appareil photo numérique, qui stocke des données temporairement pour les transmettre ensuite au périphérique à la bonne vitesse.

Mise au point fixe. Type de monture d'objectif qui fixe un objectif à une distance définie du film. Cette distance correspond généralement à la distance hyperfocale. Jusqu'aux objectifs grand-angle, celle-ci se situe entre 2 et 4 mètres de l'appareil photo.

Mode calque. Technique de retouche ou de traitement d'image qui détermine la manière dont un calque, s'associe ou interagit avec le calque du dessous.

Monochrome. Image composée de noir, de blanc et de gris, qui peut être teintée ou pas.

N

Niveaux de gris. Mesure du nombre d'échelons distincts entre le noir et le blanc qui peuvent être enregistrés ou reproduits par un système. Un niveau de gris à deux échelons permet d'enregistrer ou de reproduire uniquement le noir ou le blanc. Pour une reproduction normale, la gamme de gris doit contenir au moins 256 échelons, y compris le noir et le blanc.

Objectif à focale fixe. Objectif présentant une longueur focale fixe, par opposition à un zoom.

Obscurcissement sélectif (*burning-in*). Technique de retouche d'image numérique fondée sur la technique en chambre noire du même nom.

Opacité. Mesure de la quantité « visible » à travers une couche.

Ouverture. Taille de l'orifice qui laisse passer la lumière dans l'objectif. *Voir* Valeur d'ouverture.

P Q

Palette. *(1)* Ensemble d'outils, de couleurs ou de formes présenté dans une petite fenêtre d'une application logicielle. *(2)* La plage ou la sélection de couleurs disponibles pour un système de reproduction des couleurs.

Peindre. Appliquer une couleur, une texture ou un effet à l'aide d'un pinceau numérique ou de la couleur elle-même.

Pinceau. Outil de retouche d'image utilisé pour appliquer des effets, comme de la couleur, du flou ou une correction de densité, uniquement aux endroits où le pinceau est appliqué, en imitant un véritable pinceau.

Pipette. Partie d'un système d'exploitation ou d'une application qui permet à un utilisateur de sélectionner une couleur – pour peindre par exemple.

Pixel. Plus petite unité d'une image numérique utilisée ou produite par un périphérique donné. Une abréviation de l'anglais *picture element* pour « élément d'image ».

Pixellisé. Apparence d'une image numérique sur laquelle on peut distinguer chaque pixel.

Plage de luminance. Différence entre la clarté de la partie la plus claire et celle de la partie la plus foncée d'un sujet.

Plage dynamique. *(1)* Mesure de la diffusion du plus faible niveau d'énergie au plus fort dans une scène. *(2)* Plage qu'un périphérique, tel qu'un appareil photo ou un scanner, peut capturer.

Plug-in. Logiciel d'application qui travaille en collaboration avec un programme hôte dans lequel il est « intégré ».

Plus proche voisin. Type d'interpolation où la valeur du nouveau pixel est déduite à partir du pixel le plus proche.

Postérisation. La représentation d'une image qui utilise un nombre relativement faible de tons ou couleurs différents, ce qui crée des bandes dans les zones plates de couleur.

Ppp. *(1)* Points par pouce. Mesure de la résolution d'un périphérique de sortie. C'est le nombre de points que ce périphérique peut gérer ou imprimer. *(2)* Le nombre de points vus ou résolus par un appareil de numérisation par pouce linéaire.

Presse-papiers. Zone de mémoire destinée à contenir temporairement des éléments pendant le processus de modification.

Profil couleur. Manière dont un périphérique – écran, scanner, imprimante, etc. – gère les couleurs en fonction des différences entre son propre jeu de couleurs et celui de l'espace de connexion du profil.

Profondeur. *(1)* Netteté d'une image – synonyme de profondeur de champ. *(2)* Évaluation subjective de la richesse des zones noires d'un tirage ou d'un transparent.

Profondeur de champ. Mesure de la zone ou de la distance sur laquelle la netteté d'un objet devant un objectif sera acceptable. Elle se situe devant et derrière le plan de la meilleure mise au point et est affectée par trois facteurs : l'ouverture, la longueur focale et le grossissement de l'image.

R

Ratio. Rapport entre la largeur et la hauteur (ou profondeur).

Ratio d'image. Comparaison entre la profondeur d'une image et sa largeur.

Raw. Fichier image produit par un appareil photo avec un traitement minimum.

Recadrer. Utiliser une partie d'une image pour améliorer par exemple la composition ou faire correspondre une image à l'espace disponible ou au format.

Rectangle de sélection. Outil de sélection dans les logiciels graphiques ou de retouche.

Redimensionner. Changer la résolution ou la taille d'un fichier.

Reflet. Haute lumière petite, localisée.

RVB. Rouge, Vert, Bleu. Un modèle de couleur qui définit les couleurs en termes de quantités relatives de rouge, de vert et de bleu qu'elles contiennent.

S

Sauvegarde. Création et stockage de plusieurs copies de fichiers informatiques pour se protéger contre la perte ou la dégradation des originaux.

Sortie. Impression papier d'un fichier numérique, comme une impression jet d'encre par exemple.

Supprimer. *(1)* Rendre un fichier électronique invisible et pouvoir l'écraser. *(2)* Supprimer un élément, comme une lettre, un bloc sélectionné de mots ou cellules ou une partie donnée d'un graphique ou d'une image.

Synthèse additive. Combinaison ou mélange de plusieurs lumières colorées pour simuler ou donner l'impression d'une autre couleur.

Synthèse soustractive. Combinaison de colorants ou pigments pour créer de nouvelles couleurs.

T

Tablette graphique. Périphérique de saisie permettant un contrôle précis ou variable de l'apparence de l'image dans un programme de retouche. Il s'agit d'un panneau chargé d'électrostatique et connecté à l'ordinateur. Vous utilisez un stylet qui interagit avec le panneau pour localiser les informations et émettre des instructions.

Teinte. Nom donné à la perception visuelle d'une couleur.

Température de couleur. Mesure de la qualité de la couleur d'une source lumineuse, exprimée en degrés kelvin.

Temps de pose. Durée de l'exposition d'un film ou d'un capteur à la lumière.

Temps de réponse de l'obturateur. Intervalle de temps entre l'appui sur le déclencheur et l'exposition.

TIFF. Format de fichier très répandu qui prend en charge jusqu'à 24 bits de couleur par pixel. Des balises sont utilisées pour stocker des données sur l'image, comme les dimensions.

Ton dominant. *(1)* Le noir dans une image CMJN. *(2)* Ton principal ou le plus important dans une image, généralement le ton moyen entre le blanc et le noir.

Tramage. Simuler plusieurs couleurs ou nuances en utilisant un nombre plus faible de couleurs ou de nuances.

Transparence. Le degré avec lequel la couleur d'arrière-plan est visible sous le calque de premier plan.

U V Z

USB ***(Universal Serial Bus).*** Norme permettant de connecter à un ordinateur des périphériques, comme un appareil photo numérique, un équipement de télécommunication ou une imprimante.

Valeur d'ouverture (*f*/valeur). Réglages du diaphragme de l'appareil photo qui déterminent la quantité de lumière transmise par un objectif. Chaque valeur d'ouverture est égale à la longueur focale de l'objectif divisée par le diamètre de la pupille d'entrée.

Vignettage. *(1)* Défaut d'un système optique qui coupe ou réduit la lumière dans les coins d'une image à cause d'une obstruction au niveau de la construction du système. *(2)* Des coins délibérément plus sombres – utilisés pour cadrer une image ou adoucir le contour du cadre.

Vignette. Représentation d'une image dans une version plus petite de faible résolution.

Viseur électronique. Écran LCD ou LCOS, sous l'oculaire qui présente la vue à travers l'objectif de l'appareil photo.

Zoom. *(1)* Type d'objectif qui peut faire varier sa longueur focale (angle de champ) sans changer la mise au point. *(2)* Changer le grossissement pour un affichage à l'écran.

Index

Index suite

Remerciements

Remerciements de l'auteur

Mes premiers remerciements vont à Judith More, pour m'avoir commandé cet ouvrage.
Je remercie également Nicky Munro pour avoir relu attentivement cette édition, et pour en avoir assuré le suivi. Mes remerciements vont aussi aux milliers de lecteurs des éditions précédentes, qui, grâce à leurs remarques et commentaires, nous ont permis de publier cette nouvelle édition, toujours plus actuelle et enrichie.
Vous pouvez m'envoyez vos commentaires et questions sur cet ouvrage à l'adresse **info@tomang.com** (en anglais).

Tom Ang
Londres 2010

Photographies

Photographies: © Tom Ang. Toutes les autres images © Dorling Kindersley.
Pour toutes informations supplémentaires, rendez-vous sur le site **www.dkimages.com**.

L'éditeur remercie aussi les sociétés et personnes suivantes pour leur aide et leur autorisation à publier leurs photographies :
Adobe Inc, Louise Ang, Apple, Aquapac International Ltd, Belkin Components Ltd, M Billingham & Co Ltd, Bite Communications Ltd, Blitz PR, Broncolor, Calumet International, Canon UK Ltd, Casio UK, Centon, ColorVision Europe, Companycare Communications, Compaq UK, Contax, Corel, Andy Crawford, Epson UK, Extensis, Firefly Communications, Fuji, Fujifilm UK, FutureWorks, Inc, Gateway, Goodmans Industries Ltd, Gossen, Wendy Gray, Hasselblad, Heidelberg USA, Hewlett-Packard, IBM, Ilford Imaging UK Ltd, Iomega, JASC, Johnsons Photopia Ltd, Kodak, LaCie, Leica, Lexar, Lexmark, Logitech Europe SA, Lowepro UK Ltd, Macromedia Europe, Mamiya, Manfrotto, Megavision, Mesh, Metz, Micron, Microsoft, Microtek, Mitsubishi, Nikon UK Ltd, Nixvue Systems, Nokia, Olympus UK Ltd, Packard Bell, Panasonic Industrial Europe Ltd, Peli Cases, Pentax UK Ltd, Phillips, Ricoh EPMMC UK, Rollei, Roxio, Sigma Corporation, Smartdisk Europe, Sony United Kingdom Ltd, Tamrom UK, Tenba Quality Cases, Tokina, Ulead, Umax, Wacom.

Images de couverture

Première de couverture et dos : Corbis. Quatrième de couverture : toutes les images sont de Tom Ang.